Kathleen (en)
Linda (en)

Le jour où Anita
envoya tout balader

DU MÊME AUTEUR

La Bibliothèque des cœurs cabossés,
Denoël, 2015. J'ai Lu, 2016.

Katarina Bivald

Le jour où Anita envoya tout balader

roman

Traduit du suédois
par Marianne Ségol-Samoy

DENOËL

Titre original :
Livet, motorcyklar och andra omöjliga projekt

Éditeur original :
Forum bokforlag, Stockholm, Suède.
Publié en accord avec le Bonnier Group Agency, Stockholm, Suède
© Katarina Bivald, 2015

Et pour la traduction française :
© Éditions Denoël, 2016

A prayer for the wild at heart,
*Kept in cages**

Tennessee WILLIAMS

* Une prière pour les libres dans l'âme, gardés en cage.

1

Mon chemin vers la folie commence ici. Je suis assise par terre dans l'entrée et je parle avec ma porte.

Il y a quelques secondes, elle s'est refermée dans un claquement. Dix-neuf ans envolés dans un bruit sourd. Puis le pling impitoyable de l'ascenseur lorsqu'il arrive à notre étage et le raclement de la valise à roulettes sur le sol.

— Merde, je dis en entendant l'ascenseur redescendre.

Ma porte n'a aucune réaction.

Sans réfléchir, je me lève et je me précipite sur le balcon.

— Attends! je crie en me penchant au-dessus de la balustrade. Ne me laisse pas! J'ai dit quelque chose de mal? Je peux changer, je te le jure! Donne-moi une dernière chance!

Mon hurlement fait sursauter un couple de passants qui lève la tête vers moi. Une partie de moi se dit que mon comportement n'est pas très convenable. Mais je m'en fous. La personne à la valise s'est arrêtée elle aussi. Elle se retourne.

— Haha, maman, dit Emma, ma fille, le soleil de ma vie, le centre de mon existence, qui en ce moment est en train de me quitter.

Elle aussi lève la tête vers moi et le balcon comme si elle nous voyait pour la dernière fois. Je pourrais jurer qu'il y a une pointe de nostalgie dans son regard.

Elle me ressemble mais dans une version plus déterminée. Elle a mes cheveux bouclés et indisciplinés, mais, à elle, ça lui donne une allure d'aventurière et de femme libre. Ils sont le prolongement de l'énergie rayonnante qui émane d'elle, constamment en route pour des directions variées.

— Mais maman, je ne suis même pas arrivée à l'arrêt de bus, répond-elle en haussant les épaules.

— Je me disais que tu avais peut-être changé d'avis et que tu voulais que j'aille à Karlskrona avec toi ? je suggère.

— Pour que tu puisses m'accompagner à la fac le premier jour et t'assurer que j'ai bien pris tous mes livres ?

— Pourquoi pas ?

— On est dimanche. Demain tu travailles.

Je me penche encore au-dessus de la balustrade. Le soleil est sur le point d'apparaître derrière l'immeuble d'en face, de l'autre côté de la rue. Si ça n'avait pas été le jour du déménagement d'Emma, ce dimanche aurait été sublime. Mais peut-être n'est-ce pas trop tard.

— J'ai besoin de vacances. Il me reste quelques jours de congé à prendre.

— Bien sûr. Tu veux partir comme ça sans prévenir et laisser le pauvre Roger seul avec ses mises en place de pâtes.

Roger c'est mon chef. Il a un avis très tranché sur l'importance de la mise en place des produits dans les rayons. Je ne peux pas dire que le commentaire d'Emma rende mon existence plus légère.

— J'ai entendu dire que Karlskrona est magnifique en août, je déclare.

— Tu y es déjà allée. Tu sais très bien qu'il n'y a rien à voir dans cette ville, à part les rues pavées de galets.

— Pas seulement les rues. Il y a aussi la place pavée la plus importante d'Europe. J'aime beaucoup les galets. J'ai toujours aimé ça.

À présent, elle a lâché sa valise et met sa main en visière pour mieux me voir.

— Détends-toi, maman. D'habitude tu n'es pas aussi inquiète.

— Je ne suis pas inquiète, je dis sur un ton que je veux nonchalant.

— Quand je me suis cassé la jambe, t'as même pas bronché.

C'était différent. Quand elle s'est cassé la jambe, elle était condamnée à se tenir tranquille. Très pratique, le plâtre.

— La seule chose que tu m'as dite, c'est de ne pas tomber amoureuse d'un médecin.

— Tu avais quinze ans. Tu regardais *Urgences* à la télé tous les jours. Tu étais facilement influençable.

Elle rit.

— J'y vais, maman.

Je cherche désespérément quelque chose à dire pour la retenir encore un peu. Quoi, je ne sais pas. Sans doute une formule magique qui lui donnerait envie d'emmener sa mère avec elle.

— Attends ! Tu rentres à Noël ?

— Haha. Salut maman.

C'était une blague de ma part. Évidemment. Elle me fait un dernier signe de la main, un peu maladroit à cause du gros sac à dos qu'elle porte sur les épaules puis elle se remet en route. Elle a dix-neuf ans. Déjà une adulte mais toujours une enfant. Moi, j'ai trente-huit ans et je suis à peu près aussi mûre qu'elle.

Si vous me posiez la question, je vous répondrais que je trouve fou que les enfants deviennent adultes et qu'ils quittent un jour la maison. Le but n'est pas qu'ils se débrouillent seuls. C'est bien pour ça qu'on a inventé les mères, non ? Être une mère

11

célibataire *avec* enfant est une chose, être une mère célibataire *sans* enfant en est une autre. Toute cette énergie féminine dépensée pour rien.

J'ai eu Emma quand j'avais dix-neuf ans, et depuis ça a toujours été nous deux contre le monde.

Je mets ma tasse de café froid du petit déjeuner dans le four à micro-ondes et je m'assois à la table de la cuisine. Je reste un moment immobile, les yeux dans le vide. La tasse ébréchée tourne tranquillement. Je sens que je n'ai plus la moindre once d'énergie en moi.

Le top cinq de mes meilleurs moments avec Emma, par ordre chronologique :

À la cinquième place : lorsque ma mère a fêté ses cinquante ans et qu'Emma sortait tout juste de sa période des « Maman, pourquoi » pour entrer dans sa période des « Maman, tu savais que ». Elle buvait du sirop accompagné des sept gâteaux traditionnels tout en expliquant aux amis de sa grand-mère comment on faisait les bébés. Ma mère était si choquée qu'elle est restée sans voix. Un exploit.

À la quatrième place : lorsque Emma était en CP et qu'elle a invité une copine à la maison pour la première fois. Craignant qu'elle ne soit trop habituée à être seule avec moi pour avoir des amis, j'ai été si rassurée que j'ai littéralement vidé le garde-manger des bonnes choses que je conservais pour nous remonter le moral les jours de pluie. J'ai littéralement surdosé les deux gamines en bonbons, glaces et gâteaux. Malheureusement la mère de la copine était dentiste. Pendant les semaines qui ont suivi, son amabilité forcée envers moi ne parvenait pas à dissimuler son horreur, ce qui rendait l'ambiance devant l'école disons… tendue. Je la vois encore avec ses longs cheveux couleur miel, épais et soyeux, aux reflets dorés, forcément teints chez un coiffeur bien plus cher que celui chez lequel je vais quand j'ai envie de m'accorder un petit plaisir. En gros, une fois tous les dix ans, que j'en aie besoin ou non.

À la troisième place : lorsque Emma a fêté ses huit ans. J'ai réussi à organiser le goûter d'anniversaire le plus réussi de l'année, et sans dépasser mon budget. J'ai demandé à mon voisin à la retraite de se déguiser en père Fouras, j'ai caché des trucs dégoûtants parmi les gâteaux et j'ai rempli ma chambre de pop-corn qui — en un temps record et sous les cris déchaînés des enfants — ont été éparpillés jusque dans la salle de séjour où un Disney attendait. Pendant les six mois qui ont suivi, j'ai retrouvé des pop-corn partout et dans les endroits les plus inattendus. Mais ça valait vraiment le coup. La mère d'Emma versus les autres parents : 1-0.

À la seconde place : lorsque Emma avait treize ans, qu'elle a eu le cœur brisé pour la première fois de sa vie et qu'elle s'est confiée à moi. Elle était devenue insupportablement adulte. Cette période où les enfants refusent d'être traités comme des enfants tout en s'accordant le droit de se comporter comme tels. Mais ce week-end-là, c'était de nouveau nous deux contre le monde ! Surtout, nous deux contre ce Salopard ! comme on l'a surnommé.

Et pour finir, roulement de tambour, tada ! En haut du podium ! À la première place : lorsque Emma a été admise à l'université de Karlskrona. La seule de notre famille à faire des études supérieures. Nous avons fêté ça avec une bouteille de mousseux Chapel Hill. Emma a passé la soirée à m'expliquer la suite des événements ; l'inscription, la demande d'un prêt étudiant et ainsi de suite. Sans doute pour se persuader elle-même qu'elle maîtrisait la situation. Pendant les quelques mois qui ont suivi, nous avons été plus proches l'une de l'autre que jamais. Nous avons cherché une chambre, nous avons visité Karlskrona à plusieurs reprises afin de nous habituer à l'idée qu'elle y serait bientôt chez elle. Chaque fois, nous prenions nos repas à The Fox and Anchor, comme si le fait de nous créer des habitudes nous aidait à saisir la réalité. Nous avons acheté des meubles, un lot d'assiettes, de verres, de poêles et d'autres ustensiles nécessaires pour un foyer digne de ce nom. Il y avait même une planche et un fer à repasser, ce qui a beaucoup fait rire Emma qui prétendait qu'elle ne s'en servirait jamais. Aucune importance, je lui ai répondu. C'est compris dans le kit. On ne peut pas être adulte sans planche et fer à repasser dont on ne se sert pas.

Le four à micro-ondes me rappelle à l'ordre en émettant un signal sonore et je réalise que j'ai oublié mon café. À force de tourner, il bout. Lorsque j'ouvre la porte, une odeur de café brûlé se répand dans la cuisine. Je le laisse refroidir un peu et je le bois quand même.

Je me sens totalement vide. Ces derniers mois, ma liste de choses à faire n'a tourné qu'autour d'Emma. *Trouver une chambre à Karlskrona. Acheter un aspirateur. Acheter un paquet supplémentaire de sacs aspirateur.* Là encore, Emma a éclaté de rire, preuve qu'elle ne sait pas encore à quel point c'est énervant d'avoir à chercher le bon format. Chaque fois que quelqu'un ose me dire que c'était mieux avant, je contre-attaque avec sacpoursaspirateurs.com.

Puis elle a déménagé.

Un petit détail auquel j'aurai dû penser avant qu'on fasse la fête.

2

Si ma vie était une séquence de l'émission télévisée «På spåret*», les indices seraient à peu près les suivants : «Nous commençons notre voyage à vingt minutes de notre destination finale.» La caméra zoomerait sur un immeuble de quatre étages, construit dans les années quarante, à l'époque où toutes les petites agglomérations industrielles s'imaginaient encore que l'avenir portait en lui une expansion permanente. Puisqu'il s'agit d'une émission dont l'action se passe dans un train, on pourrait situer la mienne dans la partie désaffectée de la ligne Svartåbanan jusqu'à ce qu'on soit obligé de dévier pour passer devant la traditionnelle maison communale avec son Pôle emploi et son service dentaire public. Ensuite on continuerait vers le centre-ville : une rangée d'immeubles bas qui, dans le temps, hébergeaient des boutiques bien plus nombreuses qu'aujourd'hui.

Skogahammar est le genre de ville où il n'y a plus d'industrie importante depuis l'époque lointaine où l'État suédois se

---

* «Sur la voie» est un des jeux-concours les plus populaires de la télé suédoise : deux équipes de célébrités, à bord d'un train, doivent deviner la destination, une ville connue en Suède ou à l'étranger. Des indices fournis au fur et à mesure du voyage, souvent sous forme d'énigmes et de jeux de mots, sont censés les mettre sur la voie.

bagarrait avec les immigrés de Finlande et leurs brûlis forestiers (dès ce moment-là on aurait dû se méfier de la fermeture des entreprises, de la délocalisation, de la bureaucratie). Si nous nous en sommes sortis, c'est grâce à notre situation géographique, et grâce aux trains de banlieue qui nous relient à plusieurs usines, maintenant fermées. Aujourd'hui nos premiers employeurs sont la commune et Pôle emploi. Autrement dit, nous survivons à l'aide du bouche-à-bouche que nous nous faisons à nous-mêmes.

La séquence aurait pu donner des indications sur des gens connus originaires de Skogahammar, mais la tâche ne serait pas aisée. En cliquant sur Skogahammar sur Wikipédia, sous la rubrique «Personnes connues de Skogahammar» on trouve : Tompa Stjernström, hockeyeur (division 1). Jocke Andersson, hockeyeur (division 2). Sara Andersson, a participé aux épreuves de l'émission de télé-crochet «Idol» (à noter : n'a pas été qualifiée). Et Anna Maria Mendez, présidente du conseil communal.

Je suppose qu'on aurait aussi pu mentionner le jour où Olof Palme a visité la ville. C'est ce qui nous est arrivé de plus historique. Tous ceux qui ont dépassé la quarantaine se souviennent de la venue de notre ministre d'État comme si c'était hier, même si les détails sur cette journée divergent : «Le temps était magnifique, tel que l'avenir semblait l'être à cette époque», «Gris, il faisait gris, comme le communisme qu'il essayait d'introduire en Suède». Emma a fait un exposé sur cette prétendue visite et n'a jamais réussi à trouver la moindre source la confirmant. Ce qu'elle a découvert de plus approchant était une visite d'Olof Palme à l'hôtel Bofors et une visite officielle à Karlskoga pendant sa campagne électorale de 1982.

S'il est effectivement passé chez nous, ce n'est pas inscrit dans les annales de la ville. Une visite courte et insignifiante, si elle a réellement eu lieu.

On s'approche maintenant de la destination finale de notre

voyage. Pour deux points : la caméra zoome sur la supérette Extra-Market de Skogahammar. Ouverte tous les jours à partir de neuf heures (excepté le jour de Noël, le jour de Pâques, et le jour de la Saint-Jean, mais notre chef, Petit-Roger, estime que l'information est correcte d'un point de vue statistique. En moyenne nous ouvrons bien tous les jours). En ce moment, nous faisons de la promo sur le ketchup, les pilons de poulet et le porc mariné spécial barbecue. Le fait que l'été soit terminé nous a visiblement échappé.

Ça fait maintenant douze ans que je travaille à Extra-Market et je suis quasiment la plus ancienne, le chef y compris. La seule qui soit là depuis plus longtemps que moi c'est Pia. C'est elle qui m'a fait entrer quand j'avais besoin d'un boulot. Elle y est depuis l'âge de quatorze ans, certes avec une interruption de dix ans vu qu'elle s'est mariée et qu'elle a eu des enfants. Puis son mari s'est retrouvé en prison. En réalité, ce n'est pas si rare à Skogahammar, mais lui il s'est fait pincer pour fraude fiscale, ce qui a fait scandale. La plupart d'entre nous ne gagnent pas assez pour que les impôts s'intéressent à nous et se donnent la peine de nous poursuivre. Du coup, Pia est revenue. Elle prétend qu'Extra-Market la rassure et lui donne un sentiment de sécurité, genre «Nous veillons sur vous du berceau jusqu'à la tombe». Un peu comme l'Église suédoise.

Si on me consacrait une séquence de l'émission «C'est votre vie!» on pourrait utiliser exactement le même scénario et les mêmes personnages. Mes collègues et Emma apparaîtraient devant moi sans que je m'y attende, et moi je m'efforcerais de feindre la surprise. Ma mère devrait être de la partie, elle aussi. Mais vu qu'elle est de plus en plus confuse, elle n'accepterait sans doute pas de participer, même pendant ses brefs moments de lucidité. Depuis l'introduction d'une deuxième chaîne, elle trouve la télé immorale.

J'ai trente-huit ans, je suis une mère célibataire sans enfant, employée à Extra-Market et habitant une ville que même Dieu a abandonnée. C'est ma vie !

Ce lundi matin, la discussion dans la salle du personnel tourne comme d'habitude autour du poste d'un responsable adjoint à Extra-Market. Petit-Roger parviendra-t-il à trouver un candidat valable ? Ça fait deux mois qu'il nous bassine avec ça. Son but est d'inciter l'un de nous à candidater pour ce poste qui demande « un esprit d'initiative et le sens de la responsabilité ». Chaque semaine il nous rappelle l'importance de montrer « ce que nous avons dans le ventre ». « Chaussez vos lunettes de vendeur, espèces de bigleux ! » répète-t-il en boucle. C'est une phrase qu'il a entendue à une soirée du Rotary et qu'il a adoptée. Jusqu'à présent, Nesrin est la seule à envisager de postuler. Et elle le fait uniquement pour embêter son père qui tient notre fast-food local et qui lui a formellement interdit de faire des extra chez lui. Pour sa fille, il a toujours eu trois règles : formation, formation, formation. Après le lycée, il était donc tout à fait naturel qu'elle prenne une année sabbatique afin de travailler à Extra-Market.

Nous sommes cinq à être employés à plein temps et à travailler en semaine. En plus de nous, il y a autant d'adolescents qui donnent un coup de main le week-end et certains soirs. Nous, les plein temps, sommes bien sûr persuadés que les jeunes ne gèrent rien et qu'ils sont trop paresseux pour travailler réellement. « Et c'est tant mieux », commente Pia chaque fois que le sujet revient sur le tapis, c'est-à-dire en gros à peu près tous les lundis. « C'est quand même rassurant de voir que les ados ont d'autres priorités dans la vie. »

Aujourd'hui, tous les employés à plein temps écoutent avec un enthousiasme variable le discours incendiaire de Petit-Roger. Avec le temps, nous nous sommes nous-mêmes classés par groupes.

Pia, Nesrin et moi en constituons un. Pia l'appelle «le seul qui soit sensé, et même ça c'est relatif».

Puis il y a celui de Petit-Roger et de Grand-Roger. En réalité, ils n'ont rien en commun excepté leur prénom et le fait d'être des hommes, mais ça leur suffit pour se soutenir réciproquement. Petit-Roger, petit et trapu, a un caractère nerveux qu'il compense par un comportement passif-agressif. La raison pour laquelle il a choisi d'être chef sur un lieu de travail composé presque exclusivement de femmes reste un mystère. Il n'a bien sûr aucune chance de s'en sortir. Depuis que nous avons l'âge de défendre nos droits, nos mères nous ont aguerries contre les personnalités nerveuses au comportement passif-agressif. La plupart d'entre nous trouvent que c'est quand même un bon chef. Pia a pris pour mission de le chambrer et elle passe son temps à lui rentrer dedans, mais je suis persuadée que ce n'est pas mal intentionné de sa part.

Grand-Roger fait au moins trente centimètres et probablement quarante kilos de plus. Il aime raconter des blagues qu'il croit choquantes mais, puisqu'il n'y a rien de mauvais en lui, elles tombent souvent à plat. Ça ne veut pas dire qu'il se décourage pour autant.

Magda constitue un groupe à elle seule. Elle a cinquante-cinq ans et doit son poste à une aide de l'État à l'embauche. Elle est entièrement dévouée à Petit-Roger. Son père était officier dans l'armée, ce qu'elle réussit à glisser régulièrement dans les conversations. À mon avis c'est ce qui explique son comportement. Elle a dû se faire endoctriner dès la naissance afin de rentrer dans le rang et de suivre les ordres.

En ce moment, elle est la seule à écouter Petit-Roger. Il lutte pour couvrir les grommellements de Pia qui ne peut s'empêcher de commenter chaque phrase qu'il prononce. Moi, j'ai déjà sorti mon portable de ma poche pour me connecter à Google.

19

Si j'écris « comment survivre avec un adolescent », j'ai sept cents résultats en zéro virgule vingt et une seconde.

Si j'écris « comment survivre sans un adolescent », je n'ai aucun résultat de recherche.

Par conséquent, je vais devoir développer mes propres stratégies. Mais lesquelles ?

J'ai une idée de génie. Je tape « crise de la quarantaine ». Ça pourrait me donner des pistes de réflexion, mais, là non plus, les gens n'ont pas l'air d'avoir de conseils à donner.

De nos jours, peut-être n'a-t-on plus de crises avant la cinquantaine ? Quand commence-t-on à sortir avec des hommes plus jeunes, à avoir une voiture décapotable, à abuser du solarium et des jupes courtes ? J'essaie « crise de la cinquantaine », mais Google me redirige vers la crise de la quarantaine et me voilà de retour à la case départ.

— Comment on dit « crise de la quarantaine » en anglais ? je demande.

Pia me regarde bizarrement mais Petit-Roger me répond *midlife crisis* étonnamment rapidement.

Voilà. En anglais je trouve davantage d'informations. Wikipédia a même une longue liste de tout ce qui peut causer la crise de la quarantaine. Ça ne me donne pas franchement la pêche. Chômage, parents décédés, adolescence perdue à jamais et vieillesse approchant au galop, haine de son travail, enfants qui quittent la maison, ménopause et infidélité (concernant ces deux derniers, les causes et les symptômes semblent liés) sont quelques-uns des éléments amusants dans lesquels nous pouvons plonger, nous qui sommes avancées en âge.

J'essaie de me représenter une vie sans contraintes et sans adolescent à la maison, mais la seule image qui apparaît devant mon regard intérieur est une version déformée de moi-même dans un pauvre club de vacances pour célibataires à Majorque, la peau cramée par le soleil et un gin-tonic à la main, essayant de draguer le jeune guide de vingt ans du séjour organisé.

J'ai conscience que Majorque n'est plus une destination à la mode, mais je ne vais quand même pas aller jusqu'en Thaïlande pour me ridiculiser.

Wikipédia a même des statistiques sur la durée de la crise de la quarantaine. De trois à dix ans pour les hommes et de deux à cinq ans pour les femmes.

Deux ans… Je me sens pâlir.

— Il va falloir que je me procure une voiture de sport, je grommelle.

Wikipédia a même illustré l'article avec une Ferrari rouge.

— Ça n'aide pas nécessairement, me lance Petit-Roger. Bon… il n'est pas temps d'ouvrir ?

Tous les clients qui me connaissent savent qu'Emma a quitté la maison. Derrière ma caisse, je les vois me lancer des regards compatissants, essayant de me soutirer quelques informations. Je ne crois pas qu'ils sachent eux-mêmes ce qui les intéresse. À mon avis, c'est plutôt un réflexe de petite ville de toujours penser qu'il y a des ragots croustillants sous la surface.

— Oui, Emma a déménagé, je dis.

Et :

— Oui, c'est formidable qu'elle fasse des études supérieures.

La plupart prononcent supérieures avec un S majuscule. Sur un ton de méfiance et de respect. Le tout accompagné des bips de la caisse. Ce sera tout ? Ça vous fera cent trois couronnes. Oui, je suis très fière d'elle. Un sac ? Elle va faire des études d'aménagement du territoire. Le ticket ?

Aménagement du territoire. Je ne sais même pas ce que ça signifie. L'opposé de démontage du territoire, je suppose. J'ai cru comprendre que beaucoup de ceux qui sont formés travaillent pour les municipalités et qu'une grande partie d'entre eux s'occupe des permis de construire.

C'est déprimant de penser qu'Emma trouve que ça vaut la peine de faire quatre années d'études loin de moi. Et surtout si le but est de devenir une bureaucrate municipale détestée de tous.

Après le déjeuner, je capitule et j'oblige Pia à prendre ma place à la caisse pour me réfugier au rayon des produits surgelés. Mais malheureusement Ann-Britt Hedén me trouve au bout d'à peine dix minutes.

Ann-Britt est la représentante de notre conscience du monde, ici, à Skogahammar. Toutes les méchancetés la rendent perplexe et profondément triste ; depuis la femme qui a volé la recette du jour de la Croix-Rouge il y a quelques années jusqu'aux massacres au Soudan. C'est la présidente de notre unité locale de la Croix-Rouge, ce qui, avec le temps, lui a donné la bouille d'un nounours triste.

Elle n'arrive pas à comprendre que quelqu'un soit capable de refuser de donner une pièce pour des inondations au Bangladesh, pour la famine en Corée du Nord, pour les enfants soldats en Ouganda, pour les personnes seules en Suède ou pour les chats abandonnés à Skogahammar. Or la plupart d'entre nous savent qu'ils sont tout à fait capables de refuser. Quand elle arrive à la supérette, il n'est pas rare de voir des clients se cacher derrière un rayon de pâtes. Quand elle se promène en ville, il n'est pas rare de voir les conducteurs se recroqueviller derrière leur volant et tourner subitement dans une rue transversale.

Mais cette fois je suis trop préoccupée pour penser à me cacher lorsqu'elle s'approche de moi.

Dès qu'elle m'aperçoit, la tristesse de son visage s'adoucit et elle m'adresse un sourire aimable.

— C'est malheureux pour Emma, dit-elle, comme si elle

inscrivait le déménagement d'un enfant sur sa longue liste des cruautés incompréhensibles du monde.

Puis elle s'efforce de voir le côté positif, sans doute dans une tentative de me remonter le moral, et ajoute :

— Tu vas avoir du tri à faire maintenant qu'Emma a déménagé. Je me souviens quand Kristin a quitté la maison. Le grenier ! Les penderies ! Je te conseille cependant de garder ses affaires de bébé. Un jour elle en aura peut-être besoin, dit-elle en me lançant un regard teinté de nostalgie.

— Je les ai jetées.

Je me rends aussitôt compte que j'ai commis là une grossière erreur morale.

— *Jetées ?*

— Emma m'a dit que si elle avait des enfants et que je les affublais de ses vieux vêtements des années quatre-vingt-dix, elle porterait plainte pour maltraitance. À moins que ses enfants aient eu le temps de le faire avant elle.

Emma a grandi avec des vêtements d'occasion. Elle sait ce que ça signifie.

Mais je suis bonne joueuse, je me plie devant le jugement d'Ann-Britt. Pour les femmes de Skogahammar, tous les grands événements de l'existence impliquent du rangement et du ménage. Les mariages, les enterrements, les visites, les naissances… tout nous amène tôt ou tard à nous retrouver la tête plongée dans les placards ou à quatre pattes à nettoyer les plinthes.

Mon rapport personnel au ménage a jusqu'ici été de m'attribuer à moi-même des points supplémentaires pour toutes les tâches ennuyeuses auxquelles je dois m'atteler. Je m'inspire de la stratégie des miles des compagnies aériennes ou ferroviaires en gonflant un peu le nombre de points. Passer l'aspirateur me rapporte 27 000 points, dépoussiérer 43 000 points, faire le tri dans la penderie 57 000 points (encore jamais atteints). 14 000 points me donnent droit à un café supplémentaire après une grasse matinée un samedi matin. 27 000 = des bonbons un vendredi ou un samedi. 39 000 points = des bonbons en semaine.

À partir de maintenant, je vais pouvoir mieux gérer le ménage. Il y a bien trop de week-ends et de soirées dans cette vie.

Bon, je pourrais toujours commencer par ranger la penderie.

Le téléphone ne sonne pas.

Il est resté silencieux toute la journée mais, au moins, j'ai été occupée par mon travail. Lorsque je suis chez moi, il ne sonne pas davantage. Le silence est continu et assourdissant.

Mon portable est un iPhone 4, hérité d'Emma. Quand elle a eu le 4S pour son anniversaire, elle m'a donné son ancien, et depuis ce jour je n'ai plus jamais eu besoin de me creuser la tête pendant des heures pour essayer de retrouver le nom de tel acteur qui jouait dans tel film dont j'ai oublié le titre. Dans un monde aussi incertain que le nôtre, la présence de Google me rassure en me fournissant les infos dont j'ai besoin.

Jusqu'à aujourd'hui.

Je sors mon portable pour regarder une nouvelle fois si je n'ai pas raté un appel d'Emma. Ou plutôt pour l'appeler et lui raconter quelque chose, mais je ne sais pas quoi. À plusieurs reprises, je dois me forcer pour ne pas appuyer sur son nom.

Je reste dans l'entrée à contempler mon appartement comme s'il était soudain devenu aussi étranger et inutile que le téléphone. Pourtant rien n'a changé.

Même le soleil brille comme d'habitude et éclaire les meubles Ikea de ses rayons chaleureux.

J'ai lutté pendant des années pour que cet appartement soit exactement comme je le voulais. Un monument à la gloire d'Ikea. Un hommage à la production de masse suédoise. La salle de séjour est composée du canapé deux places Karlstad écru et de la méridienne Kivik jaune vert, tous les deux achetés au coin des bonnes affaires lors d'une de mes innombrables visites au Ikea d'Örebro. La cuisine est aussi totalement dans l'esprit Ikea : vaisselle, poêles, casseroles, couteaux. La table est une Bjursta blanche : extensible et facile à nettoyer avec des chaises assorties.

Rien dans l'appartement ne demande de soins particuliers ni d'époussetage permanent. Une protestation consciente contre l'appartement dans lequel j'ai grandi, où il y avait suffisamment de surfaces à astiquer, de vieilles poêles à frotter et de rideaux à nettoyer pour occuper une ménagère à temps plein pendant cinquante ans.

Ce qui n'est pas le cas chez Emma et moi. Quand j'ai enfin eu les moyens de m'acheter des meubles, je me suis dit que j'avais des choses bien plus importantes à faire que le ménage.

Je voulais être une bonne mère et passer du temps avec ma fille plutôt que d'avoir à la sermonner parce qu'elle avait oublié de mettre des dessous-de-verre sur la table. Un peu de bordel, ça donne du charme.

Et ces traces pleines de charme sont toujours là. Dans la chambre d'Emma il y a encore sa tasse de café à moitié pleine et, par-ci par-là, quelques vêtements éparpillés. Par terre dans l'entrée traîne un manteau jeté à la hâte juste avant son départ.

Je me sens un peu comme l'unique survivant à Pompéi après l'éruption du Vésuve. Le quotidien s'est figé pour l'éternité dans une mauvaise parodie de la vie en mouvement.

Je ramasse le manteau et je le lisse avec la main avant de le pendre à un cintre. Je soupçonne ce vêtement de se sentir comme moi : abandonné et légèrement choqué de se retrouver soudain seul dans l'entrée.

À l'heure qu'il est, Emma a passé sa première journée à Karls-krona. Je n'ai aucune idée de ce qu'elle a fait. A-t-elle visité son école? A-t-elle fait des courses? Sa rentrée a lieu seulement mercredi, mais peut-être ont-ils déjà organisé quelques activités en commun? Il m'est totalement inconcevable de penser qu'elle a commencé une nouvelle aventure sans moi.

Je sors de nouveau mon portable et je passe mon doigt sur son nom. Je l'ai appelée deux fois mais elle ne m'a pas rappelée.

Ressaisis-toi, Anita.

Je prends mon courage à deux mains et je vais cacher mon téléphone dans l'arrière-cuisine.

Dorénavant, pour pouvoir l'appeler, je vais devoir me faufiler entre les sacs de bouteilles consignées, l'aspirateur, le balai et la caisse remplie de bandes dessinées.

Puis je balaie la pièce du regard et je réalise pour la première fois de ma vie ce que les femmes au foyer savent depuis l'arrivée de la machine à laver et des plats tout prêts : l'existence contient un nombre effroyable d'heures, et il est possible que ce soit plus sécurisant de les consacrer au ménage qu'aux enfants qui grandissent et qui, un beau jour, quittent la maison.

3

Pia et moi nous grillons une clope sur le quai de déchargement, pile en dessous du panneau DÉFENSE DE FUMER. Selon
un accord tacite, tous les employés ignorent cette interdiction.
Les poubelles ne se trouvant qu'à quelques mètres, il est quasi
obligatoire de fumer si on veut pouvoir supporter de séjourner
ici un moment.

En réalité, nous n'avons pas le droit de prendre notre pause en
même temps, mais Petit-Roger est parti à un déjeuner de travail
au Rotary, et tant qu'il ne sait pas, il ne peut rien nous dire.

C'est une journée de fin d'été radieuse mais, puisque le quai
de déchargement est constamment à l'ombre, nous n'en profitons
pas. La vue sur les containers et sur le parking vide ne m'aide pas
non plus à avoir la pêche.

Parfois je me dis que si je fume c'est uniquement pour empêcher l'odeur de la supérette de s'accrocher à ma peau. L'air sec et
confiné du magasin fait qu'un mal de tête est à n'importe quel
moment susceptible de se réveiller. Fumer le maintient à peine à
distance. Mais au moins, ça fait passer le temps.

Mes meilleurs moments au travail sont les heures où j'oublie
où je suis et où tout devient automatique. La vie serait probablement plus simple si on pouvait débrancher son cerveau quand on

veut. Aller au boulot, le mettre sur pause, puis le rebrancher au moment où on se débarrasse enfin de sa blouse de travail.

Si je pouvais mettre mon cerveau sur pause, je me demande bien à quel moment je me donnerais la peine de le réactiver.

Je parle de ça à Pia.

— Mon Dieu, s'exclame-t-elle. Si je pouvais me déplacer ici comme un zombie, la vie serait plus simple aussi bien pour Petit-Roger que pour moi. J'arriverais même à être agréable avec les retraités à la caisse !

Je tire une taffe sur ma cigarette. Le béton est frais et rugueux contre mon dos.

— Imagine que des gens aient déjà trouvé le truc et gardent le secret ? poursuit Pia. Genre, ils se le refilent de génération en génération pendant que nous autres, nous continuons à tourner en rond et à nous encombrer l'esprit avec tout un tas de trucs inutiles ? Ça expliquerait pas mal de choses.

La porte à côté de nous s'ouvre brusquement. Nous nous sentons stupides en voyant Nesrin apparaître. Malgré notre décision de ne pas tenir compte du règlement de Petit-Roger, nous sommes toutes les trois d'accord pour dire qu'il vaut mieux ne pas le faire de façon trop ostentatoire.

— Vous êtes parties sans me prévenir ! nous lance Nesrin.

— Tu ne fumes pas, rétorque Pia.

— Ce n'est pas une excuse ! Magda veut qu'on la remplace à la caisse. Pourquoi je serais là-bas toute seule alors que Petit-Roger n'est pas encore revenu ?

Nous haussons les épaules, écrasons nos cigarettes et retournons dans le magasin avec elle.

— Vous parliez de quoi sans moi ? demande-t-elle une fois installée derrière la caisse.

Je lui explique notre idée du cerveau qui fonctionnerait

comme une télé, mais avant que j'arrive au bouton pause, Nesrin s'écrie :

— Trop cool ! Choisir l'émission qui correspond à ce qu'on aimerait vivre !

Je lorgne Pia qui répond «Exactement» comme si c'était ça qu'on avait voulu dire.

— Quelle série télé vous choisiriez ? demande Nesrin.

— *Game of Thrones*, répond Pia sans hésiter. Cinq morts avant le déjeuner. Petit-Roger, tragiquement décapité avant même l'ouverture du magasin.

Nesrin la regarde en écarquillant les yeux. Elle est souvent choquée par les propos de Pia, vu qu'elle la prend toujours au sérieux.

— Et tu serais qui ? lui demande-t-elle avec curiosité.

— Daenerys Targaryen. Quel pied ce serait de lâcher mes bébés dragons sur les clients ! continue à fantasmer Pia.

— Et toi Anita, dans quelle série tu aimerais vivre ? me demande Nesrin.

— *Gilmore Girls*. Du café dans des gobelets en papier, des foulards tout mignons et une fille qui n'a toujours pas quitté la maison bien qu'elle soit à la fac.

— T'es pathétique, me lâche Pia. T'as vraiment besoin d'une vie. On se retrouve au Réchaud à alcool ce soir ?

— Qu'est-ce que tu as contre *Gilmor Girls* ? je demande.

— C'est une série fort sympathique, commente une cliente qui vient d'entrer dans le magasin.

Elle nous adresse un sourire enthousiaste qui lui donne un air d'institutrice zélée. En voyant son total look violet — chapeau en feutre violet, pantalon violet, pull souple violet — Pia nous fait signe que son commentaire vient d'être démontré. Nesrin et moi, nettement moins à l'aise, faisons un sourire figé à la dame violette. Si elle a entendu la réplique de Pia sur les bébés dragons, elle ne le montre pas.

— *All men must die, but we are not men**! dit Pia. Messieurs-dames, cette caisse est également ouverte !

Le Réchaud à alcool est le bar le plus important de Skogaham-mar. Historiquement, l'endroit s'est d'abord appelé Le Local puis L'Angle (d'après sa situation géographique, à l'angle de la Grand-Place) puis La Vache verte (le précédent propriétaire avait misé sur un nom plus moderne et légèrement surréaliste, mais ça n'a jamais pris). Officiellement, il s'appelle aujourd'hui Le Resto-Bar, sans doute dans l'idée d'être plus informatif, mais ce nom a vite été détrôné par Pia qui l'appelle Le Réchaud à alcool. Ce qui, en y réfléchissant, est également assez informatif.

La dénomination a donc changé plusieurs fois mais l'aménagement et la musique sont restés les mêmes. Des boiseries, des tables noires au plateau verni et décorées de fleurs en plastique sont le résultat d'une tentative loupée de donner un air de restaurant à ce lieu.

Il est dix-neuf heures. Pia, Nesrin et moi sommes installées à notre place habituelle près de la fenêtre. Pia et moi venons boire une bière ici environ une fois par semaine, Nesrin se joint à nous quand elle n'a rien de mieux à faire.

Des enceintes diffusent des hits des années quatre-vingt-dix, sans doute les mêmes depuis vingt ans. À une table dans un coin de la salle, deux retraités font des mots croisés. Il n'est pas impossible qu'ils soient là eux aussi depuis les années quatre-vingt-dix. Une demi-carafe de vin blanc est posée entre eux et chacun porte une lampe frontale pour y voir clair dans la lumière tamisée.

— Je ne comprends pas comment Petit-Roger peut imaginer que l'une de nous ait envie de poser sa candidature au poste de responsable adjoint, dit Pia.

---

* Tous les hommes doivent mourir. Mais nous ne sommes pas des hommes.

Notre chef est revenu de son déjeuner au Rotary gonflé à bloc de nouvelles idées et fermement résolu à éveiller de l'ambition chez son personnel.

— Il faut vraiment être stupide pour vouloir un poste comme ça, poursuit Pia.

Je bois une gorgée de bière en attendant qu'elle développe son idée. Je la connais suffisamment pour savoir qu'elle ne va pas tarder à le faire. Nous sommes devenues amies il y a quelques années, lorsque son mari s'est retrouvé en prison et que j'ai invité ses fils à dîner à la maison. Cela a suffi pour qu'elle me prenne sous son aile. Pia, qui est d'une loyauté sans faille, a les cheveux blond décoloré et porte des jupes bien trop courtes à longueur d'année. Elle a une voix rauque de buveuse de whisky après une vie passée à fumer cigarette sur cigarette et probablement aussi à boire de l'alcool.

Nesrin est en fait une copine d'Emma. Elle ne sort avec nous que depuis cet été et nous voit un peu comme des mères d'adoption. Nesrin et Pia n'ont vraiment rien en commun. Bon, c'est vrai qu'elles sont toutes les deux fans d'« Idol », mais Nesrin plus par inquiétude pour les participants. Elle craint toujours qu'ils ne s'en sortent pas et soutient plutôt ceux qui ont été éliminés que les autres. Pia, en revanche, se verrait bien faire partie du jury pour évincer ceux qui, d'après elle, n'ont pas le niveau. Elle trouve les membres trop mièvres.

Pia n'arrête pas de parler mais j'ai du mal à me concentrer sur ce qu'elle dit. Soudain, je regarde la salle avec un œil nouveau en pensant au nombre de fois où j'ai été assise exactement à la même place en voyant les mêmes retraités avec leur lampe frontale et les mêmes jeunes devant les machines à sous.

Ce n'était pas prévu que je reste à Skogahammar. D'une certaine manière, je n'ai pas l'impression d'y être restée. Depuis qu'elle sait marcher, Emma a toujours été en route pour quelque part. Sans doute me suis-je tout simplement imaginé qu'Emma et moi vivions dans une telle symbiose que, si elle déménageait à Karlskrona, je serais miraculeusement téléportée là-bas moi aussi.

— Responsable adjoint, assistant chef, appelle ça comme tu veux, en réalité c'est le nouveau piège pour femmes, poursuit Pia. Il y a soixante-dix ans, on repassait leurs chemises et on s'occupait de leurs gosses. Aujourd'hui on fait toujours ça, plus leur boulot de chef. La seule chose qu'ils gardent c'est le salaire, le titre et les déjeuners au Rotary.

— Il faut que je reprenne ma vie en main, je déclare.

— La première étape serait peut-être de commencer par en avoir une ? me lance Pia.

Nesrin acquiesce d'un air entendu.

— Le syndrome du nid vide, fait-elle. J'ai lu des choses là-dessus sur Internet.

— Ça c'est juste un mythe, rétorque Pia avec aplomb.

Je me demande comment elle s'en est sortie quand ses trois fils ont quitté la maison. En le prenant à la légère, sans doute. Pia est le genre de personne qui continue à faire des boulettes de viande même lorsqu'elle est seule. Une fois elle m'a expliqué que ses plats n'en devenaient que meilleurs quand elle n'avait plus à nourrir trois pythons («Ils avalent la nourriture sans même la mâcher et s'affalent ensuite sur le canapé pour digérer»).

Aujourd'hui j'ai acheté sept plats surgelés Findus, une boîte d'œufs et cinq tomates. Je devrais m'en sortir pour la semaine.

— Des études montrent que les femmes sont plus heureuses après le départ de leurs enfants. Elles se sentent mieux, sont plus joyeuses et ont une vie sexuelle plus épanouie, m'explique Pia.

— Je suis célibataire, je fais remarquer.

— Ta vie sexuelle ne peut donc en être que meilleure.

— Il y a longtemps j'avais des rêves, je dis.

Trois, pour être précise. Je suis étonnée de ne pas y avoir pensé depuis toutes ces années. Je me souviens avoir trouvé les trois le même soir. J'avais dix-huit ans, c'était l'été et j'étais à une fête en plein air entre Skogahammar et Karlstad. Je me souviens aussi que les merisiers et les lilas étaient déjà en fleurs mais que les soirées d'été étaient encore un peu fraîches et que l'air embaumait les promesses de vacances pleines d'aventures et de liberté. Une radio grésillante passait des hits de l'époque où U2 n'avait toujours pas trouvé ce qu'il cherchait et où Roxette était déjà habillé pour le succès.

J'essaie de me rappeler à quoi je ressemblais. Les cheveux, les vêtements, le visage, mais la seule image que je vois devant mon regard intérieur est celle d'Emma déguisée en fille des années quatre-vingt. Je portais un vieux jean délavé tout troué et des collants noirs en résille en dessous. Je me souviens que j'avais passé la journée à râper mon jean avec du papier de verre pour avoir suffisamment d'accrocs et de trous. Mes cuisses en avaient pris un coup et étaient écarlates à cause des frictions mais il faisait trop sombre pour que les gens le remarquent.

C'est ce soir-là et dans ce lieu que je me suis promis trois choses dont j'étais certaine qu'elles me rendraient heureuse.

— L'été où j'ai fêté mes dix-huit ans, je déclare.

Nesrin et Pia se taisent et me regardent avec curiosité, même si Nesrin semble essayer de calculer en quelle année j'ai pu être aussi jeune.

— Je me suis promis trois choses qui me rendraient heureuse, je réponds. Premièrement : être propriétaire de ma maison…

— Mais tu loues un appartement, m'interrompt Pia.

La maison, ce n'était pas très important, en fait. C'était surtout parce que mes parents vivaient dans un appartement et que, selon une logique naturelle, il fallait que je vive dans une maison.

— Savoir faire de la moto, je poursuis.

Mon copain de l'époque en avait une. Je me souviens encore

de notre arrivée à la fête. Trois feux de camp étaient allumés et des jeunes se déplaçaient autour. Je suis descendue de la bécane comme si j'avais fait ça toute ma vie et j'ai retiré mon casque. Heureusement, mes cheveux crêpés avaient survécu au court voyage à moto.

— Cool, dit Nesrin.

— Mais t'as même pas ton permis voiture, fait remarquer Pia.

— Et troisièmement, me débrouiller seule, je m'exclamai d'un air triomphant.

Pia ne sait plus quoi dire.

— En tout cas, ça je l'ai fait toute ma vie, je poursuis.

— Vu que tu n'as fréquenté aucun mec depuis le début du deuxième millénaire, on peut témoigner que c'est vrai.

Je regarde Pia et Nesrin. Ce sont mes meilleures amies, il faut qu'elles m'aident.

— J'ai besoin d'avoir de nouveaux rêves, je dis. J'ai besoin de *faire* quelque chose.

Toutes les deux sont entièrement concentrées sur mon cas et se lancent aussitôt dans différentes propositions constructives.

— La première chose à faire c'est d'oublier que tu veux t'en sortir toute seule, explique Pia.

Elle dit ça avec un tel sérieux que je sors un stylo pour prendre des notes sur une serviette.

Elle se penche en avant et pointe la serviette du doigt.

— Écris : coucher !

Je m'arrête, le stylo en l'air.

— Avec au moins dix mecs, ajoute-t-elle.

— Mon Dieu, il n'en existe même pas dix dans toute la ville, et tous ne seront pas à mon goût.

— Pff, t'es trop difficile, c'est tout. Tu pourrais devenir la vieille cochonne de Skogahammar. T'as qu'à draguer tout ce qui bouge !

Je n'écris pas.

Nesrin est à peu près aussi coopérative que Pia.

— Ou te trouver un hobby. Par exemple, il s'intéresse à quoi déjà le gars au chapeau mou ?

C'est un de nos clients les plus excentriques.

— Aux timbres, je dis d'une voix sombre. Il est persuadé que ça le rendra riche. Il récupère tous les timbres qu'il trouve dans la poubelle à côté du guichet de la poste.

À Extra-Market nous avons un petit guichet qui sert de bureau de poste à Skogahammar.

— Un malade sexuel collectionneur de timbres ? commente Pia.

— Ou peut-être quelque chose de manuel ? poursuit Nesrin sur sa lancée. De nos jours, de plus en plus de gens font de l'artisanat. Tu pourrais tricoter des écharpes pour l'hiver, ou… faire du point de croix ! Tu pourrais broder de jolis tableaux avec des petits messages dessus. Tu choisirais toi-même ce que tu veux écrire. Peut-être une belle citation venant d'un livre de développement personnel. Comme ça, avec ce tableau sous les yeux, tu penserais à quelque chose d'agréable. Il y a de très bons ouvrages sur le développement personnel.

Nesrin n'aurait pas dû dire ça.

— C'est ça le nouveau piège pour femmes ! s'écrie aussitôt Pia.

— J'avais cru comprendre que c'était le métier de responsable adjoint ? je réplique.

— Ça va ensemble. Voilà ce que je pense : les femmes sont toutes névrosées et, en plus, complètement stupides. Quand nous sommes adolescentes, nous passons des heures à nous occuper de notre physique pour que notre image extérieure soit agréable, puis on se marie avec des types qui manquent totalement de classe. Où est la logique ?

— Certains hommes se soucient aussi de leur apparence, objecte Nesrin.

— Non, certains hommes sont des snobs de Stockholm. Et eux aussi sont névrosés.

Impossible de trouver des arguments contre.

— Les bouquins sur le développement personnel font partie de tout ça. Maintenant il faut aussi être centré sur son intérieur. On transforme les gens en imbéciles souriants et immatures qui s'envoient des images de fleurs des champs et qui utilisent des polices de caractère alambiquées sur Facebook, tout en débitant des conneries telles que : « Aujourd'hui est le premier jour du reste de ma vie », « Le changement vient de l'intérieur », et cetera. Non, putain, ce n'est sûrement pas le premier jour du reste de nos vies ! C'est genre le 5 475e jour de vaisselle et de ménage de nos vies. On peut toujours essayer d'organiser nos organes internes selon les principes du fengshui et voir si ça nous fait du bien. Ce sont justement ces idioties qui font croire aux femmes qu'elles ont toujours rêvé de se taper tout le boulot sans en récupérer ni gloire ni reconnaissance.

— OK. Et si on se concentrait maintenant un peu sur moi et sur mon absence de rêves ? je reprends.

Mais juste à ce moment-là arrive la serveuse avec une nouvelle tournée de bières. Elle a entendu les derniers mots de Pia.

— J'ai essayé d'organiser ma chambre selon les principes du fengshui, intervient-elle joyeusement. Toutes mes fleurs sont mortes, ajoute-t-elle avant de tourner les talons et de disparaître avec nos verres vides.

— J'ai lu un article sur une femme qui faisait des collages, reprend Nesrin sans remarquer le regard sceptique de Pia. Elle composait des images avec ses rêves et la manière dont elle voyait sa vie.

Un tableau de rêves, donc, je songe. Mais j'ai du mal à me voir faire ça.

Pendant que la discussion s'anime entre Pia et Nesrin, je pose la serviette sur mes genoux et je dresse une liste des rêves qui me viennent à l'esprit.

— L'une des images représentait une famille heureuse devant une maison, poursuit Nesrin, imperturbable. Quand la femme l'a retrouvée plusieurs années plus tard, elle a découvert qu'elle vivait dans cette maison ! Exactement celle-là ! Sa maison était celle dont elle avait rêvé !

— Oui oui, c'est ça, ironise Pia. Avec exactement le même mec et exactement les mêmes gosses que sur l'image. Inconsciemment elle a suivi son rêve, elle a cherché son homme sur Facebook et quand elle l'a trouvé, elle l'a traqué et harcelé jusqu'à ce qu'il quitte sa pauvre femme qui vit aujourd'hui dans un appartement de location avec son tableau de rêves à elle pour unique compagnie.

— Non, ce n'est pas du tout ça.

— Et elle n'a même plus son chien ! Lui aussi était exactement le même que sur la photo de l'autre.

Je me masse discrètement les tempes pendant que Pia et Nesrin se lancent dans une longue discussion. Elles se demandent si c'est plus important que les femmes aient de l'amour-propre ou de la confiance en soi. À la fin de la deuxième bière, elles n'ont toujours pas trouvé la réponse.

C'est un mardi on ne peut plus ordinaire de ma vie. En dehors du fait que la seule chose qui m'attend chez moi est le plat surgelé de chez Findus.

— Encore une bière ? je demande.

4

Aïe.

— Merde.

— Maman, tout va bien ?

— Oui oui, tout va bien…

— C'était quoi ce bruit ?

— Des bouteilles vides qui sont tombées. Attends deux secondes.

Le téléphone coincé entre l'épaule et l'oreille, je me baisse et j'essaie de repousser avec mon pied les bouteilles de Coca avant d'abandonner et d'enjamber le tout.

— T'es où ?

— Dans l'arrière-cuisine.

Je donne des petits coups de pied dans quelques bouteilles qui se sont échappées et je referme vite la porte derrière moi. Une serviette en papier froissée tombe de ma poche et je me baisse pour la ramasser.

— Pourquoi t'es dans l'arrière-cuisine ?

— Je… fais le ménage.

— Tout va bien ? répète-t-elle d'une voix inquiète. J'ai vu tes messages. Je m'étais endormie, je n'ai pas pu te rappeler avant.

C'était au moment de la quatrième bière que j'ai eu une idée lumineuse. Mais aujourd'hui, je me demande si elle est si brillante que ça. Je prends mentalement mon élan et je dis « Thanksgiving! » avec le plus d'aplomb possible.

Voilà à quoi j'ai pensé : pourquoi n'avons-nous pas importé la fête de Thanksgiving? On a bien importé la plupart des autres fêtes. Même Halloween.

Aux États-Unis, les enfants doivent rentrer chez eux pour la Toussaint et fêter Thanksgiving en famille. Un week-end au mois de novembre, c'est absolument parfait. Après les vacances d'été et avant Noël. On pourrait bien rendre hommage aux Indiens et aux récoltes de maïs plutôt que de se déguiser en fantômes ou d'autres horreurs (on se déguise à Mardi gras d'ailleurs, non?).

C'est ce qui m'a fait penser à Thanksgiving.

— Thanksgiving?

La voix d'Emma résonne étrangement.

— Je trouve qu'on devrait fêter ça ensemble. Comme avant. Hamburgers au lieu de pizzas, bien sûr.

Pour les grandes occasions, Emma et moi commandons presque toujours des pizzas, sauf pour la Toussaint où on se fait livrer des hamburgers. Les frites ont le temps de ramollir avant d'arriver à la maison mais c'est devenu une tradition. À un moment donné, on a expérimenté la cuisine chinoise mais ça n'a jamais pris.

— On est seulement fin août, fait remarquer Emma.

— L'automne vient plus vite qu'on ne croit, j'essaie. C'était sympa, non? Les hamburgers?

Silence.

— Et à part ça? je demande. C'est comment Karlskrona? Faudra que tu m'appelles pour me raconter tes premiers jours de cours. Tu as déjà fait la connaissance d'autres étudiants?

— Maman, pourquoi est-ce que tu fais le ménage dans l'arrière-cuisine un mercredi matin?

Je regarde la porte fermée.

— Parce que c'était nécessaire, je réponds sur un ton résolu.

— Tu as vraiment besoin de t'occuper. Trouve-toi un hobby !

Ça me fait penser à… Je lisse la serviette en papier froissée dans l'espoir insensé d'y voir inscrit un super plan pour ma vie. Mais ce n'est pas le cas. D'une écriture à peine lisible j'ai noté : acheter une maison. Je n'ai même pas été capable d'inventer de nouveaux rêves !

La liste continue : rencontrer des hommes. Se trouver un hobby « bizarre », comme collectionner des timbres. Apprendre le point de croix. Acheter une moto. Apprendre le fengshui. Ranger l'arrière-cuisine.

Je n'y crois pas ! J'ai quand même noté *timbres* et *point de croix*. Encore une chance que j'aie censuré le « coucher avec dix mecs » de Pia. Enfin, « rencontrer des hommes » est à peine plus crédible.

Tout en bas c'est marqué « mener à bien un projet impossible ». Si j'étais assez stupide pour me lancer dans la chasse aux hommes, je pourrais cocher ces deux-là en même temps.

— Je songe à passer mon permis moto, je lâche.

Ça devrait la calmer. Je sens bien que ce serait une mauvaise idée de mentionner les tableaux au point de croix.

Emma éclate de rire.

— C'est une super idée ! Comme ça tu pourras draguer un beau biker.

Tiens, tiens, c'est vrai, ça pourrait se combiner avec le deuxième projet de ma liste !

— Je n'ai pas l'intention de draguer. Je tiens à mon indépendance et je veux m'acheter une maison.

Elle rit de nouveau. Nous restons silencieuses un moment pendant que je m'efforce de trouver autre chose à dire.

Mais elle me précède :

— Ce serait sympa, des hamburgers. Mais je rentrerai sans doute à Skogahammar avant la Toussaint.

Ah! Victoire!

— Rentre quand tu veux, je lui dis avec magnanimité.

Au plus tard pour Thanksgiving, donc. Ça va passer très vite. Plus que quelques mois à tirer. Aucun problème. Absolument aucun problème.

— Appelle-moi pour me donner des nouvelles de tes cours de moto, conclut-elle avant de raccrocher.

Formidable.

J'attrape un stylo et j'écris en grosses lettres au-dessous de mes propositions pathétiques : *survivre jusqu'à Thanksgiving*. J'hésite avant d'ajouter : *et essayer de ne pas harceler Emma*.

Trente-sept mille quatre cent dix.

C'est le nombre d'heures qu'il me reste à occuper dans ma vie. Le calcul est relativement simple, je le fais tout en tenant la caisse. Disons qu'en semaine, si on déduit les heures de travail et de sommeil, il m'en reste environ cinq de libres par jour. Seize heures par jour le week-end, en étant optimiste et en supposant que je dors huit heures sur les vingt-quatre.

Ce qui nous fait un total de cinquante-sept heures inoccupées par semaine. L'année comporte cinquante-deux semaines, mais Emma rentrera disons deux semaines à Noël et quatre semaines en été. Ce qui nous fait un total de deux mille six cent vingt-deux heures par an. Mais il ne faut pas oublier qu'elle a promis de rentrer pour le week-end de la Toussaint. J'enlève quatre week-ends par an, et j'obtiens le nombre de deux mille quatre cent quatre-vingt-dix heures par an.

Combien d'années inoccupées ai-je encore devant moi ? Je suis tentée de faire le calcul jusqu'à ma mort, puis je réalise qu'il est fort probable qu'Emma ait des enfants à un moment donné.

Et là, elle fera appel à moi. Au moins pour que je lui serve de garde d'enfant. Elle emménagera dans un appartement juste à côté du mien et plus tard, lorsque ses enfants seront assez grands pour quitter la maison à leur tour, je rirai en douce. Alors on ira prendre un café sur le balcon et on se plaindra des enfants qui déménagent.

Mais Emma n'a pas le droit de tomber enceinte. C'est à la première place sur la liste de mes craintes. Et ça depuis l'époque où je n'ai plus eu besoin de m'inquiéter qu'elle soit une tête de Turc à l'école. J'espère vraiment que le fait de tomber enceinte jeune n'est pas inscrit dans nos gènes. Non, d'ailleurs, réflexion faite, ma mère en est l'exemple inverse. Mes parents se sont mariés tard, m'ont eue tard, et je suis persuadée qu'elle n'avait jamais eu de relation sexuelle avant. Si je n'avais pas été là, on aurait même pu penser qu'elle n'en avait jamais eu du tout.

Contentons-nous donc de faire le calcul pour une période de quinze ans, au bout de laquelle mes petits-enfants seront les bienvenus. Et nous arrivons à la coquette somme de trente-sept mille quatre cent dix heures.

Il n'y a plus qu'à commencer à les grignoter.

Ces calculs m'occupent tout le mercredi, mais le jour suivant je suis de nouveau si déprimée que j'envisage même d'appeler le père d'Emma.

Il s'appelle Adam Andreasson. Nous avons passé quelques nuits de printemps ensemble au début des années quatre-vingt-dix. Lorsque je suis tombée enceinte, l'idée de rester avec lui ne m'a même pas effleurée. Et lui, il a été soulagé de l'entendre. Mais nous sommes toujours restés en contact. Emma a eu une période « papa » lorsqu'elle avait sept ans et qu'elle a réalisé que la plupart de ses amis avaient un père à la maison. Par devoir il l'a accompagnée à quelques réunions de parents d'élèves, jusqu'à ce que la période passe. Là aussi il a été bien soulagé. Il faut dire qu'à cette époque il était marié avec une autre femme. Aujourd'hui ils ont deux enfants et habitent dans le nord de la Suède. On ne s'envoie même plus de cartes de Noël.

Le vendredi après-midi, rien que de penser à un week-end seule me donne des sueurs froides. Et ça ne m'aide pas de connaître le nombre exact d'heures que je vais devoir combler. Emma m'a appelée deux fois : la première pour me raconter sa rentrée et la deuxième pour m'expliquer ses différents cours et me parler des étudiants de sa classe qui semblent sympas.

Il est cinq heures de l'après-midi, je suis assise sur un banc dans le vestiaire d'Extra-Market et je me change. J'étire le temps au maximum. Avant même d'avoir enlevé mes vêtements de travail je me tourne vers Pia qui se bat pour enfiler son collant.

— Ça te dirait de faire un truc ensemble ce week-end ? je lui demande.

— Les garçons viennent me rendre visite, me répond Pia.

Elle a au moins la décence d'avoir l'air embarrassé.

— Tu trouves que j'ai grossi ? ajoute-t-elle, probablement pour me faire oublier les injustices de la vie.

Je ne lève même pas la tête.

— Tu sais bien que je ne répondrai jamais à cette question, je lui réponds, fatiguée.

— Aujourd'hui il a fallu que je saute sur place pour réussir à enfiler ma jupe. J'ai l'impression qu'elle est plus serrée qu'avant.

Je me masse les tempes.

— Pia, tu as toujours eu des jupes trop serrées. Si tu n'es pas obligée de sauter sur place quand tu les essaies, tu ne les achètes pas.

— Oui, t'as raison, reconnaît-elle.

— Tu n'as pas l'intention de te remettre à faire du sport, j'espère ? je lui demande d'un ton suspicieux.

Environ tous les quatre mois, Pia décide de s'inscrire à la gym ou à la piscine ou au yoga, et ensuite, elle est de mauvaise humeur et râle jusqu'à ce qu'elle laisse tomber et reprenne l'alcool et la clope. Pia a l'habitude de dire qu'elle a toujours eu des formes aux bons endroits, mais qu'aujourd'hui elle en a aussi aux mauvais.

— Comment ça ? Tu trouves que j'en ai besoin ?

— S'il te plaît, ne recommence pas à faire du sport.

— On verra bien, rétorque-t-elle sur un ton sinistre. Birgitta est passée acheter des produits light aujourd'hui. Elle m'a dit avec sa suffisance habituelle qu'elle essaie un nouveau régime. « Ce qui ne m'empêche pas de faire du sport, bien sûr », elle a ajouté en me regardant.

— Ça lui passera, je la console.

Birgitta tient ses régimes aussi longtemps que Pia ses cours de sport.

— Si elle devient mince et belle, je me tire une balle. Tu te changes, oui ou non ?

J'enlève mes vêtements de travail et j'enfile lentement mon pull. Je suis arrivée à mi-chemin lorsque Nesrin passe la tête à la porte du vestiaire.

— Je suppose qu'aucune de vous deux n'a envie de faire des heures sup à ma place ce soir ? J'ai un rancard.

Je m'empresse de lever la main comme une élève surexcitée qui connaît la réponse à la question. Mais je n'ai malheureusement pas entièrement enfilé mon pull qui reste coincé devant mon visage.

— Moi, moi, moi ! je crie avec de la laine plein la bouche.

— Mon Dieu, toi, t'as vraiment besoin d'une vie, soupire Pia.

La mine réjouie, Nesrin retire sa tête et va aussitôt expliquer le changement de planning à Petit-Roger.

— Pour moi c'est tout bénef, je dis. Ça me fera quatre heures en moins et il ne me restera plus que vingt-huit heures à occuper ce week-end.

Pia me regarde dépitée.

— Oh merde ! je m'exclame. J'avais oublié de compter les ven-
dredis soir ! Ça signifie qu'il me restera encore trente-trois heures !

Pia pose ses mains sur mes épaules et me regarde droit dans les
yeux pour être sûre que je vais comprendre ce qu'elle va me dire :

— Anita, me chuchote-elle d'une voix douce, je te dis ça en
tant qu'amie : T'es pathétique. Trouve-toi une vie.

5

Plus jamais. Plus jamais.

Lundi matin. J'arrive au travail une demi-heure avant les autres. Même Petit-Roger se pointe plus tard avec les clés et le code pour l'alarme.

J'ai pourtant dû faire un effort sur moi-même pour ne pas être là à sept heures.

Je me tiens sur le quai de déchargement, tout excitée par une nouvelle résolution. Plus jamais je ne revivrai un week-end comme celui-ci, quitte à devoir sortir avec dix hommes en même temps ou commencer l'apprentissage du point de croix. Dès le samedi j'avais fini le ménage de l'appartement dans sa totalité, la chambre d'Emma compris.

Grave erreur.

Toute la soirée du samedi ainsi que le dimanche, l'appartement a passé son temps à me narguer avec son sol étincelant, ses surfaces époussetées, son absence d'objets et d'habits éparpillés, bref, son vide manifeste.

Je jette un œil autour de moi prudemment, comme si je m'apprêtais à faire quelque chose de criminel. Puis je sors mon portable.

Le premier jour du reste de ma vie, je me dis. *Le premier jour du reste de ma vie, le premier…*

Sur Google je trouve le numéro de téléphone et je le compose avant d'avoir le temps de changer d'avis.

La voix à l'autre bout est énergique et précise.

— Ingeborg à l'appareil. Bienvenue à l'auto-moto-école de Skogahammar. Que puis-je pour vous?

— J'ai besoin d'une vie, j'explique.

Silence.

— Là, je ne peux rien pour vous. Mais à part ça, vous voulez passer votre permis voiture ou moto?

Je déglutis.

— Moto, je réponds. Moto, bien sûr.

Je prends rendez-vous pour une première heure d'essai et je promets d'apporter tous les papiers administratifs.

En raccrochant, je réalise que j'ai oublié de demander le tarif, mais ça n'a aucune importance. Je peux bien me payer une leçon. Il ne s'agit que d'un cours d'essai, après tout. Je n'aurai même pas besoin d'en prendre davantage. C'est juste histoire de me dire que j'ai fait quelque chose de fou et d'impossible. Et surtout, uniquement dans le but de me faire plaisir.

Passer le permis voiture aurait été un acte raisonnable. Ça aurait pu me servir à accomplir des choses d'adulte, comme faire de grosses courses ou aider des gens à déménager. Alors que la moto… Les motos sont inutiles. Hérétiques. Et follement peu pratiques.

Le quai de déchargement me paraît vaguement différent. C'est le même béton, les mêmes cartons entassés et la même odeur familière de poubelle. Pourtant quelque chose a changé. D'une manière impalpable.

J'ai pris une initiative et je n'ai aucune idée d'où ça me mènera. C'est un sentiment fantastique.

Le jour suivant, je m'échappe du travail à l'heure du déjeuner pour aller chez l'opticien contrôler ma vue.

C'est le seul document nécessaire pour être autorisé à piloter une moto.

Sans même m'avoir rencontrée, la préfecture a le pouvoir de décider si je suis apte ou non à conduire un véhicule qui peut tuer des gens. Je dois bien sûr réussir un certain nombre d'épreuves pour obtenir mon permis, mais durant ma formation j'ai le droit de m'entraîner sur la voie publique.

N'y a-t-il pas déjà assez de cinglés sur les routes ? Dans un pays qui tient tant à la sécurité, on devrait quand même rendre les choses un peu plus difficiles, non ? La préfecture ne devrait-elle pas commencer par me rencontrer, m'interroger, me poser des questions sur la priorité à droite ? M'obliger à utiliser un simulateur de conduite pendant une centaine d'heures avant de me lâcher dans la nature ?

C'est Ulla-Carin qui travaille chez l'opticien. Elle a les cheveux auburn coupés court, d'évidence colorés. La plupart des femmes de Skogahammar ne croient pas aux couleurs naturelles. Aux mèches discrètes. Nos coiffeurs ne savent faire que des mèches blond platine ou carrément blanches. Il faut dire que nous n'avons jamais compris pourquoi aller chez le coiffeur pour avoir une teinte naturelle. Comment les gens se rendraient-ils alors compte du temps et de l'énergie investis dans nos cheveux ?

Ulla-Carin assortit à sa teinte des montures de lunettes rouge vif, une montre en plastique violet sur son bras bronzé et un rouge à lèvres rose clair d'une nuance inconnue dans le reste de la Suède depuis les années quatre-vingt.

En m'accueillant, elle sort de derrière sa caisse une affichette qu'elle accroche à la poignée de la porte d'entrée avec l'inscription : « Examen de la vue en cours. De retour dans dix minutes. »

— Je croyais que tu avais une excellente vue, me sourit-elle tout en m'emmenant dans l'arrière-boutique. Mais c'est vrai que ça peut changer quand on prend de l'âge. Tu as l'impression que ta vue baisse? Pose ton menton ici, poursuit-elle. Penche-toi jusqu'à ce que ton front touche le métal.

Le visage d'Ulla-Carin est beaucoup trop près du mien lorsqu'elle me demande de lui indiquer à quel moment son doigt entre dans mon champ visuel. J'imagine déjà quand je lui expliquerai que si je suis là c'est parce que je vais passer mon permis moto. Elle me prendra pour une folle et ne comprendra pas que c'est justement ce que j'ai envie d'être.

— Je...

— Tu sais, c'est tout à fait normal à ton âge, m'interrompt-elle. C'est ça de vieillir.

Elle le dit avec un tel enthousiasme qu'on la sent heureuse de m'accueillir dans le club des porteurs de lunettes.

— J'ai seulement besoin d'une attestation disant que je vois bien, je lui explique.

J'hésite, mais il n'y a aucun moyen d'y échapper.

— Pour passer mon permis, j'avoue.

— Ton permis? répète-t-elle. Regarde à gauche. Ah oui, il était temps, continue-t-elle. Puis à droite. Maintenant qu'Emma a déménagé tu vas avoir du temps. Ça peut être pratique d'avoir une voiture. Ça n'a pas dû être simple de faire le déménagement jusqu'à Karlskrona sans voiture.

— On s'en est très bien sorties, je murmure.

Je suis toujours très sensible aux insinuations sur le fait qu'Emma ait pu manquer de quelque chose. Probablement parce que je n'ai jamais réussi à lui trouver un père.

— De nos jours, beaucoup de gens se mettent à conduire à un âge avancé. Mais tu as de quoi t'entraîner? Sinon ça va te coûter cher. Ma fille a commencé à prendre des leçons à l'auto-école. Mais elle fait aussi de la conduite accompagnée avec moi.

— Pas vraiment, je réponds.

— Pia Larsson pourra sûrement te faire conduire.

— J'en doute.

Ulla-Carin ignore ma remarque.

— Mais je me demande si c'est la bonne personne. Son style de conduite est pour le moins… intéressant. Maintenant lis la première rangée de lettres.

L'idée qu'elle se propose de m'aider elle-même me rend soudain nerveuse.

— Je vais passer mon permis moto, je dis rapidement avant de réciter les lettres. F D Z G L M.

Le silence qui s'ensuit est assourdissant. Ulla-Carin me dévisage.

— Ton permis moto ?

— Z T N B A.

À ce moment précis, je réalise que dans quelques jours, la moitié de Skogahammar sera au courant.

— Moto ? Mais… tu as quarante ans, non ?

Ou plutôt dans quelques heures.

Et c'est vrai.

— *Moto !* me lance Pia dès qu'elle me voit.

C'est le lendemain de ma visite chez l'opticien. Je déjeune chez Doux Rêves, un nouveau café à Skogahammar. Il existe depuis déjà deux ans, mais ici le temps est relatif. Ses horaires d'ouverture sont irréguliers et le lieu semble fonctionner grâce aux retraités qui y prennent leur café quotidien.

Cette semaine, Pia travaille aussi bien samedi que dimanche et a donc été en pause hier et aujourd'hui. N'empêche que la nouvelle a quand même réussi à arriver jusqu'à elle.

— Pourquoi tu ne m'as pas raconté que tu allais prendre des cours de moto ? Pour une fois que tu fais quelque chose de cool. Je l'ai appris par Birgitta.

Si Birgitta est au courant, c'est pire que je ne pensais.

— Quand on s'est croisées à la salle de sport, elle m'a demandé si tu m'avais parlé de tes projets.

— Non! T'as recommencé à faire du sport? je lui demande.

Mais Pia ignore ma question. Elle s'assied en face de moi et continue comme si de rien n'était :

— Elle m'a dit : « Une moto à son âge? Et pourquoi maintenant?»

J'enfouis mon visage dans mes mains.

— Pia, je ne sais absolument pas pourquoi je me suis lancée dans un truc pareil.

Après m'avoir dit ce qu'elle avait sur le cœur, Pia change d'attitude. Elle fait signe au serveur de lui apporter un café et se bat un moment avec sa veste pour l'enlever.

— Bah, dit-elle. Je trouve que c'est une super idée.

Oh, ce n'est pas bon signe.

En tout cas, elle est bien la seule à être de cet avis.

Une étude rapide révèle ce qui suit :

Très dangereux : 1 personne.

Crise de la quarantaine : 2 personnes.

Bonne idée : 0 (excepté Pia, mais elle ne compte pas. Elle trouve aussi que fumer est une bonne idée).

Ann-Britt a trouvé un nouveau sujet d'inquiétude. Elle se penche nerveusement au-dessus de la caisse et me chuchote à l'oreille :

— Mais ce n'est pas… terriblement dangereux?

Comme si le simple fait de prononcer le mot *moto* pouvait provoquer des accidents.

Une heure plus tard, alors que je déballe des barquettes de viande hachée au rayon boucherie, je surprends la conversation suivante :

— À mon avis c'est la crise de la quarantaine. Une combinaison de moto en cuir et tout ce qui va avec.

La femme qui s'exprime se trouve dans l'allée derrière moi et elle parle fort. Je reconnais vaguement sa voix mais je n'arrive pas à l'identifier.

— Je crois même qu'elle a dépassé la quarantaine.

— Et Emma qui est une fille si raisonnable. L'université et tout.

— Enfin, je suppose qu'elle sait ce qu'elle fait.

Sous-texte : elle ne sait pas *du tout* ce qu'elle fait.

Et c'est vrai. Elles ont absolument raison. Je pose les barquettes de viande hachée que j'ai dans les mains et je fais le tour du rayon. En les voyant, je n'arrive toujours pas à les replacer. Elles sont un peu trop vieilles pour être les parents de copains d'Emma et un peu trop jeunes pour être des amies de ma mère.

— Ah, bonjour Anita. On ne t'avait pas vue. Dis donc, c'est sympathique cette histoire de moto.

Je hausse les sourcils.

— Et… comment as-tu eu l'idée de prendre des cours ?

— Oh, j'ai toujours rêvé d'avoir une Harley-Davidson. Il y a quelques années j'ai eu un amant qui en avait une. Un souvenir fantastique.

Ce qui est techniquement vrai.

J'avais dix-huit ans, il y a donc «quelques années» de ça. Mais je dois avouer que les souvenirs ne sont pas si fantastiques que je le dis. Johan avait vingt-deux ans et conduisait une Harley noire dont il disait qu'il l'aimait plus que sa propre mère. Plus que sa première petite amie. Plus que son chien. Oui, plus que tous ces individus réunis. Johan n'arrêtait pas de dire que c'était normal. Qu'il ressentait bien plus de joie à être sur sa bécane qu'avec sa mère ou son chien. À l'époque, je ne voyais rien de bizarre à ça. Ma mère ne me comprenait pas. Je n'avais jamais eu le droit d'avoir un chien. Et je me trouvais nettement mieux que la première petite amie de Johan. Mais j'étais déjà assez cynique pour ne pas lui demander qui il préférait entre sa moto et moi. Nous ne sommes pas restés ensemble très longtemps. Un jour j'ai eu le malheur d'appeler sa Harley une mobylette, ce qui a marqué la fin de notre relation.

Mais quand je vois la mine des deux bonnes femmes, je regrette aussitôt ce que j'ai dit. Ayant vécu toute ma vie à Skogahammar, je n'ai toujours pas réussi à me débarrasser de mes réflexes de provinciale.

Elles échangent un regard, l'air de se dire : *Emma qui est une jeune fille si sympathique.*

On aurait pu croire qu'Emma serait intéressée par mon projet mais elle se montre étonnamment grognon.

— Je vais prendre des cours de moto ! je déclare avec enthousiasme quand je réussis enfin à l'avoir au téléphone le matin suivant.

Je l'entends râler en silence.

— Maman, il est sept heures et demie.

— J'ai essayé de t'appeler hier mais tu n'as pas répondu. Et de toute façon, il faut que tu te prépares pour l'école, non ?

— Aujourd'hui je commence à onze heures.

— Je vais prendre des cours de moto ! je répète.

J'entends le bruissement d'une couette puis des pas sur le sol.

— C'est génial, maman, dit-elle finalement. Vraiment. Mais ça aurait été tout aussi génial dans deux heures.

— Tu ne trouves pas que c'est une idée folle pour une femme de mon âge ? Une sorte de crise de la quarantaine ?

Une cafetière électrique se met à gargouiller au loin. Je comprends qu'Emma a capitulé et qu'elle n'ira pas se recoucher.

— T'es allée voir mamie ou quoi ? me demande-t-elle.

— Non, j'avoue avec une pointe de mauvaise conscience.

C'est vrai que j'aurais dû le faire. J'ai laissé passer l'été à cause du déménagement d'Emma qui m'a pris tout mon temps. Mais aujourd'hui je n'ai plus la moindre excuse de ne pas y être allée.

— J'ai juste entendu des clientes au magasin faire cette réflexion.

— Des vieilles rombières.

Mon Dieu ce qu'elle me manque !

— Alors, raconte-moi, me dit-elle.

Et c'est ce que je fais.

— Donc tu as le temps de prendre des cours de moto ! Mais rendre visite à ta propre mère, ça c'est une autre histoire !

Je rentre chez moi après une longue journée qui n'est manifestement pas encore terminée.

Eva Hansson se tient devant sa boutique Les Fleurs d'Eva les bras croisés. Quand j'étais petite, elle habitait à côté de chez nous. C'est la meilleure amie de ma mère ; un titre qu'elle défend inlassablement bien qu'elle n'ait aucune concurrence. Eva me considère à peu près comme beaucoup de Britanniques considèrent le prince Harry : petite j'étais mignonne, mais plus je vieillis, plus il est évident que je ne serai jamais à la hauteur de ma mère.

Eva semble être sortie pour matérialiser ma mauvaise conscience.

J'ajoute «gaspillage égocentrique du temps» à la liste de la réaction des gens face à la nouvelle de mon projet de permis moto.

Nous sommes donc devant sa boutique, juste à côté des présentoirs à fleurs. Derrière les bégonias chétifs, les kalanchoes et les hortensias, j'entrevois la devanture déprimante et sombre.

— Maintenant que tu n'as plus Emma, tu pourrais consacrer davantage de temps à Inger.

Dans sa bouche, on dirait qu'Emma est un chien qui vient de

mourir. J'ai envie de riposter que ma fille est toujours là mais, après m'être comportée comme une adolescente renfrognée pendant des années dès que je me trouvais à proximité d'Eva, j'ai appris que le mieux était de sourire et d'être d'accord avec elle.

— J'ai appelé ma mère la semaine dernière, je lui réponds.

— Ce n'est pas la même chose.

Non, quand on est au téléphone on peut raccrocher au bout de cinq minutes.

— Cet été, tu l'as à peine vue, poursuit Eva. Tant que tu t'occupais du déménagement d'Emma, je peux comprendre, alors que maintenant… De la moto! On aurait pu espérer que tu te rendrais plus disponible pour Inger. Mais visiblement tu as mieux à faire.

Son ton indique clairement le fond de sa pensée : Tu as mieux à faire que de rendre visite à ta mère? Ta chair et ton sang? La femme qui t'a donné la vie? Et cetera. Je me pose la question à moi-même : Ai-je quelque chose de mieux à faire?

Je soupire.

— Non, je réponds. Je n'ai rien de mieux à faire.

6

Ma mère m'a jetée dehors quand je lui ai appris que j'étais enceinte.

Exprimé comme ça, ça paraît dramatique. Disons plutôt que nous avions des opinions divergentes sur le fait que je sois enceinte d'un garçon que je connaissais à peine et que je refuse d'emménager avec lui. Ma mère n'a jamais été pratiquante, ça n'avait donc rien à voir avec le fait d'avoir un enfant hors mariage, je veux dire. Non, elle croyait plutôt qu'il fallait assumer les conséquences de ses actes et que l'amour n'était pas nécessairement lié à la vie en couple.

— Je ne le supporte pas, je lui ai dit.

— Tu aurais dû y penser avant, m'a-t-elle asséné.

Elle raisonnait sans doute de la manière suivante : si on ne vivait qu'avec les gens qu'on supporte, le mariage en tant qu'institution serait menacé. Probablement aussi l'hétérosexualité, mais ce n'était pas quelque chose auquel elle pensait. Elle ne connaissait aucun homosexuel. Elle ne connaît d'ailleurs toujours aucun homosexuel bien que son cousin germain Björne vive avec August depuis vingt-cinq ans.

Son cerveau fonctionne selon un schéma de pensée vraisemblablement hérité d'un parent dysfonctionnel dans les générations passées qui, en période de crise, a eu comme stratégie principale de mettre sa tête dans le sable.

C'est de cette manière qu'elle a géré ma grossesse. J'ai déménagé. Mais comme je venais d'avoir dix-neuf ans et qu'à cette époque les adolescents partaient tôt de chez eux, la version officielle a été que j'avais l'âge de m'installer seule. Nous ne nous sommes pas vues pendant toute ma grossesse, mais c'était bien sûr parce que j'avais beaucoup à faire.

Je doute que ma mère ait même mentionné ma grossesse à quelqu'un (de toute manière tout le monde était au courant). Et elle n'en a jamais parlé avec moi. C'était comme un trou noir. Mais inversé. Ça n'existait pas bien que ça soit visible. Tout ce qu'il y avait autour de moi était repoussé au lieu d'être aspiré. Dès que la discussion risquait de s'approcher de la question, elle glissait mystérieusement pour rebondir et changer de direction.

D'un autre côté, je l'avais fait enrager pendant une bonne dizaine d'années. Je suppose donc qu'on était quittes à présent. Quelques semaines après la naissance d'Emma, elle est venue chez moi et a critiqué mon ménage et ma manière de m'occuper de ma fille. J'ai pris ça comme une tentative de faire la paix, ce qui était bien sûr le cas.

Puis elle a été présente pendant toute l'enfance d'Emma. J'en déduis donc que nous ne sommes plus quittes et que je lui suis de nouveau redevable. C'est la raison pour laquelle je lui consacre mon samedi à la maison de retraite.

Ma mère a été placée ici il y a deux ans, lorsque le service d'aide à la personne et les forces d'Eva n'ont plus réussi à tenir tête à sa démence sénile. Il est difficile de savoir qui est la plus mécontente du lieu. Ma mère ou Eva. Les premiers mois, toutes les deux m'appelaient à longueur de temps pour se plaindre de choses et d'autres.

Personnellement je trouve cette maison de retraite très agréable.

Les murs sont d'un blanc cassé chaleureux, ce qui les différencie des murs blancs des institutions en général. Il y a toujours des fleurs à la réception et dans la salle commune.

Ce n'est donc pas la faute de la maison si je sens le poids des obligations et de la mauvaise conscience se poser sur mes épaules dès que je passe le seuil de la porte.

La femme qui m'accueille est aimable, professionnelle et maternelle d'une manière presque écœurante. Elle parle aux vieux comme s'ils étaient ses enfants. Ses cheveux sont courts et d'une teinte brun clair indéterminée. Elle fait partie de ce genre de femmes qui ont dû toujours paraître maternelles. Je ne sais même pas si elle a des enfants. Peut-être se contente-t-elle de traiter tous ceux qu'elle croise de la sorte.

Je l'ai déjà rencontrée quatre fois mais je n'arrive toujours pas à me souvenir de son nom. Comme d'habitude, je louche discrètement sur son badge. Et comme d'habitude, on dirait que je reluque ses seins. En fait, ils sont tellement gros qu'il serait difficile de les éviter même si je la regardais dans les yeux.

— Anita! s'exclame-t-elle en me voyant.

Elle se souvient toujours de mon nom.

Je n'ai pratiquement pas rendu visite à ma mère de tout l'été, mais cette femme est bien trop aimable pour faire le moindre commentaire. Son regard réprobateur n'existe que dans ma tête.

— Comment allez-vous? Comment va votre travail?

— Bien, bien, je souris tout en me promettant de m'améliorer et de venir plus souvent.

Je me dis toujours ça au début des visites. Jamais à la fin.

Dans la salle commune, un stagiaire d'une quinzaine d'années est assis entre deux vieillards. Il a les cheveux crêpés, des piercings au visage et un regard légèrement confus. Mais il intervient gentiment quand les vieux se disputent concernant les programmes de la télé.

— Votre mère as de bons et de mauvais jours, m'explique-t-elle. Aujourd'hui elle est plutôt claire.

Le couloir qui mène aux chambres individuelles est étroit et blanc. L'odeur d'hôpital et de vieux est manifeste malgré les efforts de l'établissement pour les camoufler à l'aide de détergents et de désinfectants.

Quand j'étais petite et que j'en avais marre de l'école, je m'y rendais en marchant le plus lentement possible afin de repousser au maximum le moment où je laisserais la liberté derrière moi pour m'engouffrer dans les verbes irréguliers allemands, les éléments chimiques ou la lignée des rois de Suède. Je me sens exactement dans le même état aujourd'hui.

J'ouvre finalement la porte.

Ma mère est assise à son petit bureau devant une fenêtre donnant sur une piste cyclable et une allée bordée d'arbres maigrichons. Lorsqu'elle m'entend, elle se retourne et me sourit vaguement. Puis une ride se creuse entre ses sourcils tandis qu'elle s'efforce de me situer.

Depuis la dernière fois que je l'ai vue, elle semble s'être encore un peu effacée de la surface de la terre. Elle est amaigrie et a le teint grisâtre. Comme si l'été l'avait pâlie au lieu de lui donner des couleurs.

Mais il est évident que c'est un bon jour. Ça se voit surtout à l'expression de mécontentement qui se dessine autour de sa bouche.

— C'est Anita. Ta fille, je dis.

Les rides de mécontentement se creusent encore davantage.

— J'ai bien vu, me répond-elle sur la défensive.

Ma mère se lève lentement et presque à contrecœur, peut-être en signe de protestation contre ma visite, et elle se dirige vers le petit coin cuisine de sa chambre. Je m'installe à la table pendant qu'elle prépare le café et les biscottes, le beurre allégé et le fromage. La table est recouverte d'une nappe en dentelle bien trop grande qu'elle avait dans son ancien appartement. Un signe visible qu'elle ne devrait pas habiter ici.

La radio est posée dans le fond de la pièce. C'est un vieux modèle avec lecteur de cassettes incorporé dont la fréquence est en permanence sur 89.6, la radio locale.

Ni ma mère ni moi ne l'éteignons. Une émission sur la colombophilie militaire est en cours. Même ça, c'est mieux que d'être obligées de parler.

Il existe apparemment des hommes qui consacrent leur vie à l'utilisation des pigeons voyageurs à des fins militaires. En tout cas il en existe un. Il s'appelle Jan-Henrik Lundström et il habite à Skogahammar. Il a quatre-vingt-dix-sept ans et c'est le plus grand historien amateur dans ce domaine. En ce moment même, il est interviewé par le présentateur de notre radio locale, Nils Karlsson.

« Donc si le sujet tombait à "Jeopardy!" vous gagneriez une belle somme ! » essaie de plaisanter Nils. Une tentative qui tombe à plat vu que Jan-Henrik a réussi à passer à côté du phénomène culturel ultra-populaire qu'a été ce jeu. Jan-Henrik enchaîne sur le sujet Karlsborg — non seulement en tant que ville suédoise marquée par une activité militaire intense, mais également en tant que ville pionnière de la colombophilie militaire.

Apparemment, on a commencé à entraîner des pigeons en 1887 sur les trajets Örebro-Karlsborg et Bråviken-Karlsborg, puis l'activité s'est arrêtée en 1890. Par conséquent, Jan-Henrik a consacré son temps à un projet qui a eu une durée de vie de trois ans.

Finalement c'est quand même mieux d'investir son temps et son énergie dans sa fille.

Je bois encore une gorgée de café et j'essaie de manger ma biscotte sans mettre de miettes sur la nappe.

— Emma se plaît à Karlskrona, je lance. Ses études semblent bien se passer.

— Hm.

Ma mère prononce ça comme un soupir. Une passivité agressive concentrée en une seule syllabe.

Je crois qu'elle a des sentiments partagés concernant les études d'Emma. D'un côté ça lui donne l'occasion de taper sur les doigts d'un cousin de la famille qui s'est arrêté au bac, d'un autre ça lui permet de me faire sentir qu'avoir une fille qui fait des études supérieures équivaut à se croire soi-même supérieure.

— Tu ne trouves pas ça étrange que les enfants grandissent aussi vite ? je lui demande.

— C'est comme ça doit être, rétorque ma mère.

Un nouveau silence augmente encore le gouffre entre nous deux.

— Tu sais, maman, je dis avec enthousiasme, je vais commencer à prendre des cours de moto !

L'expression de mécontentement autour de sa bouche se creuse encore plus.

Sur le chemin du retour, je traîne de nouveau les pieds. Je m'assois sur un banc pour fumer une cigarette, je m'arrête longtemps devant un magasin pour regarder la vitrine, je passe à Extra-Market (bien que je ne travaille pas ce week-end) pour acheter du lait (bien qu'il me reste une bouteille à moitié pleine à la maison), je m'immobilise même un instant devant un bouleau pour le contempler.

Tout ça afin de retarder au maximum le moment où je serai obligée d'ouvrir la porte de mon appartement.

Rentrer chez moi devrait se passer ainsi :

J'ouvre la porte et je trébuche soit sur les chaussures d'Emma, soit sur son cartable, soit sur un sac qu'elle a laissé traîner. Ou bien les trois à la fois. Je me cogne le gros orteil en essayant de me rattraper au mur pour ne pas tomber et je saute ensuite à cloche-pied en criant «Emma! Baisse cette musique!» et en essayant de pousser ses affaires pour faire de la place à mes propres chaussures et mon sac.

Mais en réalité ça se passe ainsi :

J'ouvre la porte, je suis aveuglée par la propreté du sol et je pose mes chaussures dans la grande entrée totalement vide.

Ça devrait se poursuivre ainsi :

«Emma, tu savais qu'avant il existait des pigeons voyageurs qui étaient dressés pour effectuer des voyages afin d'acheminer des messages en temps de guerre?»

Mais en réalité, ça se passe ainsi :

Je me prends la tête pour savoir si je peux appeler Emma et lui raconter l'histoire des pigeons voyageurs ou pas? C'est exactement le genre de connaissances inutiles qu'elle apprécierait… Enfin, peut-être pas si sa mère l'appelle un samedi soir uniquement pour ça.

Je mets un film avec Meg Ryan et je me rends compte que je suis devenue le genre de personne qui a besoin d'un fond sonore pour échapper au silence.

Au bout d'une demi-heure, je change Meg Ryan pour Bruce Willis. Si c'est seulement un fond sonore autant qu'il soit explosif. Emma et moi avons toujours préféré les films d'action.

— *Yippee-ki-yay, motherfucker* !* je crie toute seule.

Mais ça ne me donne pas la pêche.

Ce n'est pas seulement Emma le problème. Depuis que j'ai franchi le pas et pris rendez-vous pour un cours de moto, ma vie me semble soudain si raisonnable. Si ennuyeuse. Si vieux jeu.

* Réplique célèbre de John McClane, intreprété par Bruce Willis, dans *Piège de cristal*.

Comme des chaussures ergonomiques, des carottes bouillies ou du pain riche en fibres.

Je passe mon dimanche soir sur le balcon. La soirée de fin d'été est si belle que ça en devient presque irritant. Le vent du soir souffle doucement dans les branches des bouleaux. Lorsque je pose mes mains sur la balustrade, celle-ci est encore tiède de la douceur de l'air. Depuis la salle de séjour me parviennent toujours les explosions du film de Bruce Willis.

Je me penche au-dessus de la balustrade et un vent doux m'effleure les joues. Au loin les lumières de l'autoroute étincellent. De temps en temps je perçois les feux arrière d'une moto solitaire.

En route vers la liberté. Vers l'aventure. Ou tout simplement vers Karlskoga. Peu importe ce qui arrive en premier.

7

Beaucoup de choses qu'on a connues enfant sont toutes petites quand on les revoit à l'âge adulte.

Ce qui n'est absolument pas le cas des motos.

Elles sont grosses. Incroyablement grosses.

Lorsque j'arrive devant la moto-école de Skogahammar pour prendre ma première leçon, quatre motos sont garées en rang d'oignon à quelques mètres de l'entrée. Les selles m'arrivent aux hanches.

Je ne suis pas montée sur une moto depuis mes dix-huit ans. Il est fort possible qu'aujourd'hui je sois attirée par autre chose. Par des choses immobiles, par exemple. Des choses qui ne penchent pas, qui ne vont pas vite, qui ne font pas de bruit. Ce que je préfère à la fête foraine, ce sont les jeux de loterie.

Ne pense pas à ça, je me dis à moi-même.

Ne pas penser à ce qu'on est en train de faire est une astuce dont je me sers depuis toujours.

La moto-école est assez jolie. Les murs sont jaunes et les meubles noirs. Tout respire la virilité sécurisante. La pièce est composée de fauteuils en similicuir et de grandes plaques de verre teinté servant de tableaux blancs. C'est étonnamment chaleureux. Peut-être parce qu'une odeur de café flotte dans l'air.

La réception est petite et encombrée de papiers, de classeurs et de panneaux de la Fédération suédoise des enseignants de la conduite. Trois adolescents attendent, l'air inquiet, qu'un moniteur vienne les chercher pour les emmener sur les routes.

Mon Dieu, je me dis. Si j'arrive à traverser cette épreuve, plus jamais je ne me plaindrai.

Derrière un bureau est assise une femme aux cheveux blonds avec des tatouages sur les bras. Son regard déterminé me procure à la fois un sentiment de sécurité et de crainte. Je m'avance vers elle d'un pas hésitant tout en luttant contre mon envie grandissante de prendre la fuite.

— Excusez-moi, je lui lance.

— Taisez-vous! dit-elle avant de se tourner vers moi. Non, pas vous!

Elle pose sa paume sur le combiné tout en me regardant. Je me promets de ne plus jamais appeler cet endroit.

— Vous prenez un cours de moto, c'est ça?

J'acquiesce.

— Vous avez déjà piloté une moto?

— Non.

— Vous allez avoir la sensation de votre vie, m'assure-t-elle pendant qu'elle inspecte mes papiers.

Puis elle me tend un formulaire que je dois remplir avec mes coordonnées. Elle ne semble pas avoir fait ce commentaire pour me rassurer ou pour me calmer. C'était juste une constatation.

— Jamais vous n'aurez l'occasion de faire quelque chose d'aussi drôle, me lance-t-elle avant de retirer sa main du combiné et de reprendre sa conversation téléphonique.

Je me retrouve face à mon moniteur.

Il s'appelle Lukas et semble avoir un peu moins de trente ans. Il me regarde avec des yeux totalement inexpressifs. S'il trouve

65

stupide mon idée de faire de la moto à presque quarante ans, il ne le montre pas.

Est-il encore possible de prendre la fuite ?

La seule chose qui m'en empêche est qu'ils ont maintenant mes coordonnées. Je suppose qu'ils ne me courront pas après pour me forcer à monter sur une moto mais c'est une chose de s'enfuir de façon anonyme, c'en est une autre de le faire en ayant dévoilé son identité. Exactement comme chez le dentiste.

Autant supporter ce qui m'arrive et en finir au plus vite.

Le moniteur me montre le vestiaire et m'aide à trouver des habits adéquats. Un blouson renforcé aux coudes et aux épaules, un pantalon protégeant les fesses et les genoux, de grosses bottes, des gants, un casque et une protection dorsale. Puis il me laisse me battre seule pour tout enfiler.

Je me fais la réflexion que ces protections impressionnantes devraient dissuader les gens de faire de la moto.

Lukas m'emmène à l'endroit où sont garées les quatre motos rutilantes. Je déglutis tout en essuyant discrètement mes mains moites sur mes cuisses.

— Nous allons piloter une BMW F-650 GS, m'explique-t-il.

Je regarde la moto en me demandant ce que je fous ici.

— 800 centimètres cubes, malgré son nom. Elle pèse dans les deux cents kilos.

Il se tourne vers moi.

— Tu as déjà piloté une moto ?

Je pense aux soirées à Karlskoga, au garçon à la Harley-Davidson, à mes cheveux crêpés et à mon jean troué.

— Non, je réponds.

— Mm. Je vais te conduire sur le plateau où nous commencerons la leçon.

Il grimpe sur l'engin comme si c'était la chose la plus naturelle au monde, se penche en arrière et baisse les repose-pieds du passager.

— Mets tes pieds ici. Ne les pose surtout pas par terre avant que la moto soit à l'arrêt complet et que je te dise de descendre. Serre tes jambes contre moi pour ne pas partir en avant quand je freinerai. Sinon tu risquerais de me déséquilibrer. Mets tes mains autour de ma taille pour ne pas partir en arrière quand nous prendrons de la vitesse. Sinon tu risquerais de tomber. Dans les virages, tu te pencheras du même côté que la moto. C'est important pour l'équilibre. N'essaie pas de résister en te penchant du côté opposé. Et surtout, ne te contracte pas.

Je hoche la tête. Je ne sais pas comment je réussis à grimper sur la moto. Tout ce que je sais c'est que ce n'est pas franchement gracieux. L'épaisseur du pantalon et la protection dorsale me rendent encore plus gauche. Mais Lukas ne fait aucune remarque. Il contrôle juste ma position. Pendant un instant éclair, je ferme les yeux et j'essaie de me persuader que tout va bien se passer.

Subitement la moto démarre. Une promenade vertigineuse commence. Nous empruntons une série de ronds-points sans dépasser les vingt kilomètres heure, nous traversons la zone pavillonnaire limitée à cinquante et, pendant une courte mais incroyable ligne droite, nous poussons jusqu'à soixante-dix. Je me cramponne à Lukas et me contracte à chaque virage.

Je ne veux pas être là ! Je ne suis pas assez courageuse pour ça !

Puis : Mon Dieu, il ne se rend pas compte que la moto penche énormément ?

Lorsque nous arrivons sur le plateau qui est notre destination, Lukas éteint le moteur et me fait signe de descendre. Je me lève péniblement et me retrouve enfin sur la terre ferme. À mon grand soulagement. Mais il me demande aussitôt de m'installer à la place du conducteur.

Je le regarde avec stupeur. M… moi ? Sur la moto ? Grimper

dessus? Mais je viens tout juste d'en descendre? Je réalise que j'ai dû être naïve de penser que je n'aurais pas à être active. Ce n'est que mon tout premier cours!

Un beau jour, ma chère Anita, je me dis à moi-même, ton absence de filtre et ton manque de réflexion te créeront des problèmes!

Quand je grimpe sur la moto, mes jambes sont encore tremblantes. Mes pieds touchent à peine le sol lorsque la béquille centrale est descendue.

C'est de la folie. De la folie pure.

Pendant que le moniteur m'explique patiemment où se trouvent le frein, les vitesses, le tableau de bord avec indicateur de vitesse, l'embrayage, le débrayage, je ne pense qu'à une chose : *Anita est assise sur une moto! Incroyable, Anita est assise sur une moto!*

Mon Dieu, mais pourquoi je m'inflige ça?

C'est une chose de se faire des promesses stupides à dix-sept ans. C'en est une autre de les réaliser à trente-huit. Pour ne pas dire quarante. Aujourd'hui, je devrais pourtant être une adulte responsable.

— Allume le moteur.

Le moniteur a l'air de supposer que je suis ici pour apprendre à piloter une moto.

Je me demande bien d'où lui est venue cette idée incongrue.

Je suis installée sur un engin de deux cents kilos et il s'attend à ce que j'allume le moteur? Je baisse la tête vers la clé de contact. La béquille est descendue, aucune vitesse n'est engagée, et par sécurité je débraye. Pourtant j'hésite.

Parce que je sais que, dès que je tournerai la clé, le processus sera engagé.

À un moment ou un autre, Lukas va s'attendre à ce que cet énorme mastodonte — avec moi dessus — se mette à rouler.

D'une voix inexpressive, il m'assure qu'il n'est pas nécessaire de débrayer quand aucune vitesse n'est enclenchée.

Je me redresse et je fixe la moto d'un air résolu. Puis je lance un regard à mon moniteur qui se tient sur le parking du stade de Skogahammar et qui m'observe patiemment. Je suis sur le point de démarrer une machine dont je vais de toute évidence perdre le contrôle.

Je me vois d'en haut, installée sur une moto au beau milieu d'un parking ordinaire dans une petite ville insignifiante en Suède. Comme si j'étais sortie de mon corps et que j'essayais de me crier à moi-même : Ne fais pas ça! Rien de bien ne peut se produire quand une femme de quarante ans est installée sur une moto!

Tu n'as pas conscience des forces que tu es sur le point de lâcher?

Mais je n'entends pas de réponse. Je ne reçois pas de signe de Dieu. Aucun éclair ne fend le ciel. Le temps ne fait que s'étirer. Les secondes ne font que s'égrener. Pour finir, je le fais. J'allume le moteur.

Lukas m'aide à relever la béquille.

— Si tu relâches l'embrayage, tu avanceras. Tu n'as pas besoin d'utiliser l'accélérateur.

Aucun risque.

— Relâche lentement l'embrayage… Rallume le moteur… Encore… Rallume le moteur.

Lorsque j'entre dans la moto-école pour payer, Ingeborg voit mon sourire hébété. Elle explique au client devant moi :

— Elle ne peut plus s'arrêter de sourire. Elle vient de piloter une moto pour la première fois.

— Oui…, je réponds d'un ton mal assuré tout en sortant ma carte de crédit de mon portefeuille.

Lukas réapparaît et me conduit dans une salle derrière la

réception. Il tient un grand classeur qui contient un tableau mentionnant ce qu'il est obligatoire de savoir pour passer son permis moto. Relâcher l'embrayage sur un parking ne fait même pas partie de la liste.

— À mon avis, tu vas avoir besoin de vingt-cinq à trente cours, m'explique-t-il.

Que Dieu bénisse son bel optimisme!

— Il vaudrait mieux réserver cinq cours dès maintenant, peut-être un ou deux par semaine. Nos agendas se remplissent vite. Si tu appelles la veille avant midi, il sera toujours possible d'annuler.

— OK…, je murmure.

Il ne remarque pas mon désarroi. Il sort un stylo ainsi que son agenda avant que j'aie eu le temps de lui expliquer que je ne prendrai pas d'autres leçons puisque je suis une dégonflée. Mais le sentiment d'être à présent une femme avec un hobby est si irrésistible que je n'arrive pas à ouvrir la bouche. Alors je ne dis rien. Je hoche simplement la tête et je mémorise les heures qu'il me propose en me disant que je trouverai bien une solution avec Petit-Roger.

La cigarette que j'allume après ma leçon est sans doute la meilleure de ma vie. Je ressens des douleurs un peu partout dans le corps. Même à des endroits où je ne soupçonnais pas avoir de muscles : à l'intérieur des cuisses, dans les mains, sous les aisselles et dans le dos. Je reste un long moment à fumer à côté de ma moto. L'engin est d'un orange vif horrible mais c'est la plus belle couleur que je connaisse.

J'ai été assise sur cette moto, je me dis en la regardant avec amour. Maintenant qu'elle est à l'arrêt à côté de moi c'est encore plus incompréhensible.

Soudain le monde a changé. Les couleurs sont plus fortes, les contours plus nets, les rayons du soleil plus éblouissants. C'est comme si j'avais porté des lunettes de soleil pendant tellement longtemps que j'avais oublié l'intensité des couleurs qui m'entourent. Je plisse les yeux et j'essaie de les habituer à cette clarté soudaine. Mes mains continuent de trembler.

Je réalise encore une chose. Deux heures viennent de s'écouler sans que j'aie pensé à appeler Emma.

C'est un miracle!

8

Une des tragédies de mon existence actuelle est de ne plus avoir d'échanges intellectuels avec Emma. Depuis son départ, l'une des choses qui me manquent le plus, ce sont nos discussions.

Y a-t-il quelque chose de plus agréable que de parler avec quelqu'un de jeune, de passionné, de curieux et qui est persuadé que tout ce qu'il pense est nouveau ?

Exemples de discussions que nous avons eues ce dernier été : pourquoi les gens ne tirent-ils pas un enseignement de l'histoire ? Pourquoi les racistes sont-ils des idiots ? Pourquoi le droit de vote devrait-il être interdit aux hommes ?

Je n'ai peut-être pas pensé à Emma tout au long du cours de conduite mais je ne cesse de penser à elle en marchant jusqu'à Extra-Market. Lorsque je me change au vestiaire, les mains toujours aussi tremblantes après avoir tenu le guidon, et que j'entre dans le magasin d'un pas rapide, je n'ai pas la tête au travail.

Je n'arrête pas de revenir sur tout ce que j'ai fait, appris, ressenti, afin de me remémorer ce que je raconterai à Emma tout à l'heure.

Quand je me trouve enfin à mon poste dans le rayon des conserves, j'en suis arrivée à une vraie discussion avec elle. Comme une sorte de répétition générale. Et là il a dit ça, et moi je lui ai répondu ça, et tu sais, après j'ai fait ça et après… j'ai calé. Malheureusement toutes les versions finissent de la même manière.

Il faudrait peut-être que je peaufine ma présentation.

À Extra-Market, la réalité a continué sans moi mais elle me rattrape rapidement. Petit-Roger, qui est toujours à la recherche d'un responsable adjoint, m'a à l'œil. Alors je réorganise le coin des tomates selon leur forme et leur consistance : coulis de tomates, tomates pelées concassées, tomates pelées entières. Bien que le poste ne m'intéresse pas, j'ai eu pour mission de tester mes «qualités opérationnelles de chef». Malheureusement j'ai dû interrompre «l'opération test» pour aller à mon cours de moto. Je suppose donc que je ne suis pas bien placée sur la liste des candidats potentiels.

Je reste un moment devant les rangées de tomates pour essayer de maîtriser mes pensées qui se rebellent et refusent de remplacer les motos et les rayons de soleil par des néons et des boîtes de conserve. Tu t'es bien amusée, alors maintenant concentre-toi ! dit mon côté raisonnable. Qu'est-ce que je fous là ? rétorque mon côté lucide.

Pia me montre une boîte de tomates concassées à l'ail en me demandant où la ranger. L'ail intervient-il dans le degré de concassage ? Officiellement, Pia est venue pour ranger les boîtes d'à côté : les raviolis, la sauce bolognaise, les boulettes de viande. Officieusement, elle s'est débinée des caisses vu que c'est l'heure où les retraités arrivent en masse avec leurs coupons de réduction et leur petite monnaie. C'est un moment qui agace tellement Pia qu'elle laisse généralement le tapis roulant en marche uniquement pour savourer leur mine stressée quand ils essaient d'attraper leur oignon qui continue de tourner sur lui-même.

Nous décidons ensemble que les tomates concassées à l'ail ont leur place après les concassées nature et avant les broyées.

— Alors, comment c'était ? me demande Pia avec une nonchalance jouée.

Ni elle ni moi ne sommes habituées à ce que l'autre entreprenne quelque chose de nouveau, voire de surprenant.

— C'était… intéressant, je réponds.

Avant que j'aie eu le temps de me lancer dans les détails, nous sommes interrompues par Nesrin et Grand-Roger qui ont tous les deux trouvé une bonne raison pour passer justement devant le rayon des tomates concassées.

La seule qui ne soit pas là est Magda. Mais elle ne va sans doute pas tarder. L'éclat dans le regard de Grand-Roger en dit long sur l'ambiance générale. La nouvelle de mes cours de moto va se propager à la vitesse de l'éclair. Mais Grand-Roger fait, bien sûr, son possible pour masquer son intérêt en prenant une boîte dans sa main pour la regarder de près. Comme si son contenu était plus intéressant que ma nouvelle passion pour la moto.

— C'était comment ? me demande Nesrin.

— Génial, je mens avec désinvolture.

Je ne veux pas avouer devant Grand-Roger que j'étais morte de trouille.

Il semble choqué. Je le soupçonne d'être venu simplement pour avoir la confirmation que j'avais changé d'avis et que je ne m'étais pas présentée au cours.

Je souris, entourée de mes collègues qui — je le vois bien — essaient de combiner l'ancienne image qu'ils avaient de moi avec la nouvelle. Une femme cool, libre, chevauchant une moto. Bientôt on parlera peut-être de moi en ville comme de «la femme à la moto». Jusqu'à présent, on ne me connaissait que comme la maman d'Emma. À l'instar de toutes ces femmes qui dès qu'elles ont un enfant ne sont plus considérées comme des personnes à part entière.

— Vous savez quelle est la différence entre une femme et une moto ? nous demande Grand-Roger.

— Vous travaillez dur, à ce que je vois ! nous interrompt Petit-Roger en surgissant au bout du rayon.

— Nous sommes en plein travail, rétorque Pia avec arrogance. Anita vient de trouver un emplacement pour les tomates à l'ail dont la chair est plus épaisse que les nature.

— Les motos n'ont rien contre le fait d'être attachées avec des chaînes, poursuit Petit-Roger.

— Ah, je pensais que c'était parce qu'elles n'avaient rien contre le fait que ça aille trop vite, répond Pia.

Durant toute la journée, je suis d'excellente humeur. Vers huit heures du soir, j'ai presque réussi à me persuader que j'ai aimé chaque seconde de mon cours. Même les commentaires de Magda sur ce que son père, l'officier de l'armée, pensait des motos, ne parviennent pas à atténuer ma joie. Petit-Roger a passé l'après-midi à me regarder d'un air suspicieux, comme si ça lui posait un problème que je sois joyeuse au travail. Mais il est parti il y a une heure. C'est la raison pour laquelle je me sens tout à fait prête à enfreindre quelques règles quand Charlie fait son entrée dans le magasin.

Charlie a travaillé à Extra-Market quand il était jeune. C'est la personne la plus Lesbiennes, Gays, Bisexuels et Transgenres de Skogahammar. Et il prend son rôle très à cœur. Il a grandi en tant que Karin et a très tôt eu la réputation d'être la seule lesbienne de la ville jusqu'à ce qu'il devienne Charlie. Lorsqu'il a été accepté en tant qu'homme, ses parents ont commencé à rêver que leur fils s'installerait avec une gentille fille du coin et qu'il adopterait des petits enfants. Mais à peine leurs rêves ont-ils pris forme qu'il a décidé d'être gay. D'un seul coup, toutes les catégories LGBT se sont concentrées dans une unique *superpersonne*.

— Qu'est-ce que tu dirais de soutenir une maison de jeunes *queer*? me demande-t-il.

Il est habillé d'une veste légère et porte un gros foulard autour du cou.

— Je ne savais même pas qu'on avait une maison de jeunes *normaux*.

— L'hétérosexualité n'est pas normale, c'est juste courant.

Je suis presque certaine d'avoir déjà lu ça sur une affiche quelque part.

— Qu'est-ce que tu veux? je lui demande avec méfiance.

La dernière fois que je lui ai proposé mon aide, je me suis retrouvée dans une réunion du centre LGBT à empaqueter cinq cents préservatifs. J'étais assise à côté de Charlie et d'un jeune gay qui venait juste de se faire larguer et qui a passé la soirée à se plaindre de l'infidélité. De la sienne, en fait.

— C'est l'association des jeunes LGBT d'Örebro qui organise ça. Il faudrait acheter des gâteaux et des boissons. Je me suis dit qu'on pouvait peut-être bénéficier de ta réduction pour le personnel?

— Pourquoi pas? je réponds.

Chez Extra-Market, nous avons le droit à dix pour cent, ce qui est plus que ce qu'ont les employés de chez ICA. Petit-Roger ne se lasse d'ailleurs pas de nous le rappeler. Nous avons obtenu ce privilège uniquement parce qu'il a entendu des rumeurs disant qu'on avait commencé à faire nos courses chez Willys.

Il est bien sûr formellement interdit d'en faire bénéficier des gens qui ont fait des extra il y a cinq ans. Dans la salle du personnel, il est écrit au feutre rouge sur le mur : « SEULS LES MEMBRES du personnel peuvent bénéficier de la réduction!»

Mais, franchement, une femme qui fait de la moto est assez cool pour transgresser un tant soit peu les règles, non?

Je jette un œil vers les caisses.

— C'est Pia qui s'y trouve. Parfait!

— Je suppose que Petit-Roger est parti? s'inquiète Charlie.

— Je suis sûre qu'il aurait aimé soutenir des adolescents LGBT s'il avait été au courant, je rétorque joyeusement.

C'est aussi ce que croit Pia qui, elle, n'a pas besoin de prendre des leçons de moto pour transgresser les règles. Au contraire. Elle aime tout ce qui défie le système et qui peut potentiellement énerver Petit-Roger.

— N'oublie pas de mentionner qu'on sponsorise! crie-t-elle à Charlie quand il s'éloigne avec ses sacs.

Je m'appuie contre le tapis roulant. Les autres employés sont rentrés et j'ai enfin terminé le tri des boîtes de conserve. Il ne me reste plus qu'une demi-heure de travail. Dans la vitrine, je ne vois que mon reflet et la lumière des réverbères dans la rue. Ce soir, l'obscurité à l'extérieur a presque un côté chaleureux. Même les néons du magasin ne me dérangent pas, bien qu'ils déforment légèrement mon reflet et me rendent pâle et éreintée. Nous sommes seules dans le magasin et je me sens agréablement fatiguée après ma leçon.

— Bon, commence Pia en se redressant sur son siège. Tu prévois de passer ton permis moto?

Je souris.

— Je n'en ai aucune idée.

— Avant même de t'en apercevoir, tu te seras trouvé une vie. Tu seras partie pour de nouvelles aventures alors que moi, je serai toujours assise au Réchaud à alcool à boire une bière en me demandant ce qui s'est passé.

— Aucun risque, je réponds. Je n'ai même pas encore compris le système d'embrayage.

— Tu sais ce que j'aimerais?

Je secoue la tête.

— Qu'un de mes fils se marie et qu'il ait des enfants.

Les fils de Pia ont respectivement dix-sept, dix-neuf et vingt-trois ans. Tous ont une petite amie mais je ne peux pas croire qu'ils aient même pensé à avoir un enfant.

— Toutes leurs copines sont sympas, poursuit-elle. Ils n'ont donc aucune raison de continuer à être aussi mous, tu ne trouves pas ?

Je ne réponds pas. J'ai toujours pensé que c'était justement ça leur qualité.

Il n'y a rien de mauvais en eux. Même quand ils étaient ados, ils oubliaient d'être malpolis et de faire la tronche. Ce n'est qu'après avoir tenu la porte à quelqu'un qu'ils se disaient qu'ils auraient dû la lui claquer au nez. Plus gênés qu'autre chose. Pia les a trop bien élevés, même s'ils ont vaguement essayé de lutter contre. Mais il faut admettre qu'ils ne sont pas particulièrement vifs.

— Des petits-enfants, elle répète. Ça me redonnerait la pêche.

— Tu crois qu'un de tes fils a déjà pensé à se marier ? je lui demande.

— Pensé ! rit-elle. Évidemment qu'ils n'y ont pas pensé. Ce sont plutôt à leurs copines de le faire. Il suffit sans doute de leur dire que c'est le moment. Ils sont peut-être mous mais ils n'ont aucun problème pour obéir aux ordres.

— Je suis sûre qu'ils seront de bons pères, je lui dis en le pensant sérieusement.

— Moi aussi je suis sûre, répond Pia. Ils sont un peu comme des arbres. Pas hyper-rapides, et peut-être pas hyper-intelligents, mais ils sont là et on peut leur grimper dessus sans problème.

— Tu as sans doute raison. Mais pourquoi tu penses à ça maintenant ?

Pia hausse les épaules.

— Parfois la vie est si prévisible.

— Quelques bébés devraient pouvoir changer les choses, je consens.

— Je ne dis pas qu'ils doivent tous s'y mettre en même temps. Mais l'un d'eux pourrait faire le premier pas pour montrer le chemin.

— Oui, c'est vrai, je souris.

Nous restons un moment silencieuses, le regard dans le vide, à écouter le tictac discret de l'horloge derrière Pia. Plus qu'un quart d'heure. Toutes ces années à Extra-Market nous ont conditionnées à garder toujours un œil sur l'horloge pour savoir précisément combien de temps il reste avant la fermeture.

— Les motos, donc, lance finalement Pia. Elles aussi peuvent changer les choses.

9

Quand j'arrive à la moto-école pour ma deuxième leçon, Ingeborg lève à peine les yeux. Elle attrape juste la clé du vestiaire et me la tend, comme si je savais maintenant exactement comment tout fonctionne.

En enfilant le pantalon, j'ai soudain une sensation étrange de... Oui, de liberté. Peut-être est-ce l'environnement — je me tiens devant des rangées de bottes de moto de modèles et de pointures différents. Peut-être est-ce le fait de ne pas être au travail un jour de semaine alors que le soleil apparaît au-dessus des arbres de l'autre côté de la rue. Peut-être est-ce le sentiment libérateur d'être débutante et de faire une chose qui est totalement déconnectée du reste de ma vie.

Un peu plus tard, je suis de retour sur le parking du stade avec le moniteur.

Aujourd'hui, cinq voitures sont garées sur le côté. Je lorgne Lukas. Je ne suis quand même pas censée piloter une moto avec des voitures autour de moi.

Il faut croire que si.

Au début, ça se passe étonnamment bien. J'ose allumer le moteur et j'arrive même à utiliser l'accélérateur. Mais j'ai toujours un problème d'équilibre. Chaque fois que je soulève les pieds pour les poser sur les repose-pieds, ça me stresse tellement que je lâche trop vite l'embrayage.

J'explique le problème à Lukas qui me donne la permission de commencer par lever les pieds en les maintenant d'abord au-dessus du sol. Sans les reposer par terre. Apparemment, le fait de bouger sans cesse les pieds est mauvais pour l'équilibre.

Et, bien sûr, les premières fois je cale. Mais ensuite je me mets à avancer très lentement sur le parking, les jambes bien tendues sur les côtés.

Oui. J'avance.

Mais pas droit.

— Essaie encore, me demande-t-il.

Le soleil brille, nous sommes au milieu de la journée et, de temps en temps, une voiture passe devant le parking. Des artisans en route pour leurs affaires quotidiennes. Un jour de travail parmi tant d'autres. Mais pas pour moi. Puisque je pilote une moto.

Pendant cette leçon, je fais mon premier exercice : le parcours lent.

Lukas me rappelle la position à adopter.

— Serre les genoux autour de la moto, contracte le ventre, décontracte les épaules et les bras. Décontracte les épaules et les bras !

Dans le parcours lent, il faut rouler au pas, c'est-à-dire à la vitesse d'un piéton. On pourrait penser que ce serait parfait pour moi, mais je me rends rapidement compte qu'il est plus simple de rouler droit quand on va vite.

— Ralentis. Maintiens l'embrayage pour rouler lentement… Plus lentement… Oui c'est bien. Là on commence à s'approcher de la bonne vitesse.

Vu qu'il court à côté de moi en parlant, j'en déduis que je ne m'approche pas du tout de la bonne vitesse. On est plutôt en mode jogging rapide.

Chaque fois que je m'approche des voitures garées, j'imagine comme ce serait gênant d'en heurter une. Et ça, ce n'est pas non plus bon pour l'équilibre.

— Regarde dans la direction où tu vas. Si tu regardes les voitures, tu vas foncer dedans.

Exactement. Et si ça m'arrive, je veux pouvoir m'en rendre compte. À temps.

Il essaie une nouvelle tactique en me demandant d'éteindre le moteur. C'est sans doute à ce moment-là que j'arrive le plus près de l'allure lente. Il se poste devant moi et pose ses mains sur le guidon en me disant de lever les pieds.

— Reste bien droite, m'ordonne-t-il.

Sa voix est toujours aussi calme et patiente, ses yeux bleu clair toujours aussi inexpressifs.

— Là tu vois que la moto est presque en équilibre parfait.

Il maintient maintenant le guidon avec seulement deux doigts, ce qui me rend sérieusement nerveuse.

— Tu sens qu'elle tient en équilibre presque toute seule?

J'acquiesce. Mais même ma confiance aveugle en lui n'arrive pas à m'empêcher de poser les pieds par terre.

— Remonte les pieds, me lance-t-il aussitôt. Quand on roule à allure réduite, il faut maintenir la moto bien droite afin de garder l'équilibre. Quand on roule plus vite et qu'on veut prendre un virage, on penche la moto, et on suit son mouvement en se penchant avec. Mais quand on roule lentement et qu'on veut tourner, on se sert du guidon et là, il est primordial de maintenir la moto bien droite.

Il tourne le guidon le plus possible à gauche. Je me fige.

— Lorsqu'on le tourne autant, la moto retrouve de nouveau un équilibre parfait. Mais pour pouvoir faire ça, on ne peut que conduire à allure lente. Au pas.

Il dit ces derniers mots avec calme et fermeté.

Je regarde le guidon tourné de façon absurde. À presque quatre-vingt-dix degrés. Il y a forcément un problème ! J'essaie de m'imaginer tourner le guidon à fond alors que la moto roule. Comment peut-elle avancer si le guidon est placé ainsi ?

— Je crois qu'il y a un malentendu entre nous, je lui dis.

Il lève les sourcils.

— Je n'ai aucune envie de tourner, je poursuis. Je veux juste avancer droit devant moi et ça à l'infini. Être bien stable, en première, et rouler vers le soleil couchant.

Il rit en secouant la tête.

— Essaie de nouveau, me demande-t-il.

Et c'est ce que je fais. Je tourne, je cale et je me retrouve soudain à quatre pattes sur le bitume. J'ai tellement de protections sur moi que je rebondis mais c'est quand même humiliant. Je me relève péniblement et je propose d'aider Lukas à redresser la moto mais il refuse.

— Essaie à nouveau, dit-il. Lâche l'embrayage plus lentement.

Je suis encore dans tous mes états vingt minutes plus tard lorsque je suis de nouveau installée à la caisse. J'ai été obligée de courir pour être à l'heure au rush de midi. Petit-Roger m'a donné la permission de prendre des leçons pendant mon temps de travail à condition d'être de retour à temps pour les heures les plus intenses de la journée. Ce qui signifie qu'il n'a pas à me payer pendant les heures calmes et oisives.

Mais ça vaut le coup. Je me remémore la leçon tout en bipant les marchandises. Jusqu'à ce qu'Anna Maria Mendez surgisse devant moi.

C'est la notable de notre ville, présidente du conseil municipal. Elle a fui le Chili au moment du coup d'État alors qu'elle avait treize ans. Elle ne le dit pas ouvertement mais je l'ai toujours soupçonnée de penser que l'histoire aurait évolué différemment

83

si ses parents ne l'avaient pas mise dans cet avion. Leur intention était de venir la rejoindre plus tard mais ils ne l'ont pas fait. Elle ne parle pas de ça non plus.

Elle est, comme elle le répète régulièrement, une *self made woman*. Elle a commencé à travailler à l'âge de dix-sept ans en tant que réceptionniste et a ensuite gravi les échelons de différents services municipaux à la vitesse de l'éclair. Surtout parce qu'elle refusait d'admettre qu'il n'y avait aucune carrière possible à Skogahammar. Durant plusieurs décennies, elle a fait de la propagande pour que diverses administrations publiques se délocalisent ici. Elle aimait particulièrement l'idée que la Commission des allocations d'études supérieures s'installe dans notre ville. « Ici, personne ne fait d'études ! Vous pouvez embaucher n'importe qui sans le moindre risque de conflit d'intérêt ou de piston ! » Selon une interview donnée à notre journal local, nous avons été à deux doigts d'y parvenir.

Elle porte toujours des vêtements dignes d'une présidente du conseil municipal. Aujourd'hui c'est un tailleur noir, un chemisier rouge vif, de grosses boucles d'oreilles et un collier en or. Et là je ne parle que de ses habits. Elle porte son attitude comme un accessoire supplémentaire.

— Anita ! s'écrie-t-elle comme si c'était justement moi qu'elle venait voir.

Ça me rend nerveuse. Je scanne son déjeuner (une salade de thon, de l'eau minérale, une pomme) tandis qu'elle s'appuie contre la caisse comme si elle se préparait à une longue discussion intime. Derrière elle quatre personnes font la queue, mais aucune ne réagit. Tout le monde la connaît assez pour savoir qu'il est inutile d'opposer une quelconque résistance.

— Quand Emma revient-elle pour prendre la direction de l'Urbanisme ?

— Je ne savais pas qu'on avait ça ici, je réponds.

— Pour le moment il n'y a que Bengt aux permis de construire, mais on a encore quelques années devant nous avant qu'Emma termine ses études.

— Ça fera soixante-sept couronnes, je lui dis dans une tentative désespérée de clore la discussion.

Le client suivant a déjà posé ses produits sur le tapis roulant. J'avance le tout vers la caisse bien qu'Anna Maria n'ait toujours pas sorti son porte-monnaie.

— Je suppose que tu as entendu que nous avons besoin d'aide pour organiser la Journée de la Ville.

— Euh… non, je réponds.

Ces dernières années, je n'y suis même pas allée. J'avais l'habitude d'y faire un tour quand Emma était petite, mais depuis quelque temps ça n'a plus aucun intérêt. C'est devenu une sorte de fête du Rotary.

— Je ne savais pas que tu étais personnellement engagée dans cet événement.

— Quelqu'un doit bien s'occuper de cette journée. L'année dernière c'était une catastrophe.

— Je n'y suis pas allée.

— Tu n'es pas la seule.

Les clients derrière Anna Maria acquiescent. Je comprends que personne parmi eux n'y a mis les pieds.

— Tu veux un sac ? je demande en me redressant pour attraper le téléphone.

— Une caisse en plus, une caisse en plus, s'il vous plaît ! je hurle désespérément.

Anna Maria ne s'en soucie pas.

— Tu as déjà aidé à la Journée de la Ville, non ?

— Pas vraiment, je rétorque.

Il y a peut-être cinq ans, j'ai été responsable de la tombola. Voilà toute l'étendue de mon expérience.

Anna Maria me regarde avec surprise.

— Bien sûr que si. J'ai entendu des choses très positives à ton sujet. Tu étais d'une grande diplomatie. Les gens t'aimaient beaucoup.

— Là c'est toi qui es un peu trop diplomate, je ris. J'ai failli me faire trois ennemies mortelles de l'association des sorciè… des femmes de la culture.

Skogahammar avait une association culturelle jusqu'à ce que les trois dirigeantes se disputent et se séparent pour créer, chacune de son côté, une association littéraire, une de théâtre et une d'art. Aujourd'hui on ne peut plus participer à une activité culturelle sans se mettre à dos les deux autres. Je me suis retrouvée sur la ligne de tir lorsque j'ai dû décider ce que serait le plus gros lot : le paquet de livres, le tableau ou les billets de théâtre.

— C'est bien ce que je dis. Aucune d'elles n'a réussi à se fâcher avec toi.

Ce qui techniquement est vrai. Mais pendant les mois qui ont précédé la Journée de la Ville, j'ai reçu des menaces à mots couverts comme : « Je t'ai toujours beaucoup appréciée, je trouverais normal que tu… », « Emma a toujours été une bonne amie de ma petite-fille, cette fois-ci je ne dirai rien si tu… » et « Je suppose que les deux autres t'ont fait des histoires. Moi je n'ai jamais été aussi mesquine. Je me contenterai de te dire que tu devrais peut-être… »

Anna Maria sort son porte-monnaie et se penche nonchalamment vers le monnayeur automatique. Puis elle tourne la tête vers la queue qui s'est bien allongée et qui se compose maintenant d'une dizaine de personnes.

— Tu peux au moins y réfléchir ?

Je souris malgré moi, impressionnée par sa tactique.

— Je compte sur toi ! me sourit en retour Anna Maria en me tendant sa carte de visite qu'elle tient dans sa main depuis le début. Si tu n'es pas intéressée, c'est encore Hans Widén qui prendra toutes les décisions.

— Hans Widén? répète Pia.

Nous sommes de nouveau au Réchaud à alcool. Nesrin est là, elle aussi. Elle a menacé son père de poser sa candidature pour le poste de responsable adjoint et a obtenu une interdiction de sortir comme réponse. Par conséquent, en tant que fille qui a des principes, elle refuse dorénavant de rentrer à l'heure.

— Voilà, c'est réglé. S'engager dans la Journée de la Ville, ce serait déjà une idée complètement folle. Si, en plus, tu étais obligée de travailler avec Hans Widén, ce serait le pompon!

Je ne sais absolument pas qui est Hans Widén. Mais Pia, elle, le sait manifestement.

— C'était un ami de mon mari, explique-t-elle.

— Ne vous inquiétez pas. Maintenant j'ai d'autres occupations. Je vais faire de la moto et, après, je tracerai vers le soleil couchant, je réponds.

— La moto, c'est cent fois plus cool que la Journée de la Ville, déclare Nesrin. Qui est ton moniteur?

L'année dernière elle a pris quelques cours de conduite, mais le projet semble être aujourd'hui mis en attente.

— Lukas.

Les yeux de Nesrin se mettent aussitôt à briller.

— C'est lui que je voulais quand je prenais des leçons. Toutes mes copines aussi.

Je la regarde, étonnée.

— Il est hyper-beau, se justifie-t-elle. Et gentil.

Moi qui le trouvais surtout patient.

— *Gentil?* En général, c'est un mot qu'on utilise quand on n'est pas attirée par une personne, non? rétorque Pia. Depuis quand «être gentil» est une qualité?

— Il n'est pas gentil de cette manière-là, se défend Nesrin. J'ai eu Björn à la place. Il était sympa, lui aussi.

— Il a quel âge? demande Pia.

— Je ne lui ai pas demandé, je réponds.

— Il a plus de vingt-cinq ans?

— Oui, je crois. S'il est moniteur de moto c'est qu'il doit avoir son permis depuis quelques années. Et il a aussi dû faire une formation…

— Plus de trente ans?

— Naan…, j'hésite.

Là, je suis beaucoup moins sûre de moi. Si c'est le cas, il n'a pas beaucoup plus de trente ans. J'ai remarqué quelques petites rides d'expression autour de ses yeux mais son corps est ferme et sportif. Rien ne laisse penser qu'il lutte pour ne pas avoir de poignées d'amour autour de la taille.

Je réalise que je suis en train de penser à ses abdos. Je me racle la gorge et je dis de la manière la plus neutre possible :

— Peut-être juste au-dessous de trente ans.

— Et il est comment physiquement?

— J'ai été un peu trop concentrée sur la moto pour penser à son physique.

— La couleur de ses yeux?

— Bleus, je réponds aussitôt.

Pia éclate de rire.

— Un beau corps?

— Pia!

— Oui! répond joyeusement Nesrin. Et il a un sourire incroyable.

Ça, je n'en sais absolument rien. Il n'a pas vraiment eu l'occasion de me le montrer quand j'étais installée sur la moto.

— OK, conclut Pia. C'est parfait. Qu'il soit gentil ou pas, on s'en fout. Faut que tu le dragues!

— Mais je ne le connais même pas, je proteste.

Je me demande ce que font les moniteurs de moto quand ils ne s'occupent pas de tous ces futurs jeunes motards paumés. Leur vie doit être un long trajet enchanteur fait de chemins de campagne sinueux, de vitesse et de liberté. Je n'arrive même pas à m'imaginer Lukas sans sa combinaison de moto. Et d'ailleurs je ne veux pas. Je veux juste que lui et la moto-école continuent d'exister, qu'ils soient là quand j'ai envie de faire un peu de parcours lent. Comme une parenthèse dans ma vie quotidienne. Ou plutôt une pause.

— Je ne vois pas le rapport avec ce que je te dis, riposte Pia. Il faut que tu apprennes à le connaître, c'est tout.

— Je n'ai pas du tout envie de le draguer, je rétorque.

— Je suppose qu'il lui arrive de te raccompagner, dit Pia. C'est parfait. Tu pourrais en profiter pour le tripoter pendant qu'il conduit !

J'avale de travers ma gorgée de bière et je me mets à tousser.

— Mais je n'ai pas du tout envie de le draguer, je répète tout en essayant de reprendre le contrôle de ma voix. Je n'ai pas l'intention d'être la première élève femme dans l'histoire du monde qui soit dénoncée pour harcèlement sexuel par son moniteur.

— Sans doute pas la première, déclare Pia.

— Tu pourrais commencer discrètement, intervient Nesrin.

Il est évident qu'elle ne croit pas un mot de ce qu'elle dit. Elle sait très bien que jamais je n'essaierai de flirter avec lui. Cette discussion est surtout une grosse blague. À peu près comme ma vie sentimentale.

— Pose-lui des questions. Fais-le parler de lui, poursuit Nesrin.

— Bonne idée, consent Pia. Demande-lui : est-ce que toutes vos élèves tombent amoureuses de vous ?

Cette fois-ci, je suis prévoyante et je ne bois pas de bière, ce qui me sauve de l'étranglement. Rien que d'imaginer lui poser une question pareille me donne des sueurs froides.

— Les élèves filles *et* les élèves garçons, précise Nesrin.

— Mon Dieu, jamais je ne lui dirai ce genre de choses. Il comprendrait tout de suite que je le drague!

Pia et Nesrin se regardent en souriant.

— Mais c'est ça l'idée! m'explique Pia.

— Tu peux au moins te servir de lui pour t'entraîner à draguer, me conseille Pia. Pour qu'au prochain changement de millénaire, tu arrives peut-être enfin à coucher avec un mec.

Soudain je me mets à rêver. Je me vois en train de prendre un rond-point à une vitesse vertigineuse. Je me vois en train de flirter sur une moto. L'adrénaline, la peur, un parking ensoleillé. Des discussions agréables et décontractées avec quelqu'un d'intéressant.

Voici donc mes nouvelles missions pour ma prochaine leçon :

Draguer (Pia).

Poser une question personnelle (Nesrin).

Ne pas tomber de moto (moi).

10

Missions accomplies après le cours ? Une sur trois.

J'ai appris qu'il habite à Skogahammar.

Pour ma défense, je dois préciser qu'il est difficile de draguer avec un casque. Ça écrase tellement les joues que je n'arrête pas de penser à cette blague : « Ma mère dit que je ressemble à un hamster mais ça ne fait rien parce que j'adore les hamsters. » J'espère que ça ne se voit pas trop de l'extérieur, mais la sensation d'avoir les joues compressées n'aide pas à se sentir sexy. Sans tenir compte de l'effet Bibendum à cause de toutes les protections et du gilet fluo.

Non pas que j'avais pensé flirter avec mon moniteur. Pas sérieusement en tout cas. Dieu sait que ce pauvre homme a déjà de quoi s'inquiéter.

Mais lorsqu'il sort de la moto-école et qu'il s'avance vers moi, je ne peux pas m'empêcher de l'observer pour voir si son sourire est aussi fantastique que le prétend Nesrin. Malheureusement, celui-ci s'efface devant mon regard insistant.

— Ça va ? me demande-t-il avant de monter sur la moto.

Puis il relève la béquille et descend les repose-pieds du passager.

À cause de Pia et Nesrin je ne peux pas m'empêcher de reluquer sa carrure sous son blouson. Je remarque aussi qu'il a de jolies mains et je me comporte, bien sûr, comme une idiote.

Je grimpe maladroitement derrière lui puis je me contracte.

— Bien, je lui réponds d'une voix tendue.

Je viens de réaliser que je vais devoir poser mes mains sur ses hanches. J'essaie de maintenir une distance entre lui et moi mais nos corps sont bien trop proches. Je garde mes mains dans le vide, à quelques centimètres de lui.

Vas-y, Anita. C'est pour des raisons de sécurité. Tu ne veux pas tomber. Et tu ne le tripoteras pas, même si la tentation est grande.

Mon Dieu, pourquoi ce mot ? Tentation ? Non, je ne suis pas tentée.

Lukas allume le moteur, enclenche la première puis tourne la tête vers moi par-dessus son épaule. Je me fais alors violence et je pose mes mains sur ses hanches. Où elles restent. Je n'ai pas besoin de le préciser.

Pour ce cours, il m'emmène sur une ligne droite parallèle à l'autoroute à l'extérieur de la ville. Lorsque nous arrivons à destination, j'ai heureusement arrêté de penser à son corps et aux commentaires de Pia. Jusqu'à ce qu'il s'installe derrière moi et que ses jambes enserrent mes hanches.

On va faire des exercices d'accélération et de rétrogradation.

Même avec une couche épaisse de vêtements de protection, j'ai une conscience aiguë de son corps derrière moi. Par chance, je suis bientôt concentrée sur la conduite.

C'est la première fois que j'ai des facilités pour quelque chose. Je n'ai qu'à avancer droit devant moi et rouler à une vitesse suffisante pour ne pas risquer de caler. Je passe avec souplesse de la deuxième à la troisième puis reviens à la deuxième. Quand il me demande de m'arrêter devant un abribus, je me range sur le côté et je relâche lentement le frein pour éviter les à-coups qui accompagnent habituellement mon freinage.

Je souris. Je m'étire le dos. Je me sens absolument invincible.

J'ai envie de le crier haut et fort mais je me contente de me retourner et de lui faire un grand sourire.

— Euh, OK, dit-il en jetant un œil autour de lui.

Son *Euh, OK* n'est pas bon signe.

— Tu t'es garée sur une piste cyclable.

Je regarde autour de moi. Ah merde, c'est vrai ! Pour une raison que j'ignore, la compagnie de bus a placé son panneau à un mètre de l'abribus, juste au niveau d'une piste cyclable.

— Mais pile sous le panneau quand même, j'essaie.

— Oui, consent-il. Est-ce qu'on a le droit de se garer ici ?

Pendant un bref instant, j'hésite à faire l'idiote et à lui répondre que je croyais piloter une mobylette et avoir le droit de rouler sur la piste cyclable. Mais je décide de laisser tomber. Pour deux raisons :

1. Il est fort possible qu'il me croie et qu'il me regarde ensuite comme si tout avait enfin une explication logique.

2. Il est tout aussi possible que, par dépit, il fasse semblant de me croire et qu'il annule mes heures pour m'inscrire au permis AM. Et je passerai le restant de l'automne assise sur une mobylette en combinaison de moto.

Je décide de me taire.

— Démarre, m'ordonne-t-il.

La fois suivante, je m'arrête devant l'abribus et pas devant la piste cyclable. Un progrès.

— Bon, dit Lukas. À quelle vitesse as-tu roulé aujourd'hui ?

— Un peu au-dessous de cinquante kilomètres heure, je réponds, sûre de moi. Quarante-huit, je dirais. Sauf sur la ligne droite. Là, j'étais juste au-dessous de trente, la limite autorisée. Sauf à un moment où j'ai un peu trop ralenti et je suis descendue à vingt kilomètres heure.

— C'est exact. Et tu as bien géré les changements de vitesse. En gros, tu as fait ce qu'il fallait.

— Et tu habites où ? je m'entends subitement lui demander.

— Euh… à Skogahammar.

Souviens-toi : ne surtout pas te faire accuser de harcèlement sexuel.

Je ne renverse la moto qu'une seule fois pendant le cours. Tout au long de l'heure, je suis fermement décidée à garder l'équilibre.

Ce n'est pas parce qu'on porte tout un tas de protections qu'on peut exposer la pauvre moto à n'importe quoi. Cette fois-ci je vais y arriver.

Quand Lukas me demande de me garer de nouveau devant l'abribus afin qu'on change de place et qu'il nous ramène à la moto-école, un rire triomphal se propage dans mon corps.

Ah ! je me dis.

Il descend.

Je reste un instant seule sur la moto à savourer ma victoire et à trouver que tout est soudain étonnamment facile.

Il me sourit.

Je descends de la moto. Je regarde par terre.

— Non…, je grommelle lorsque, dépitée, je vois la moto se coucher devant moi.

Nota bene : toujours contrôler que la béquille est mise.

— Allez, on la redresse, dit Lukas en me tapotant l'épaule pour me consoler. Au moins, cette fois-ci tu n'étais pas dessus, ajoute-t-il gentiment.

Lorsque nous sommes dans le vestiaire à faire le point sur le cours, les premières notes de *Wouldn't it Be Nice?* se répandent soudain dans la pièce. Il me faut quelques secondes pour réaliser que la musique vient de mon sac à main. Je maudis Pia tout en fouillant dedans à la recherche de mon portable. Elle a dû me le piquer hier soir pour changer ma sonnerie habituelle. Les Beach Boys continuent à chanter qu'il serait agréable d'être plus âgé.

— Quand a lieu ton prochain cours ? me demande-t-elle.

Je pose ma main devant le téléphone en faisant un sourire gêné à Lukas.

— Je ne suis pas au boulot, je lui chuchote.

— T'es avec lui, c'est ça ?

J'entends Pia se redresser. J'entends aussi une cigarette s'allumer et un camion faire marche arrière. Elle est à Extra-Market, bien sûr.

— Alors, tu l'as dragué ? T'es habillée comment ?

— Je vérifierai les chiffres demain, je lui réponds.

— Il est à côté de toi ! Il est aussi beau que tu le disais ?

— Je n'ai jamais… Je veux dire, on en parlera à la réunion demain.

— Dis au moins que tu n'as pas oublié de mettre du mascara. Et une jupe. Tu dois porter une jupe. Tu as de belles jambes, faut que tu les montres.

— On dit ça. OK, à bientôt. Salut ! je lance avant de raccrocher.

Puis je m'excuse auprès de Lukas tout en essayant de décoder dans son attitude s'il a entendu ce que disait Pia. Si c'est le cas, je me ferai hara-kiri avec mon briquet et mon stylo dès qu'il sera parti. Ce sont les seules armes que j'aie sur moi.

— Un coup de fil important. Du travail, je lui explique.

— Tu travailles dans quoi ?

— À Extra-Market. C'était au sujet d'une commande… de biscottes bio. Celles qui sont riches en fibres.

11

Samedi matin, dix heures moins cinq.

J'ai lu le journal de A à Z, j'ai étiré au maximum mon petit déjeuner composé de deux tartines, de tranches de tomate, d'un œuf dur et d'un café. Et me voilà maintenant assise dans la cuisine à me demander si ce n'est pas le bon jour pour ranger ma penderie.

Plusieurs choses me dérangent.

La première est l'image traumatisante de moi me levant juste après le petit déjeuner pour laver mon assiette et ma tasse et passer l'éponge sur la table afin d'enlever chaque miette de mes tartines à la farine complète. C'est terrifiant. J'ai grandi avec une mère qui commençait à faire la vaisselle alors qu'on n'avait même pas terminé le repas. C'était à contrecœur qu'elle nous laissait salir sa porcelaine. J'ai toujours cru que j'étais différente mais me voilà aujourd'hui avec une tasse toute propre dans la main.

La deuxième est mon idée absurde de faire le tri dans la penderie.

C'est donc avec un grand soulagement que j'entends la sonnette. Trois coups.

Anna Maria Mendez. La vision est absurde. Elle se tient dans ma cage d'escalier décatie. Même sous la lumière blafarde du plafonnier et avec pour fond des mûrs beige HLM, elle réussit à avoir l'air compétente et influente.

— Je peux entrer ? me demande-t-elle bien qu'elle soit déjà dans le vestibule, qu'elle ait enlevé sa veste et qu'elle soit en train de me la tendre.

— Comment sais-tu où j'habite ? je lui demande en la suivant dans la cuisine.

Je m'aperçois que j'ai toujours sa veste à la main. Je dois retourner dans l'entrée la pendre à un cintre. Lorsque je suis de retour dans la cuisine, elle est assise sur ma chaise.

— J'ai mes sources, dit-elle.

Elle balaye la pièce du regard.

J'ai envie de m'excuser pour la propreté. Même l'égouttoir à vaisselle est vide. J'ai essuyé aussi bien la tasse à café que la planche à découper juste après les avoir lavées. Et j'ai aussi nettoyé l'évier. Plus tout ce qu'il y avait autour.

— Bien, dit-elle quand elle a une tasse de café devant elle.

Elle tire sur le mot comme si elle voulait m'exhorter à parler, alors que c'est elle qui a surgi chez moi sans prévenir.

Anna Maria porte un jean. Ce qui lui donne l'allure d'une femme d'affaires décontractée. Il est bleu foncé et paraît tout neuf. C'est le compromis qu'elle a fait puisqu'on est samedi et qu'elle n'est pas au bureau. Elle porte aussi un chemisier en soie crème et une veste noire stricte. J'essaie d'arranger le vieux tee-shirt que j'ai piqué à Emma.

— J'ai donc besoin de quelqu'un pour m'aider à l'organisation de la Journée de la Ville, annonce-t-elle.

J'avale une gorgée de café bien que j'aie bu deux tasses au petit déjeuner.

— Je ne sais pas si tu es la bonne personne. J'ai aussi d'autres gens sur ma liste.

97

— Je suis sûre que je ne suis pas la bonne personne, je lui certifie.

Anna Maria poursuit comme si elle ne m'avait pas entendue.

— Ça va demander beaucoup de travail. Souvent le soir et le week-end. Honnêtement, je me demande si quelqu'un arrivera à mener ça à bien.

Je me redresse.

— Le soir et le week-end?

C'est la première chose intéressante qu'elle me dise.

— La Journée de la Ville existe depuis vingt ans. C'est un travail important.

— Je l'ignorais, je lui réponds poliment.

— Nous avons besoin de cette journée. Les commerçants en ont besoin, les associations en ont besoin, les familles en ont besoin.

— Emma aimait bien cette journée quand elle était petite, j'acquiesce.

— C'est exactement ça. Ce jour-là, les enfants rencontrent d'autres enfants, jouent ensemble, les adolescents traînent en ville mais sous une forme organisée. Une liberté à moitié surveillée, en somme. Et cette journée est également importante pour nous, les adultes. Pour qu'une ville fonctionne, il faut que les gens puissent se rencontrer. Particulièrement dans une petite ville comme la nôtre. Le problème c'est qu'aujourd'hui il n'y a plus d'endroits où se rencontrer. On reste chez soi, on dîne entre amis, il nous arrive peut-être d'aller boire un verre, mais ce n'est pas suffisant pour adresser un sourire à des inconnus et pour discuter avec la table d'à côté. En revanche, à la Journée de la Ville c'est possible. Ou plutôt ça l'était.

Dans sa bouche on dirait que la Journée de la Ville est le dernier bastion contre la criminalité, la délocalisation et les querelles entre voisins.

— Une équipe de projet est constituée, poursuit-elle, mais elle ne fait pas grand-chose. Nous avons besoin de gens dynamiques qui soient dans l'action. Et l'avantage c'est que toi, tu as déjà participé à l'organisation de cette journée.

Je croyais que nous avions fait le tour de mon manque de qualification, mais je commence à soupçonner Anna Maria de n'entendre que ce qu'elle veut. J'ai juste aidé à la tombola. Et je ne sais même pas ce qu'est une équipe de projet.

J'ai le vague souvenir qu'on s'est retrouvés une fois chez un des responsables de l'organisation pour faire le point, mais ma contribution s'est réduite à fumer une cigarette sous la hotte de la cuisine. Je ne me rappelle pas avoir fait partie d'une équipe de projet, ni même d'en avoir entendu parler.

— Dès que j'ai appris que tu prenais des leçons de moto, je me suis dit : c'est la bonne personne. C'est exactement ce dont nous avons besoin. De la vitesse et un souffle nouveau.

— Pour l'instant je réussis seulement à rouler en troisième, j'avoue.

J'aime l'image qu'elle me renvoie de moi. Je m'empresse donc d'ajouter :

— Mais je suis capable de passer les vitesses sans aucun problème. Rapide. Oui, ça je le suis. Mon moniteur se plaint toujours que je roule trop vite.

En tout cas, là je ne mens pas.

— En ce moment, le groupe est dirigé par Hans Widén, poursuit Anna Maria. Il est membre du Parti modéré. Né dans l'opposition. Je ne peux pas le mettre à la porte. Il a aussi de bons côtés, bien sûr, mais nous avons besoin de quelqu'un qui *agisse*. Tu serais formidable.

— C'est vrai ? je dis en clignant des yeux.

Je n'arrive même pas à me souvenir de la dernière fois où on m'a dit ça. Je parcours la pièce du regard et je trouve soudain normal qu'Anna Maria soit assise dans ma cuisine. Pourquoi pas ?

Nous pourrions devenir amies et avoir des tas de discussions profondes au sujet de l'avenir de la Journée de la Ville.

— Comme je l'ai dit, ça te prendra beaucoup de soirées et de week-ends.

Ça me donnera au moins des choses à faire, je songe. Et ce sera peut-être plus marrant que de trier ma penderie.

— Réfléchis-y, me lance-t-elle avant de se lever.

Comme beaucoup d'enfants, Emma était très conservatrice. Elle était sceptique devant tous les changements, peu importe leur valeur. Ce n'est peut-être pas si étonnant. Quand on a vécu toute sa vie — en l'occurrence sept ans et demi — avec le même canapé, un changement peut devenir une menace potentielle.

Quand elle était petite, Emma adorait la Journée de la Ville. À l'âge de six ans, de sept ans, de huit ans, de neuf ans, de dix ans. Elle courait partout chaque automne, elle avait le droit d'acheter des bonbons, de sauter dans le château gonflable, de boire plus de sodas que d'habitude et de se coucher tard. Une promesse facile à lui accorder vu qu'elle n'arrêtait pas de la journée et qu'elle s'écroulait de fatigue très tôt.

Mais quand elle a eu douze ans, elle est devenue plus exigeante. Les bonbons et les sodas pas chers n'avaient plus le même attrait. Puis le groupe qui s'occupait de l'organisation de la journée a eu pas mal de problèmes et a menacé les habitants de ne pas reconduire l'événement l'année suivante s'il n'y avait pas davantage de monde pour aider. J'ai prévenu Emma.

— Comment ça, pas de Journée de la Ville ? s'est-elle indignée.

Je n'étais pas du tout préparée à sa réaction.

— Mais l'année dernière tu m'as même dit que tu n'irais pas cette année ? j'ai rétorqué.

— Ça n'a rien à voir. Comment la Journée de la Ville peut-elle ne pas avoir lieu ? Elle a toujours existé ! Il n'y a que là que je bois du soda à la framboise. Et la pêche à la ligne ? Il n'y en aura pas non plus ? Pourquoi les gens ne veulent-ils pas aider ? Toi, tu peux leur donner un coup de main, maman ?

Alors j'ai appelé le président du groupe pour proposer mon aide. Apparemment plusieurs enfants avaient réagi de la même manière. Ils ont réussi à trouver suffisamment de volontaires, presque uniquement des parents, et la Journée de la Ville a bien eu lieu. Emma a donc pu faire sa pêche à la ligne.

En revanche, ni elle ni moi n'y sommes allées l'année dernière. Et aujourd'hui je soupçonne qu'elle ne serait pas particulièrement affectée si cette journée disparaissait.

Après tout, elle est trop âgée pour la pêche à la ligne.

12

Nesrin est presque plus impressionnante que ne l'était Anna Maria samedi. Elle est vêtue d'un pantalon noir, d'une horrible veste blanche cintrée avec un col noir et un mini-nœud papillon assorti. On dirait qu'elle se rend à un concours de dressage équestre. Au Réchaud à alcool, elle détonne terriblement.

On est lundi soir et tout est normal, excepté cette tenue extravagante.

— Que tu es... belle, je lui mens.

— Putain, mais c'est quoi cet accoutrement? lui balance Pia.

— Mon père ne me lâche pas à propos de mon avenir, nous explique Nesrin.

— Ah bon, je réponds.

— Et alors? demande Pia.

— Du coup, j'ai décidé d'essayer différents métiers. Aujourd'hui je suis avocate.

Manifestement nous n'avons pas l'air de saisir ce qu'elle veut dire puisqu'elle se lance dans une explication.

— Quatre ans de formation puis quarante ans de vie active. Mieux vaut faire des essais avant de s'engager dans la branche.

— Avec des habits? je demande.

— C'est pas con, consent Pia.

— Alors, vers quoi tu penches ? je l'interroge.

— Mon père a plusieurs options. La plupart exigent au minimum quatre années d'études et me garantissent de ne plus avoir de vie. Avocate. Médecin. Par un étrange hasard, toutes ces options impliquent que je parte quelques années de Skogahammar.

— Ton père a raison, admet Pia. Si tu ne te barres pas maintenant, après ce sera foutu. Ou, disons, dans un an, ajoute-t-elle généreusement lorsqu'elle réalise que Nesrin ne pourrait pas commencer une formation sur-le-champ. Dans une petite ville comme la nôtre, il y a deux sortes de gens, poursuit-elle. Ceux qui partent et ceux qui restent. À quelle sorte on appartient, ça se décide très tôt.

— Rien ne t'empêchera de partir plus tard, je dis à Nesrin.

— Je te garantis que ce n'est pas vrai, me siffle Pia.

Son commentaire m'énerve, je sens qu'on pourrait se disputer. Nesrin partira quand ça lui chantera. Rien ne dit qu'elle restera collée ici si elle ne part pas immédiatement.

— Tout va bien, nous calme Nesrin. Je n'ai pas du tout l'intention de travailler à Extra-Market toute ma vie.

Pia et moi restons silencieuses un moment, le temps pour nous de considérer notre vie. Heureusement, Nesrin ne le remarque pas.

— Parfois je suis presque jalouse d'Emma, reprend-elle. Elle sait exactement ce qu'elle veut faire et elle a quitté Skogahammar pour mener à bien son projet.

Je suis évidemment flattée par le commentaire de Nesrin. Et aussi tellement fière qu'Emma soit à l'université. Mais en même temps je ne peux pas m'empêcher de me demander ce que le père de Nesrin a derrière la tête. Pourquoi veut-il que sa fille s'en aille de chez lui ? Si j'avais été un peu plus intelligente, dès qu'Emma a eu dix ans j'aurais dû commencer à préparer une liste de formations possibles à suivre à Skogahammar.

— Consacrer sa vie à rendre fou son patron, c'est pas un beau projet, tu trouves? Qu'est-ce que t'as contre? grogne Pia exactement au moment ou je dis :

— Je crois que je vais accepter d'aider à la Journée de la Ville.

Pia me dévisage, pour une fois sans faire de commentaire.

J'ai cherché sur Google la définition d'«équipe de projet». Voilà ce que j'ai trouvé : l'équipe de projet a pour objectif de faciliter l'organisation et l'exécution d'un projet. Elle doit s'occuper du suivi et du développement dudit projet. Sa tâche est également de contribuer à l'élaboration des bases de décision, des propositions, et de faire en sorte que le projet soit mené à bien.

C'est clair comme de l'eau de roche.

— Aider à la Journée de la Ville, c'est encore pire que de devenir avocate, me balance Pia.

— Il n'y a aucun mal à être avocat, je réponds sans croire moi-même à ce que je dis.

S'il y a autant de blagues sur les avocats, il doit bien y avoir une raison. Et je note que Nesrin ne fait aucun commentaire concernant mon idée insensée d'aider à la Journée de la Ville.

— La Journée de la Ville existe depuis vingt ans!

— Non, me contredit Pia qui se met à compter sur ses doigts. Onze ans, grand maximum.

— Vingt selon Anna Maria, je conteste. Bon bon, on s'en fout. Anna Maria m'a dit que je serais un élément précieux dans l'équipe de projet.

— Ha, s'esclaffe Pia. Est-ce qu'il y a d'autres mots dans l'histoire du monde qui nous ont incitées à travailler plus que «Tu nous serais tellement précieuse si…»? Les femmes sont trop sensibles à ce genre de compliments. C'est comme si on était tellement reconnaissantes de ces petites flatteries qu'on acceptait tout et n'importe quoi.

— C'est un projet intéressant, j'essaie.

— C'est un projet fou, riposte Pia.

Je me fige.

— On pourrait plutôt dire impossible, non ? je tente.

— Si tu veux.

Et le voici de nouveau ce désir de chaos, de folie, de frénésie. Ne plus avoir le temps de faire le ménage. Pia continue de parler en fond sonore mais je ne l'écoute plus. Je l'entends vaguement me dire qu'elle pensait que je deviendrais cool avec mes cours de moto, mais que jamais elle n'aurait cru que je m'occuperais d'une chose aussi ringarde que la Journée de la Ville.

Pendant le temps que dure le monologue de Pia, je prends deux décisions : je vais me payer autant de cours de moto que possible et je vais accepter la proposition d'Anna Maria.

Jusqu'à présent, j'ai essayé de tuer le temps du mieux que j'ai pu. Je n'ai décommandé aucune leçon mais je n'ai pas non plus réfléchi au-delà de la suivante. Maintenant, je vois devant moi des semaines de parcours lent et de réunions de projet. Ça devrait me durer tout l'automne. En tout cas, il le faut.

Je me surprends même à m'imaginer avec le permis moto en poche. Pas cet automne, bien sûr, je suis consciente de mes limites, mais peut-être l'année prochaine, pour la prochaine Journée de la Ville. Alors j'irai aux réunions à moto. J'entrerai dans la salle avec mon blouson de cuir sur le dos et mon casque sous le bras et je balancerai à l'assemblée impressionnée : Allez, putain, maintenant on élabore les bases de décision du projet et on agit !

J'attrape vite mon portable avant d'avoir le temps de changer d'avis.

— J'accepte ta proposition, je dis à Anna Maria dès qu'elle décroche.

— Réunion de l'équipe de projet demain soir ! me répond-elle.

Et voilà, c'est parti.

Je raccroche et je me tourne vers Pia et Nesrin.

— Anna Maria me trouve dynamique, je leur dis. Dynamique et rapide.

— En comparaison avec qui ? me répond Pia.

— Je... je ne sais pas. Je n'ai pas encore rencontré l'équipe de projet.

La réunion a lieu dans les locaux de la Croix-Rouge. Une table de conférence gigantesque occupe presque la totalité de la pièce. Au milieu sont posées deux thermos usées qui ont dû un jour être blanches ; sur l'une d'elles est marqué *Thé* au feutre noir mais son contenu se révèle être du café.

Nous sommes cinq personnes dispersées dans la salle. La seule que je connaisse est Ann-Britt, de la Croix-Rouge. Elle est si gentille avec moi que je dois sérieusement détonner dans le groupe. Pourtant j'ai mis l'unique veste que je possède et le plus beau jean.

Je suis toujours submergée par cette sensation nouvelle de détermination mais je suis aussi légèrement, légèrement... flippée. Derrière mon enthousiasme, mon cœur bat à cent à l'heure et mon dos est trempé de sueur. Une partie de moi sait qu'Anna Maria et l'équipe de projet s'apercevront bientôt de l'imposture. Je ne sais absolument pas planifier un événement comme celui-ci. Je ne sais même pas par quoi il faut commencer.

Je vais être démasquée et on me virera d'un boulot que je fais gratuitement.

À dix-neuf heures pile, Hans Widén prend place sur la chaise du président. C'est la plus haute et la plus grande de toutes et elle est placée au bout de la gigantesque table de conférence.

Hans a l'air de prendre son rôle très au sérieux : costume impeccable, dos bien droit, carnet noir et stylo cher. Nous autres attrapons un crayon offert par la Croix-Rouge dans un gobelet posé sur la table puis nous nous asseyons.

Ce n'est qu'à ce moment-là que je réalise que nous sommes au complet. Je n'ai donc aucune chance de me cacher au fond de la salle et de rester muette.

Merde.

C'était mon unique plan.

Puisque je suis nouvelle, nous ouvrons la séance par un tour de table. Chacun doit se présenter. C'est Hans qui commence, bien sûr.

— À l'époque où j'étais directeur du développement à IPC Consulting, dit-il, j'ai participé à la mise en place du *lean management*. J'en ai tiré un grand enseignement. C'est tout simplement un système d'organisation du travail qui cherche à identifier puis à éliminer d'un processus de production tous les facteurs qui réduisent l'efficacité et la performance d'une entreprise et ne créent pas de valeur pour le client final.

J'ouvre mon bloc-notes et j'écris *client final*.

— Nous devons créer un flux opérationnel afin de faire remonter les problèmes à la surface. Éliminer les gaspillages et supprimer tout ce qui n'apporte pas de valeur ajoutée.

Je jette un œil rapide autour de moi pour vérifier si quelqu'un comprend quelque chose. Difficile à dire. Tous ont l'air de s'ennuyer.

Derrière Hans et sa chaise de président se trouve un tableau blanc sur roulettes. À côté se tient une dame qui, je crois, est l'épouse de Hans. Apparemment, elle est la secrétaire perpétuelle du groupe. D'une écriture vieillotte et alambiquée elle a inscrit « Journée de la Ville ». Sinon, le tableau est vide, excepté un « Ne pas effacer ! » en bas à droite.

Elle nous fait un petit signe de la main et profite d'une pause oratoire de son mari pour se présenter, ce qui nous permet de reprendre le tour de table. Je rate malheureusement son nom.

La suivante est Barbro Lindahl. J'ai le temps d'entendre son nom et même de le retranscrire dans mon bloc-notes. Jusqu'à présent j'ai écrit : *réunion équipe de projet. Client final. Surface. Barbro Lindahl.* J'ajoute maintenant : *Association d'aide aux femmes victimes de violence* et *Mouvement pacifiste* dont elle dit faire partie. Elle affirme être contre la violence et avoir un réseau de contacts important parmi les politiques de la ville. Ou plutôt, comme elle le décrit elle-même, avoir été en conflit avec tous les hommes politiques de la ville.

Puis c'est au tour d'Ann-Britt. Elle, je la connais. C'est la présidente de notre unité locale de la Croix-Rouge depuis trente-trois ans.

Maintenant c'est à moi.

— Je m'appelle Anita, je… travaille à Extra-Market, je dis, puis je me tais puisque je n'ai rien à ajouter.

Et voilà, j'ai terminé.

Ann-Britt me fait un grand sourire pour me mettre à l'aise avant de reprendre la parole.

— À notre précédente réunion, nous avons évoqué la possibilité de créer un site, explique-t-elle. Mais je crois que… Ça en est où ?

Elle lance un regard nerveux à Hans pour avoir sa confirmation.

— Le but est de donner plus de visibilité à la Journée de la Ville et de la rendre plus attractive, explique Hans.

— Tu t'y connais un peu en sites ? me demande Barbro.

— Non, j'avoue.

Puis c'est de nouveau le silence.

En face de moi est accroché un tableau représentant un homme à la moustache impressionnante et à l'air grave. Et juste à côté, une affichette avec le texte : *L'humanité — prévenir et soulager la souffrance humaine.*

Un texte idiot dans une salle de réunion, je me dis. L'air était déjà saturé à notre arrivée, au bout d'un quart d'heure il est irrespirable. J'ai la sensation d'avoir la peau poisseuse.

Ann-Britt me demande si j'ai des questions.

— Euh oui…, je réponds de manière évasive avant de marquer une pause.

En réalité, je me demande ce que nous sommes en train de faire et ce qui est prévu pour l'organisation de la journée, mais ma question me paraît soudain stupide. Je décide donc de ne pas la poser. J'aurais sans doute dû me renseigner avant sur le travail accompli jusqu'à présent. Mais Anna Maria ne m'a donné aucune autre information que le numéro de Hans et l'horaire de la réunion.

Je demande quand même quels sont les plans.

C'était manifestement la mauvaise question à poser.

— Le problème avec cette journée, déclare Hans, c'est qu'il n'y a jamais eu de vision claire, ou plutôt de but mesurable. Lorsque j'étais directeur du développement, je déterminais les orientations stratégiques, les objectifs à atteindre et les moyens à mettre en place.

Je note : *but!* Et *stratégique*?

— Nous avons tout simplement besoin d'un ciblage permettant d'augmenter notre efficacité.

J'écris *ciblage*. Personne d'autre que moi ne prend de notes.

— Qui d'autre fait partie de l'équipe de projet? je demande.

— Qui d'autre? répète Ann-Britt.

— Dans cette ville, personne ne veut aider, déclare Hans avec mépris.

Son commentaire me donne aussitôt mauvaise conscience car je n'ai jamais proposé mon aide avant aujourd'hui.

— Comment va se passer la tombola? je demande.

— On n'en avait pas l'année dernière, répond Hans.

— Et le bal?

— Il y a quand même des choses plus importantes à organiser pour cette journée que le bal et la tombola.

— Ah bon…, je bégaie, vous croyez vraiment?

Je jette un regard autour de moi. Le visage de Barbro n'exprime absolument rien. Est-ce parce qu'elle trouve mon commentaire stupide ou parce qu'elle a déjà décroché? Impossible à dire. En tout cas, Ann-Britt, elle, semble intéressée. Et même un peu nostalgique.

— Je croyais que c'était justement ça la Journée de la Ville, je continue. Des paniers cadeaux avec une bouteille de vin, un ananas, des tableaux brodés et quelques vieux livres sous des tonnes de cellophane. Et pourtant tout le monde a envie de gagner. Ce qui n'arrive jamais, bien sûr.

— Une fois j'ai gagné une bouteille d'huile d'olive, déclare Ann-Britt avec enthousiasme.

Ça y est, je suis lancée.

— Et le bal. Il faut de la musique. Des adultes qui font croire qu'ils maîtrisent le fox-trot, et quelqu'un qui danse le rock sans tenir compte du style de musique diffusée par les haut-parleurs, et aussi des gosses qui courent autour de la piste.

— Je crois quand même qu'informer les gens sur les différentes entreprises de notre ville est *un peu* plus important que le rock, renchérit Hans.

Ann-Britt semble déçue.

Ce dernier commentaire met un point final à ma participation. Je n'arrive pas à trouver autre chose à dire et j'ai le sentiment que les autres non plus.

Ce qui ne les empêche pas de se remettre à discuter.

Je lorgne ma montre. Trois quarts d'heure seulement se sont écoulés et j'ai envie de fumer. J'arrête d'écouter ce que dit Hans. À la place, j'écris «Je veux mouriiiir» dans mon bloc-notes puis je sors mon portable de mon sac et j'envoie un texto à Pia : «Tue-moi!»

Sa réponse arrive au bout d'à peine quelques secondes dans une vibration discrète. Mais je suis sûre que tout le monde l'entend. «Pas si le meurtre par miséricorde exige que j'aille à ce genre de réunion», écrit-elle.

Quand Hans décide enfin que la réunion est terminée, deux heures sans pause se sont écoulées, sans doute les plus longues de ma vie.

Je me précipite dehors pour allumer une clope sans même prendre la peine de dire au revoir aux autres.

Qu'est-ce que je fous ici? je me dis. Je n'ai rien à y faire. Je sors mon portable pour appeler Pia mais, avant d'avoir le temps d'appuyer sur son nom, j'entends des petits pas prudents derrière mon dos.

Je tire une grosse taffe, je m'efforce d'esquisser un sourire et je me retourne. Ann-Britt.

Mon sourire se fige. J'arrive malgré tout à le maintenir sur mes lèvres. Mais ça me prend toute mon énergie. Rien que l'idée d'être polie m'épuise.

— Je voulais seulement te dire combien je suis heureuse que tu fasses partie de l'équipe, me chuchote Ann-Britt.

Elle jette un œil autour d'elle comme si elle avait peur que quelqu'un ne l'entende puis elle reprend :

— Maintenant que tu es là, ça va être plus agréable. Nous avons vraiment besoin de monde.

— Super, je réponds. Désolée mais il faut que j'y aille. On se voit bientôt.

— On part dans la même direction, non?

— Je… ne vais pas chez moi, je mens, et je sens aussitôt la mauvaise conscience m'envahir.

Puis je me sauve.

— Je ne sais rien de rien, j'explique à Pia dès que je l'ai au téléphone. Je ne sais même pas ce que *ciblage* signifie. J'ai essayé de googler le terme sur mon portable pendant la réunion mais ça m'a encore plus paumée. Je vais devoir appeler Anna Maria pour lui avouer que je suis idiote.

Je marche d'un pas rapide tout en tirant farouchement sur ma clope.

— Et pourquoi pas ? Ça te libérerait de ces conneries, me répond Pia.

— Mais j'ai besoin de quelque chose à faire, je lui rappelle. Et je ne veux pas passer pour une idiote. Peut-être que je pourrais trouver des cours par correspondance ? Ou des livres ? Au moins ça me permettra de comprendre ce qu'est une équipe de projet. Je suis terrifiée à l'idée qu'on me demande une prise de décision stratégique et opérationnelle.

— Une prise de décision stratégique et opérationnelle ? Je croyais que vous deviez juste organiser cette foutue Journée de la Ville.

— Apparemment les équipes de projet prennent des décisions stratégiques et opérationnelles. J'ai lu ça sur Internet.

— Anita, à mon avis tu n'as pas bien saisi ce qu'on attend de toi.

— Comment ça ?

— Je continue à trouver cette idée d'être bénévole à la Journée de la Ville complètement stupide mais, si tu le fais, je suis sûre que ce ne sont pas sur tes connaissances en stratégie que compte Anna Maria. Sinon pourquoi elle ferait appel à toi ?

— Parce qu'elle ne sait pas que je suis idiote.

J'écrase ma cigarette et j'en allume aussitôt une nouvelle.

— Non, c'est parce qu'elle veut autre chose. Elle a dit que tu étais bonne en quoi déjà ?

— En moto. Mais a) j'ai toujours du mal sur le parcours lent et b) même si j'étais bonne, je ne vois pas quand j'en aurais l'usage vu que Hans passe son temps à nous prendre la tête sur les orientations stratégiques et les objectifs à atteindre.

— Le truc ce n'est pas d'essayer de compenser tes faiblesses mais de miser sur tes forces. Qui ne sont pas de faire de la moto, là je suis d'accord avec toi. Qu'est-ce qu'elle a dit d'autre, Anna Maria ?

— Que j'étais diplomate et que les gens m'appréciaient.

— Merde, c'est ça qu'elle appelle un compliment ? La diplomatie — l'art d'être assez mièvre pour ne pas entrer en conflit avec les gens.

— Merci. Vraiment. Là, tu m'aides beaucoup.

— Donc les gens t'apprécient. Alors fais venir du monde pour vous aider au lieu d'être là à penser que tu dois tout savoir toute seule.

Je m'immobilise. Au vrai sens du terme. Une vieille dame derrière moi est sur le point de me foncer dedans. Je fais un pas sur le côté tout en m'excusant auprès de la dame.

— On n'est que cinq dans l'équipe de projet. C'est vrai qu'on devrait être plus.

— Tu vois. Faites venir d'autres associations par exemple.

— Pia, tu es un génie !

— Ça c'est un vrai compliment. Très diplomate. Je te remercie. Par contre, si tu me qualifies un jour de diplomate, notre amitié sera brisée.

— Pia, je la rassure, ça ne risque pas d'arriver.

13

Dix minutes avant le début du cours, je suis assise dans le vestiaire en tenue de moto. Malheureusement j'ai aussi un sourire stupide aux lèvres. La réunion de l'équipe de projet ne s'est peut-être pas passée selon mes plans, mais mes cours de moto, eux, vont être formidables. Je le sens.

— Ça roule ? me lance Lukas quand je sors de la moto-école.

— Super, je réponds. Et toi ?

— C'est juste dommage pour le temps.

Je m'aperçois alors qu'il s'est mis à pleuvoir. J'atténue mon sourire jusqu'à un niveau plus acceptable socialement.

Lukas enfile un poncho en plastique jaune vif et là, je n'arrive pas à le trouver même un tout petit peu sexy. Je refuse sa proposition d'en enfiler un moi aussi. Je n'essaie pas de flirter avec lui mais j'ai quand même ma fierté.

— J'ai décidé de passer mon permis moto, je l'informe quand je suis installée derrière lui.

Je le sens se raidir.

— Cet automne ? il me demande d'une voix forcée.

— Non, non, je lui réponds. Mais un jour.

Il ne trouve rien à redire. Apparemment cette nouvelle est plus surprenante pour moi que pour lui. Ça ne m'étonnerait pas que la majeure partie des gens qui prennent des cours aient l'intention de passer un jour leur permis. Mais pour moi, c'est une pensée révolutionnaire. Durant le trajet jusqu'au plateau, je me décontracte et je savoure enfin le moment.

Après un peu de parcours lent — ma bête noire — j'ai le droit de conduire sur la route. Pas seulement le long du trottoir où je me suis entraînée à passer les vitesses et à rétrograder. Non, pour de vrai.

Je traverse un rond-point. Je freine au dernier moment à un feu rouge. Je lis bien tous les panneaux. Je m'impressionne moi-même. Mais c'est vrai que nous suivons un itinéraire qui ne comprend aucun virage. Par conséquent, je m'imagine que je sais conduire. En tout cas, tant que je n'ai pas besoin de tourner et d'utiliser le clignotant.

La route que nous empruntons suit l'autoroute. Nous arrivons soudain au gros rond-point à la sortie de la ville. Il existe depuis au moins vingt ans mais je suis quand même surprise de le voir apparaître devant moi. Malgré le panneau annonçant sa présence, je roule beaucoup trop vite, ce qui n'est pas une bonne idée.

— Ralentis, me dit calmement Lukas. Freine. Lâche le frein. Tourne.

Nous évitons miraculeusement la plate-bande qui borde le rond-point.

— Ça peut être bien de ralentir avant d'arriver à un rond-point, me signifie-t-il.

Je mémorise : ralentir avant d'arriver à un rond-point.

Quand nous nous arrêtons à un parking pour faire le bilan de ma conduite, je ne peux pas m'empêcher de récupérer mon sourire stupide.

— Comment tu te sens?

— Super!

— C'est... bien.

Il descend de la moto et secoue légèrement la tête afin d'enlever l'eau sur la visière.

— Tu ne trouves pas ça complètement fou qu'on puisse lâcher quelqu'un comme moi sur une route ?

Il a l'air d'être d'accord avec moi et de regretter de l'avoir fait.

— C'est étonnant, enfin, magique qu'on ait réussi à créer quelque chose d'aussi fantastique que le réseau routier !

— Le réseau routier ? répète-t-il sans comprendre.

— Oui, je réponds.

Je pense souvent à ça depuis que je suis devenue consciente du fonctionnement des routes et des croisements. Je continue :

— Combien de voitures y a-t-il sur les routes ? Quelques millions, je dirais. Elles sont conduites par des gens tout à fait normaux qui sont soit stressés, soit fatigués, soit de mauvaise humeur, soit déprimés, soit nouvellement amoureux. Et tous ces gens, on les laisse conduire une énorme carcasse en tôle à une vitesse de quatre-vingt-dix kilomètres à l'heure. Tout le système est fondé sur la confiance que nous avons en notre pouvoir de communiquer nos intentions aux autres. Et cela, sans même nous parler. Comme pour les changements de file.

— Les changements de file ?

— Oui, les changements de file. Je mets mon clignotant et je pars du principe que le gars derrière moi ralentira et me laissera passer devant lui. Ou encore l'apprentissage de la conduite. Des débutants roulent sur les routes et se fient à des inconnus en se disant qu'ils seront vigilants et indulgents avec eux. Et c'est ce qui se passe ! Je grille des feux rouges, des ronds-points, des sorties d'autoroute, je mets mon clignotant au mauvais moment, je cale à des endroits non stratégiques mais je n'ai jamais tué personne.

— Il faut quand même éviter de griller les feux.

Je sais très bien qu'il comprend ce que je veux dire.

— Dans d'autres circonstances on ne ferait jamais confiance à des étrangers, je poursuis. Mais quand il s'agit d'objets roulants qui fendent l'air à quatre-vingt-dix kilomètres à l'heure, on fait confiance.

— Ça va quand même prendre un certain temps avant que je te lâche sur l'autoroute.

— Vaut mieux m'apprendre d'abord à conduire à cinquante à l'heure, je consens.

— Et si le gars nous avait foncé dedans au moment où tu changeais de file, il aurait été blessé lui aussi. À mon avis, il s'agit plutôt d'un instinct de survie.

— On est sur une moto. Lui dans une voiture. Sa carrosserie aurait été rayée, tout au plus. Tu crois vraiment que l'instinct de survie est aussi fort dans d'autres situations?

— Non, reconnaît-il.

— Ça prouve bien à quel point l'humanité est fantastique, non? Qu'il n'y ait pas plus d'accidents, je veux dire?

Il éclate de rire et lève les mains en l'air en signe de défaite. Nous retournons à la leçon et, dans un silence amical, nous regardons la rue déserte qui s'étend devant nous. Enfin, le silence est en tout cas amical de mon côté. Il est possible qu'il le considère plus comme un soulagement.

Ce n'est que lorsque nous sommes de retour à la moto-école que je m'aperçois que ma botte gauche est remplie d'eau.

Quand je me dirige vers le vestiaire, elle fait du bruit tous les deux pas. Un pas. Splash. Un pas. Splash. Mes cheveux trempés me collent au visage. L'eau s'est infiltrée un peu partout sous mes vêtements et j'ai les jambes engourdies par le froid.

Mais je m'en moque.

— Merci pour aujourd'hui, je lui dis avec enthousiasme.

Il me fait un signe de tête et se réfugie dans la salle des moniteurs.

14

Les jeudis soir, Le Réchaud à alcool est toujours bondé. Pia et moi sommes coincées au fond de la salle à boire une bière tout en évitant de tourner la tête pour ne pas croiser le regard de gens qu'on pourrait connaître. De ma place, je vois deux vieilles copines de classe.

Ces derniers jours, je suis allée dans toutes les boutiques de la rue principale parler de la Journée de la Ville aux commerçants. Jusqu'à présent j'ai obtenu trois «Non», deux «Il faut qu'on réfléchisse» et cinq «Il vaut mieux que tu en parles directement à mon chef», qui, d'après ce que je comprends, n'est jamais là.

— Anita, tu ne m'écoutes pas! constate Pia.

— C'est vrai.

— Je viens de faire une super blague sur Grand-Roger.

— C'est inhabituel.

Je pousse un soupir puis je me masse les tempes tout en m'efforçant de lui sourire.

— Raconte-la-moi de nouveau.

Mais Nesrin nous interrompt en arrivant habillée en bleu de travail.

— Vétérinaire, nous balance-t-elle.

— Et tu te sens comment? je lui demande.

— C'est très confortable. Il y a beaucoup de poches. Ça pourrait me plaire.

— Je n'ai pas l'impression que les vétérinaires portent des bleus de travail, je lui fais gentiment remarquer.

— Ça me paraissait rural. Pour mettre bas des juments et tout.

— Du coup, tu pourrais en profiter pour te familiariser avec le métier de menuisier, propose Pia.

Puis toutes les deux se lancent dans une querelle enjouée sur le dernier épisode de «Idol». Je sens un bon mal de crâne commencer à s'installer.

— Pourquoi les gens ne veulent-ils pas aider? je les interromps en me faisant la réflexion que je parle comme Hans.

— Parce que c'est ultra-chiant, me répond aussitôt Pia. Aider c'est déjà chiant. Alors en plus à la Journée de la Ville! Laisse-moi te prouver que j'ai raison.

Elle jette un coup d'œil circulaire autour d'elle et pose son regard sur Gunnar. Il est installé devant les machines à sous, comme chaque fois qu'il ne travaille pas aux Fleurs d'Eva.

C'est le fils d'Eva, et il est responsable de l'entretien de tous les pots de fleurs du centre-ville. Il est possible qu'il soit payé par la municipalité pour ce travail, mais peut-être se contente-t-il de la vieille voiture qu'Eva lui a trouvée quand il a commencé.

Il a eu son lot d'épreuves dans la vie. À commencer par son prénom. *Gunnar*. On ne devrait pas avoir le droit de donner un nom pareil à quelqu'un de moins de quarante ans. Une autre épreuve : sa mère a peint en gros sur la carrosserie de sa voiture *Les Fleurs d'Eva*. Il a essayé de le camoufler comme il a pu mais il n'y a rien eu à faire, la couleur mauve et les feuilles vertes résistent à tout.

Son père a sans doute été son épreuve la plus difficile mais, par chance, il a disparu de la circulation.

Lorsque Pia l'accoste, Gunnar sursaute et se tourne vers elle d'un air coupable. On dirait qu'il part toujours du principe qu'il a fait quelque chose de mal. Sans doute des restes de sa vie avec son père.

— Tu comptes aller à la Journée de la Ville cette année ? lui demande-t-elle. Anita va aider à l'organisation.

Gunnar lève lentement les yeux sous sa capuche grise.

— Pourquoi ? grommelle-t-il.

— Bonne question, répond Pia.

— J'avais bien besoin d'être mise au défi, je murmure.

— La probabilité que j'y aille est nulle. J'ai mieux à faire, ajoute-t-il.

Il aperçoit Nesrin et son visage s'illumine aussitôt.

— Salut, Nesrin. Trop cool tes fringues.

Gunnar doit avoir une dizaine d'années de plus que Nesrin mais il traînait encore devant le lycée de Skogahammar quand elle y était. Ça peut sembler bizarre mais c'est parce qu'il n'avait nulle part où aller. Neuf ans d'école, ça crée des liens avec les lieux. Ses dernières années d'études ont sans doute été les plus belles de sa vie, si on ne tient pas compte, bien sûr, de toutes celles qu'il a été obligé de passer en cours.

— Et toi, Nesrin ? je demande.

— Quoi ?

— Tu vas y aller ?

— T'es folle ! J'ai une vie, moi. Et je suppose que mon *petit papa* trouverait ça trop ringard.

— Alors ? Qu'est-ce que je t'avais dit ? m'attaque Pia. Puisque personne ne va à la Journée de la Ville, pourquoi est-ce qu'on aiderait à l'organiser ?

J'enfouis mon visage dans mes mains.

— Je suis folle, je soupire.

Personne ne se donne la peine de faire de commentaire. Pia et Nesrin reprennent leur querelle autour d'« Idol ». Et Gunnar se remet à jouer sur sa machine à sous.

Mon portable sonne et je pense *club de foot*.

— Je suis bien sur le portable d'Anita?

— Oui!

— C'est Hans Widén.

Il ne pouvait pas mieux tomber celui-là.

Hans et les autres de l'équipe ont accepté mon idée d'essayer de trouver du monde pour aider, mais à la seule condition qu'ils n'aient pas à chercher, eux.

— Qui as-tu réussi à convaincre? me demande-t-il.

— Je... j'y travaille. Certaines personnes sont intéressées, je dis en regardant désespérément Pia comme si je m'attendais à ce qu'elle réagisse.

Et elle réagit. Elle rit.

— Ah oui? Ah, d'accord, me répond Hans. En tout cas moi j'ai réussi à trouver quelqu'un.

Comment ça? Comment Hans a-t-il réussi à trouver quelqu'un alors que j'ai remué ciel et terre et que je ne suis parvenue à obtenir que des « Je vais y réfléchir »?

— Qui? je demande avec méfiance.

Je croise les doigts pour que ce ne soit pas le club de foot. Toute cette histoire est devenue une question d'honneur. Je suis fermement décidée à faire venir davantage d'associations que Hans. Et de plus grosses. Mais s'il a réussi à convaincre le club de foot, il ne me reste qu'à mettre de l'arsenic dans son café.

— Eva Hansson, me dit-il. Des fleurs d'Eva!

— Ah... sympa.

Oh non, pas elle... Si j'ai préparé du poison pour lui, autant en mettre aussi dans sa tasse à elle. Ou même carrément dans la thermos pour me libérer moi aussi de cette souffrance.

Lorsque je raconte à Pia ma conversation téléphonique, elle en pleure de rire.

— Eva te déteste! rit-elle de plus belle.

— Détester est peut-être un peu fort! je proteste.

Je jette un œil sur Gunnar, mais il a remis son casque sur les oreilles et n'entend rien.

— Te méprise alors? propose Pia.

Eva n'est pas mon unique problème. Pia m'en a trouvé un autre. Ça ne suffira pas de mobiliser des gens pour l'organisation. Il faut aussi faire venir du monde le jour J.

15

Notre journal local s'appelle *Les Nouvelles de Skogahammar*. Il sort quatre fois par semaine et, contrairement à son nom, il contient assez peu de nouvelles. De temps en temps, il rapporte même qu'il ne s'est rien passé durant le week-end. Aucun vandalisme. En même temps, c'est déjà une nouvelle.

Le jour suivant, j'appelle la rédaction pour la convaincre de faire un article sur la Journée de la Ville. Une reporter locale pourtant pas franchement intéressée par ma proposition accepte aussitôt.

Ce qui ne m'étonne pas. Selon un accord tacite, ils ne publient dans leurs pages culturelles que des articles positifs sur ce qui se passe dans la ville. Il y a bien trop peu d'événements pour être critique. Et la reporter n'a pas les moyens de refuser une actualité gratuite. Compte tenu de leurs articles en général, cet accord doit aussi valoir pour le reste, notamment pour les politiques.

— On peut passer vous voir lundi, me propose-t-elle.

— Quand l'article paraîtra-t-il dans le journal ? je demande. Il faudrait que ce soit fait le plus rapidement possible.

— Je ne peux pas vous répondre. Tout dépend des autres sujets.

Aussitôt après, je passe un coup de fil à Hans pour lui raconter la bonne nouvelle, mais il est loin d'être aussi enthousiaste que moi.

— C'est moi le président du groupe, me signale-t-il. Pourquoi te parleraient-ils à toi ? Quand a lieu l'interview ? Lundi ? Mais ce jour-là je suis en déplacement.

— Nous voulons que l'article sorte le plus rapidement possible, j'argumente. Pour que les gens puissent réserver leur journée et que les associations aient le temps de participer à son organisation.

À m'écouter on dirait que j'ai fait ça toute ma vie.

— Je suppose que l'article ne sera pas très long, me lance Hans. Sinon, ils se seraient adressés directement à moi. Dis à la journaliste de me contacter si elle veut me citer. C'est bien Jenny qui se déplace, non ?

Je n'en ai aucune idée. J'ai oublié son nom.

— Elle et moi avons été plusieurs fois en contact au sujet de mes conférences du Rotary, poursuit-il. Celles-ci ont été très appréciées. Si elle a des questions ou si elle se décide à faire un article plus long, dis-lui bien de me contacter. Elle a mon numéro de téléphone, soupire-t-il. Je ne comprends pas pourquoi ils doivent faire ça si vite et de façon aussi bâclée. Ils auraient dû s'adresser à moi.

— Euh oui, je réponds. Mais là, c'est moi qui les ai contactés.

— Tout de même. Ils me connaissent. Par le Rotary. Des conférences vraiment très appréciées.

— Hans, il faut que je te laisse.

«Dis-leur bien de m'appeler» est la dernière chose que j'entends avant de raccrocher.

Puisque je travaille le lundi, l'interview doit avoir lieu à Extra-Market. Le journal n'a rien contre. Et Petit-Roger non plus. Bien au contraire. Il est ravi à l'idée que son magasin soit cité dans l'article sans qu'il ait rien à payer. Il passe toute la réunion du matin à se demander devant quelle affiche je devrai me placer au moment de la photo. Il décide finalement que ce sera devant celle des filets de porc.

— Fais en sorte que la promo figure bien sur la photo, me dit-il.

Je promets d'essayer.

Assise à la caisse, je me remémore tout ce que je dois dire. Je n'ai pas prévu de parler de Hans. La dernière chose dont nous avons besoin c'est d'un article sur l'importance de l'esprit d'initiative local. À l'heure convenue avec le journal, je cherche du regard quelqu'un qui puisse être Jenny.

Mais lorsque le reporter des *Nouvelles de Skogahammar* fait son entrée dans le magasin, je le reconnais aussitôt. Je me fige.

C'est Ingemar Grahn.

Ingemar Grahn est l'éditorialiste du journal et le responsable de la page culture. En opposition avec le ton général du journal, il excelle dans les critiques et les sarcasmes à peine déguisés. Il faut dire qu'il est de la famille des propriétaires, ce qui explique sans doute qu'il n'ait pas été viré.

En même temps, il est extrêmement apprécié de tous ceux qui ne sont pas passés entre ses griffes. Chaque fois qu'il taille un costard à quelqu'un, il y a des discussions animées dans les cuisines, les bureaux, les salles du personnel de toute la ville.

Ça ne va pas. Ça ne va pas du tout. J'appelle Pia pour qu'elle me remplace à la caisse puis je me dirige vers les paniers et les légumes devant lesquels il m'attend.

Il a l'air de s'ennuyer. Comme d'habitude. Blasé et aigri. Un génie incompris mais sans le génie. À l'état de repos, son visage respire la suffisance de l'homme d'âge mûr qui a obtenu toute la reconnaissance qu'il mérite. Il porte un costume froissé qui a dû être moderne à l'époque où j'avais des relations sexuelles régulières.

Je m'efforce de lui adresser un sourire insipide en lui tendant la main.

125

— Ingemar ? je dis. Anita Grankvist, de l'équipe de projet de la Journée de la Ville.

Il lève à peine le bras et me serre mollement la main, comme si je n'étais pas digne de l'effort que je lui demande.

— Nous pouvons nous installer dans la salle du personnel pour être au calme, je lui propose.

Lorsque nous entrons, il jette un regard plein de mépris autour de lui et semble se demander ce qu'il a fait pour mériter ça.

Le karma, je pense, en souriant de nouveau.

— Un café ?

Il refuse d'un hochement de tête.

— Bon…, je dis avec entrain.

Il grimace.

— On commence ?

J'attends qu'il me pose une question. Il tient un bloc-notes dans sa main mais ne le regarde pas. Finalement il dit :

— OK, alors vous pensez que c'est une bonne idée de ressusciter la Journée de la Ville ?

— Pardon ?

Il écrit quelque chose dans son bloc-notes.

— Pensez-vous que quelqu'un soit intéressé par cette journée ? Même les organisateurs n'ont pas l'air d'y croire.

— Bien sûr qu'on y croit ! je rétorque, et je me lance dans le discours que j'ai préparé, sans qu'il me l'ait demandé : Ça va être une journée familiale fantastique, avec des activités pour tous les âges, une tombola, un bal. Je peux même vous garantir que le soleil sera au rendez-vous, nous l'avons décidé en réunion.

Après ma petite blague, je le regarde pleine d'espoir, mais il a toujours l'air aussi désabusé.

— Qui participe ? Des associations ? Des boutiques ?

— Nous n'avons pas encore fixé le programme, je réponds

vaguement. Mais il y aura tout un tas d'activités rigolotes pour les familles! Et une tombola. Et un bal.

— Souriez!

Je le regarde déroutée, puis je reçois le flash en plein visage quand il me prend en photo avec son portable.

— Voilà, conclut-il. J'ai tout ce qu'il me faut.

Plus tard, lorsque Petit-Roger vient me parler de la photo, je lui mens en lui expliquant que le journal a pour principe de toujours les prendre en intérieur. Il a l'air déçu mais il ne dit rien.

Bon, je réfléchis. J'ai quand même réussi à dire le principal.

Le soir, j'envoie un sms à Emma pour lui raconter que j'ai rencontré Ingemar Grahn. Emma m'appelle aussitôt.

— Maman…, me demande-t-elle d'une voix inquiète, tu n'as rien fait de mal j'espère?

— Non, non. C'était pour une interview. J'ai été très agréable, je lui ai parlé de la Journée de la Ville. L'article va être super. Exactement ce qu'il nous faut pour que les gens se souviennent qu'ils s'amusaient ce jour-là.

Emma rit.

— C'est vrai qu'on s'amusait bien, consent-elle. Et c'est donc toi qui vas l'organiser? Qui sait, peut-être que même moi je viendrai?

Elle hésite un moment avant de dire :

— Je me demande si je ne vais pas monter à Skogahammar ce week-end.

— À la maison? je bredouille. Tu rentres? Ce week-end?

Emma semble presque gênée.

— Ça me ferait plaisir de voir Nesrin et toute la bande. Et toi aussi, évidemment. Ce n'est pas pareil de se parler au téléphone.

— Non, j'acquiesce, puis je vais directement aux choses essentielles : Tu voudras quoi pour dîner?

Il faut vite que je m'organise. La Journée de la Ville est soudain arrivée au top de mes priorités. J'ai quatre jours pour faire le ménage, les courses et préparer à manger.

— Maman, c'était juste une idée comme ça. Je n'ai même pas encore regardé les horaires.

— Je peux payer les billets. Et aussi les réserver.

Elle émet une sorte de mélange entre un rire et un soupir.

— Je préfère le faire moi-même.

C'est aussi bien. Si je m'étais occupée de la réservation, j'aurais été tentée de prendre un aller dès le jeudi et un retour après Noël.

Emma *rentre*. Ou plutôt, comme elle dit : elle « monte à Skogahammar ».

Saleté de Karlskrona.

16

Par une expérience pas toujours tendre, j'ai appris qu'il n'était pas convenable de danser sur la place publique. Surtout quand on habite une petite ville. Même quelques pas discrets dans une ruelle déserte peuvent se retourner contre vous. Skogahammar est un peu comme l'hôtel plein de caméras de *Ocean's Eleven*, où il y a toujours quelqu'un qui vous voit. Mais c'est dur, très dur, de se contenir quand on est en route pour sa leçon de moto, que le soleil brille et qu'on écoute sa playlist « spéciale moto » avec des morceaux comme *Don't Bogart That Joint*.

Je pars faire de la moto. Emma rentre ce week-end. C'est une journée radieuse.

Comme d'habitude je suis prête dix minutes trop tôt. J'en profite pour fumer une cigarette et caresser amoureusement ma BMW orange. Malheureusement, Lukas arrive à ce moment-là. La probabilité qu'il me trouve normale s'amenuise considéra-blement.

— Aujourd'hui nous allons sur un nouveau plateau faire des manœuvres.

— Des manœuvres ? je répète, inquiète.

Mais je me redresse et j'essaie de gonfler mon amour-propre. Tu vas y arriver, Anita, je me dis tandis que j'enfonce mon casque sur la tête et que je me bats avec l'attache. Tout en enfilant mes gants, je me motive en me rappelant qu'au dernier cours je n'ai pas renversé la moto une seule fois.

Emma rentre ce week-end. Il n'y a rien que je ne puisse réussir.

Nous mettons presque une demi-heure à nous rendre au plateau. Lorsque nous arrivons, je me sens déjà fatiguée. Le lieu se révèle être un ancien aérodrome, situé à mi-chemin entre Skogahammar et Karlskoga. Avant d'arriver sur le plateau en question, il y a une longue ligne droite sur laquelle Lukas monte jusqu'à cent kilomètres heure. Il fait plusieurs petits virages et la moto se penche de différents côtés. Puis il en fait un plus important. J'ai l'impression que le ciel et la terre s'inversent. Les arbres défilent sur les côtés, se mêlent les uns aux autres pour disparaître avant que j'aie eu le temps de les voir.

Je me colle à Lukas et je me tends. Bref, je me comporte comme si je n'avais jamais entendu les mots « se décontracter » et « se pencher avec la moto dans les virages ».

Quand je pose enfin les pieds par terre, j'ai les jambes flageolantes et les yeux hagards. Je jette un regard inquiet autour de moi.

Ma moto-école partage le terrain d'aviation avec celle de Karlskoga. Trois de leurs élèves sont sur place.

La piste ne me paraît pas assez grande pour que j'y sois lâchée avec trois autres personnes. J'ai à peine appris à tourner. Et nous ne disposons même pas de la totalité du terrain.

Je dois évoluer sur un parcours où sont placés sept cônes. Le but est de les contourner, de faire demi-tour et de revenir. Puis retour à la case départ et on recommence.

Lukas me conseille de rouler légèrement au-dessus de vingt kilomètres à l'heure. D'après lui, c'est une vitesse raisonnable pour ce genre d'exercice. Et d'être bien en seconde. Ça fait un bout de temps que je le soupçonne d'être fou !

Je me contracte et je roule sur la moitié des cônes. Je suis en nage quand je fais demi-tour. Je sais que Lukas s'attend à ce que j'accélère. À ce que je dépasse les dix kilomètres à l'heure…

Quand j'étais sur le parking, je n'avais pas ce genre de contraintes. Et pas non plus quand je roulais sur les routes. Personne n'était assez stupide pour placer des cônes jaunes sur mon chemin.

Durant l'exercice, j'imagine toutes les catastrophes possibles : tomber de ma moto devant les six autres personnes, me faire renverser par l'un des autres élèves, renverser quelqu'un.

Ou le pire des scénarios imaginables : foncer dans la moto d'un des moniteurs alignée sur le côté.

Rien que d'y penser me donne des sueurs froides.

Pendant le parcours lent, je tombe de nouveau. Je lâche l'embrayage trop vite, je cale dans un virage et je me retrouve les quatre fers en l'air sur l'asphalte. Je m'efforce de nous relever, la moto et moi, d'abord à genoux puis debout, et je me retrouve entourée des trois moniteurs qui sont venus m'aider. Et aussi vérifier que la carrosserie n'a rien. Je redresse le dos afin de me persuader que je vais y arriver.

Merde.

Mais je n'y crois plus. Ça ne se voit peut-être pas que je suis une femme mièvre et handicapée quand je suis debout avec mon casque sur la tête et mes habits de protection, mais dès que je grimpe sur cette putain de bécane ça devient très clair.

Je regarde la moto d'un air triste. Elle mérite quand même mieux que ça.

— Essaie encore, me dit Lukas.

Ce que je fais.

Lorsque je tombe de nouveau, je réussis à me blesser au pied. Je m'en aperçois en me relevant.

Les autres moniteurs entourent de nouveau la moto, sauf

Lukas qui, lui, m'ausculte. J'essaie de faire comme si de rien n'était mais impossible de poser le pied par terre.

— Ça va ? me demande-t-il.

— Super, je réponds en serrant les dents et en essayant de paraître normale.

— À part le pied donc ?

— C'est sans doute juste une foulure.

Un des moniteurs de l'autre moto-école lève la tête et me lance :

— Tant que ce n'est que ça, tout va bien. Une fois, une de nos élèves s'est cassé le coude. Il faisait trente degrés et elle a insisté pour rouler sans son blouson puisqu'elle n'allait faire que du parcours lent. Elle est tombée pile sur le coude et l'os s'est cassé à plusieurs endroits. Elle a pris ça comme le signe qu'il ne fallait plus qu'elle remonte sur une moto. Mais une foulure ce n'est rien, ajoute-t-il rapidement quand il voit le regard noir que lui jette Lukas.

— C'est juste une foulure, je répète tout en espérant qu'ils vont se concentrer sur autre chose que sur moi. Leurs propres élèves, par exemple. En tout cas, eux ne font heureusement pas attention à moi. Ils passent régulièrement devant nous sans même nous regarder.

— Tu vas réussir à tenir derrière moi sur la moto ou tu veux que j'aille chercher la voiture ?

Vu que je n'ai pas du tout envie de discuter avec les deux autres moniteurs en attendant qu'il fasse un aller-retour, je réponds que je peux tout à fait monter derrière lui.

Quand nous arrivons à la moto-école, je boite jusqu'au vestiaire, maladroitement accrochée au bras de Lukas. Il m'aide à m'asseoir sur le banc et s'agenouille devant moi pour enlever ma botte. Mon pied est tout enflé.

Je fais une grimace lorsqu'il tente de bouger l'articulation de ma cheville.

— Ça te fait très mal ?

— Non, pas du tout, je crâne en fermant les yeux pendant qu'il finit de retirer la botte.

Nous restons un moment immobiles, ses mains posées sur mon genou et mon tibia. J'essaie de reprendre le contrôle de ma respiration et je sens bientôt que je transpire un peu moins.

Tous les deux nous regardons ma jambe, depuis mon pied enflé en passant par ma genouillère, les protections de mes cuisses et de mes hanches. Nous réalisons en même temps que pour enlever toutes ces protections, il faudra les faire passer par mon pied. Nous réalisons aussi que nous sommes seuls et que l'unique moyen d'y parvenir sans que j'aie trop mal sera qu'il m'aide à retirer mon pantalon.

— Bon…, dit-il en jetant un œil autour de nous comme s'il espérait que quelqu'un surgisse subitement dans le vestiaire.

Je souris.

— Ça va aller, je le rassure. Je pense que je vais réussir à l'enlever toute seule.

— Alors je… je vais chercher la voiture en attendant, me répond-il.

Dès qu'il sort du vestiaire, je cesse de sourire. J'arrive miraculeusement à enlever mon pantalon, mais je suis ensuite tellement fatiguée et dans un état si pitoyable que je ne parviens plus à bouger. Le visage enfoui dans mes mains, j'essaie de reprendre le contrôle de mes émotions.

Stoïcienne, ton nom n'est pas Anita !

C'est juste une cheville foulée, je me dis. Tu ne vas pas passer la soirée ici.

Après avoir proféré un certain nombre de jurons et rassemblé un peu de courage, je me lève lentement du banc sans poser mon pied par terre puis je sautille jusqu'à la porte.

En m'aidant du bras de Lukas, je réussis à monter dans la

voiture. Il me ramène ensuite chez moi en silence. On ne trouve rien à dire, ni l'un ni l'autre. Pour finir, il me demande encore une fois comment va mon pied et je lui réponds encore une fois que ça va. Puis je penche ma tête en arrière et je ferme les yeux.

La douleur lancinante dans ma cheville m'occupe l'esprit et m'empêche de penser à mon fiasco sur le plateau.

Lorsque nous sommes presque arrivés chez moi, mon portable sonne.

— Vous êtes bien Anita Grankvist? me demande une voix de femme.

— Oui, je réponds.

La voix se détend aussitôt.

— Nous avons retrouvé votre mère, m'informe-t-elle.

Dieu soit loué.

— Je ne savais pas qu'elle avait disparu, je rétorque. Où est-elle?

— D'après ce que j'ai compris, nous habitons dans son ancien appartement. Elle a dû croire qu'elle rentrait chez elle.

— J'arrive tout de suite!

Je raccroche et je me tourne vers Lukas.

— Je crains que mes plans aient changé. Tu pourrais me déposer rue Prästgatan à la place? Ma mère a fait une fugue.

17

J'ai grandi au 7, rue Prästgatan, dans un appartement qui a toujours été plongé dans le silence. Je n'y suis pas retournée depuis le jour où Eva et moi avons expliqué à ma mère qu'elle ne pouvait plus y habiter. C'est Eva qui s'est chargée du côté pratique du déménagement. Elle était persuadée que je ne savais pas ce que ma mère voulait garder et ce dont elle pouvait se séparer.

L'endroit n'a pas changé. Des rangées d'immeubles de quatre étages qui se font face, au milieu un petit parking, des buissons, des bouleaux, et une nouvelle aire de jeu — qui doit avoir une bonne dizaine d'années mais qui est quand même trop récente pour que j'aie pu y jouer — dans une gamme de couleurs jaune et rouge qui détonne parmi les teintes blafardes des façades.

Je ne pensais pas revenir ici un jour, et encore moins en compagnie de Lukas.

Ma mère n'aurait pas pu choisir un autre moment pour faire une fugue? Ou moi un autre jour pour être aussi nulle en parcours lent? Si je ne m'étais pas foulé la cheville, j'aurais pu prendre tranquillement ma leçon afin d'avoir ma dose de liberté avant de m'attaquer à la triste réalité.

Je suis tentée de téléphoner à Eva pour lui demander de l'aide mais si elle apprenait que la maison de retraite a laissé ma mère fuguer, elle me chaufferait les oreilles pendant des semaines. Ces derniers temps, toutes deux se sont calmées. Ma mère a arrêté de se plaindre de la nourriture et Eva de répéter en boucle qu'Inger ne devrait pas habiter dans ce genre d'établissement. Mais une fugue plus tard… Eva exigerait qu'on lui trouve un autre logement, elle irait se plaindre à la municipalité et enverrait des messages furieux au courrier des lecteurs des *Nouvelles de Skogahammar*. Et elle m'obligerait bien sûr à m'investir dans son projet.

Je dois donc me charger seule de ramener ma mère et espérer qu'elle soit trop confuse pour en parler à Eva. Appeler un taxi, réussir à la faire monter dedans et la ramener chez elle. Voilà mon plan.

Lukas se gare juste devant l'immeuble. J'ouvre la portière et, toujours assise sur le siège, je pose doucement le pied par terre tout en me demandant comment je vais faire pour me lever.

— Je t'accompagne en haut, déclare Lukas.

— Je vais très bien m'en sortir, je proteste. Tu as sûrement autre chose à faire.

— J'ai le temps. Tu vas avoir besoin d'aide pour ramener ta mère, non ?

— Je peux appeler un taxi.

J'omets bien sûr de dire que ça risque de prendre un certain temps de la convaincre de me suivre ou qu'une dispute est à prévoir. Cette fois-ci, de quel subterfuge vais-je devoir user ? Je ferme de nouveau les yeux.

Je devrais appeler Eva. Elle aura sûrement une solution.

Mais Lukas a déjà fait le tour de la voiture et m'aide maintenant à descendre. Ma chaussure gauche reste à l'intérieur. J'essaie de me souvenir si j'ai des trous aux chaussettes. Ce qui casserait encore mon image.

La cage d'escalier n'a pas changé depuis le temps où je dévalais les marches en route pour l'école. Logiquement elle a dû être repeinte mais c'est toujours la même nuance de gris, la même odeur de poussière et de béton, les mêmes portes marron foncé.

Je m'accorde une petite pause au premier étage, une main contre le mur et l'autre posée sur l'épaule de Lukas.

— Ma mère est un peu confuse, j'explique. Elle habite dans une maison de retraite. C'est un endroit bien, elle a même cessé de s'en plaindre. En même temps, c'est peut-être parce que sa démence sénile a empiré. Ces derniers temps, elle a perdu de son mordant dans les piques qu'elle m'envoie. Mais c'est une bonne maison de retraite. Le personnel est formidable avec elle, bien meilleur que moi.

Quand j'y repense, «a fait une fugue» était un mauvais choix de mots.

— Je ne veux pas que tu croies que je la garde enfermée dans ma cave avec du pain sec et de l'eau, je termine dans une vague tentative de blaguer pour détendre l'atmosphère.

Lukas sourit.

— Tant mieux. Sinon il aurait fallu que je m'occupe d'elle à ta place. Mais le problème c'est que je ne sais pas où cacher les vieilles dames pour les protéger de leurs méchantes filles.

Au bout de quelques jours en compagnie de ma mère, c'est toi qui l'aurais enfermée dans une cave sombre, je pense, mais je ne le dis pas.

La famille qui a recueilli ma mère est composée des parents et de deux enfants très sympathiques. La mère nous ouvre la porte. Elle a les cheveux longs couleur noisette et porte des habits décontractés : un jean roulé aux chevilles et une chemise rayée en coton. Elle semble gênée pour moi et fait de son mieux pour me trouver des excuses. Mais quel genre de fille laisse sa mère errer dans les rues à la recherche de l'appartement dans lequel elle habitait cinq ans auparavant ?

Ils l'ont installée dans la cuisine. Bien que l'espace soit toujours le même — une pièce carrée avec un long plan de travail et une grande table au milieu —, celle-ci n'a plus rien à voir avec la nôtre. Les portes des armoires sont toujours vert foncé mais l'atmosphère est totalement différente. Quand j'habitais là, on pouvait presque sentir le mécontentement des femmes au foyer des générations passées suinter des murs. Aujourd'hui la pièce est étonnamment chaleureuse.

Ma mère se porte comme un charme. Elle est assise à côté du fils aîné, un adolescent nerveux qui paraît soulagé de me voir arriver. Je me demande bien ce qu'il a fait pour être obligé de tenir compagnie à ma mère.

Il fait si chaud dans la cuisine que les vitres sont embuées et qu'ils ont entrouvert la fenêtre pour laisser entrer un filet d'air automnal. Celui-ci se mêle à l'odeur de thé sucré et du pain fraîchement sorti du four qu'ils viennent manifestement de manger pour le goûter. Sur la table sont posés deux journaux du matin ouverts à différentes pages. La page sportive du quotidien *Dagens Nyheter* se bat contre la page culturelle de *Svenska Dagbladet*. Ils ont même sorti des mots croisés pour ma mère. Plusieurs cases sont remplies de son écriture tremblotante.

— Bonjour maman, je dis.

Elle semble un instant troublée de me voir mais retrouve rapidement son regard plein de défiance.

— Tu n'avais pas besoin de venir, Anita, me lance-t-elle.

Son regard glisse au-dessus de mon épaule et s'arrête sur Lukas.

— Bonjour, lui sourit-elle.

Ma mère a toujours réservé ses sourires aux inconnus. Comme tous ces gens qui n'utilisent la belle porcelaine que quand il y a des invités.

Elle a des rides profondes de mécontentement autour de la bouche et des yeux d'un bleu presque translucide qui me trans-

138

percent. Toute son attitude dégage une irritation grincheuse. Elle ne supporte pas l'idée que je sois venue la chercher. Je le vois bien. Mais je vois aussi autre chose dans son regard. Une sorte de désarroi que, choquée, j'identifie comme de l'inquiétude.

Ma petite maman, je me dis.

— Il est temps de partir, je lui explique.

Elle prend un air renfrogné. Comme une enfant. Ça me déchire le cœur, mais je dois reconnaître que j'ai aussi envie de protester que je ne suis pas encore assez âgée pour devoir m'occuper d'elle comme ça.

— Je suis très bien ici, me lance-t-elle.

Le pauvre adolescent semble encore plus malheureux.

Je m'efforce de sourire à ma mère en lui disant :

— J'espérais que tu nous offrirais une tasse de café, à Lukas et à moi.

Je fais appel à son sens des bonnes manières en espérant qu'il triomphera de son opiniâtreté.

Puis je me tourne vers Lukas et je balbutie :

— Si tu as le temps, bien sûr… Tu dois sans doute retourner travailler…

J'essaie de masquer le désespoir que trahit ma voix. Même s'il m'a dit avoir le temps de la reconduire chez elle, je ne vais pas l'obliger à prendre un café interminable avec une vieille dame. Il a déjà été si gentil avec moi.

Mais Lukas me sourit — est-ce un sourire sincère ? Forcé ? Je ne le connais pas assez pour pouvoir trancher — et il dit :

— Une tasse de café, ce serait formidable. Anita m'a promené dans toute la ville. Ça fait plusieurs heures que je rêve d'en boire un.

— Anita ! dit ma mère. Je pensais t'avoir mieux élevée.

Elle a commencé à rassembler ses affaires.

139

— Je crois même que j'ai des brioches à la cannelle à la maison, ajoute-t-elle.

Et Lukas — que Dieu le bénisse — lui affirme qu'il serait ravi de les goûter.

Sidéré que ma mère ait réussi à sortir toute seule, le personnel de la maison de retraite lui montre une telle attention qu'elle ne se plaint pas d'être de retour. Elle semble même heureuse de marcher à côté de Lukas. Moi, je boite quelques mètres derrière eux.

L'infirmière à l'attitude maternelle veut aussitôt l'allonger sur son lit, au cas où elle serait épuisée à cause de cette soudaine liberté. Si elle pouvait décider, elle me prendrait à part dans son bureau pour qu'on discute pendant des heures de ce qui s'est passé et de ce qu'il faudrait mettre en place pour que ça ne se reproduise plus.

Mais je répète à plusieurs reprises « Il n'y a pas de souci » pour écourter la discussion et pour que Lukas puisse un jour retourner travailler.

— Quelle chance que tu aies pu aller la chercher, continue l'infirmière. Mais tu aurais dû nous appeler, on s'en serait chargés, nous.

— Il n'y a pas de souci, je répète pour la énième fois.

— Vous avez vraiment bien géré la situation, toi et… ? insiste-t-elle tout en faisant un signe de tête vers Lukas.

Je vois bien que la présence de Lukas attise sa curiosité. Parmi les mauvais côtés des petites villes, la curiosité est bien ce qu'il y a de pire.

— Mon jeune amant, je complète sèchement.

L'infirmière trébuche et s'arrête pour accuser le coup. Dans une petite ville, c'est rarement une bonne idée de faire de l'ironie.

Espérons que Lukas ne m'a pas entendue mais, à en juger par sa quinte de toux soudaine, la probabilité semble faible.

— Un ami de la famille, je rectifie d'un ton affable.

L'infirmière paraît soulagée.

Lorsque nous arrivons dans la chambre de ma mère, Lukas l'aide à s'asseoir sur une chaise et fait ensuite de même avec moi. L'infirmière nous quitte à contrecœur. Mais je dois quand même lui promettre de passer la voir le lundi suivant.

— Je serai aussi là jeudi et vendredi de cette semaine, m'assure-t-elle tout excitée.

Je prends comme excuse mon pied et la venue d'Emma pour maintenir ma visite au lundi suivant.

Pendant une bonne demi-heure, Lukas bavarde poliment avec ma mère et mange deux brioches industrielles. Très sèches.

J'ai beau prendre de toutes petites bouchées, j'ai quand même l'impression d'avoir la bouche pleine de sable. Une phrase n'arrête pas de tourner en boucle dans ma tête : que faire quand on a une mère qui se met soudain à fuguer de sa maison de retraite ?

— Encore une brioche, Anita ? me propose-t-elle en jetant un regard de reproche à mon assiette pleine.

Je m'oblige à en reprendre une.

De l'autre bout de la table, Lukas me sourit et je m'aperçois, troublée, que ça me fait du bien qu'il soit là. Lorsque ma mère se lève pour aller chercher un pull, Lukas en profite pour attraper ma brioche et la fourrer dans sa bouche.

18

Le jeudi, je ne vais pas travailler. Je passe la matinée chez moi à essayer de ne pas penser aux semaines qui vont suivre.

Une vie sans moto.

Le retour d'Emma ce week-end m'aide à garder la tête hors de l'eau.

L'après-midi je boite jusqu'à Extra-Market et j'oblige Pia à m'aider à faire mes courses.

Pour moi c'est une nouvelle expérience de gâter ma fille qui vient de déménager de la maison. Quand elle était adolescente et que je suis enfin passée à un temps plein, j'ai soudain attaché moins d'importance à essayer de la combler avec de la nourriture et des cadeaux. On avait suffisamment d'argent pour que je puisse acheter ses plats préférés sans en payer ensuite les conséquences. Je n'avais plus besoin de calculer au centime près les courses de la semaine pour pouvoir lui offrir un bon plat le vendredi.

Et avant cela, le problème était que je me sentais en position d'infériorité. Puisque je n'ai pas pu donner un père à mon enfant, comme les gens normaux, une question me trottait constamment dans la tête : *L'ai-je empêché d'avoir une vie comme tout le monde juste parce que je n'ai pas voulu vivre avec son père ?* Quand, en plus, ma propre fille est formidable, ne se plaint jamais, se fiche de ne pas posséder de voiture, d'avoir moins de cadeaux que les autres, et ne fait aucun commentaire sur le fait qu'on soit seules, alors je ne peux rien lui refuser.

Je suppose que ce qu'un enfant n'a jamais eu ne peut pas lui manquer. Mais moi, je savais et ça suffisait pour que je sois rongée par la culpabilité. Ce qu'Emma n'avait jamais eu, c'étaient des habits neufs. À part quelques rares vêtements, j'avais tout acheté d'occasion dans des associations. Un jardin. Une mère qui puisse la conduire aux entraînements. Un congélateur rempli de junk-food. Un frigo avec quatre sortes de confitures. Et un garde-manger dans lequel il y a toujours du pain blanc. Le genre de cochonneries dont les ados raffolent. Aujourd'hui les gens évitent ces aliments, mais à l'époque c'était le comble du luxe d'avoir les moyens d'acheter des produits prêts à consommer et différentes sortes de bêtises à mettre sur du pain.

J'hésite un moment entre un panier et un caddie avant de me décider pour un caddie. Puis je reste de nouveau indécise devant les rayons. Pia n'arrête pas de soupirer à côté de moi. Finalement, elle prend le contrôle du caddie. Je laisse une main sur la poignée afin de garder l'équilibre et je la suis en boitant.

Je ne sais même plus ce qu'elle aime manger. Avant c'étaient les pizzas surgelées, les tacos et tous les plats qui nécessitent beaucoup d'ingrédients chers et ne suffisent que pour un seul repas, mais aujourd'hui je ne sais plus. Depuis son déménagement, ses goûts ont très bien pu changer.

Je lui envoie un sms pour lui demander ce qui la tente mais je n'obtiens pas de réponse. Par conséquent, j'achète du poulet, de la viande hachée, des ingrédients pour tacos, du pâté, du fromage, du jambon, de la salade de pommes de terre, de la pâte à tartiner Philadelphia, du salami et de la confiture de la marque la plus chère.

Et pour le petit déjeuner, je prends le pain à griller de la marque

Pågen qui était son préféré quand elle était petite, tout en sachant que je filerai quand même acheter du pain frais à Extra-Market avant qu'elle se réveille.

Des chips, des bonbons, du Coca. Je m'arrête devant la crème au chocolat. Non, c'est un peu exagéré.

Les autres parents que je croise dans le magasin me font des sourires complices fatigués, comme si on était tous membres d'une association secrète de parents qui oscillent en permanence entre le bon pour la santé et le pas cher, le bio et le paquet économique, les bons produits et la junk-food.

Personnellement je suis hors concours. J'ai l'intention de tout acheter et de bourrer ma fille de tellement de bonbons, de gras et de plats faits maison qu'elle trouvera que ça vaut le coup de revenir se remplumer le week-end.

Pia me suit avec le caddie.

— Tu as vraiment besoin de tout ça? me lance-t-elle pendant que je sautille devant elle dans le magasin.

— Je ne sais absolument pas de quoi elle aura envie, je rétorque.

Un argument que Pia valide totalement. Mais j'ai mauvaise conscience en la voyant porter quatre sacs pleins à craquer jusque chez moi. En revanche, je me charge moi-même de celui avec les bouteilles. Enfin, presque. Il cogne contre ma jambe quand je grimpe les marches avec peine et Pia finit par me le prendre des mains.

Elle pose les sacs dans la cuisine.

— Tu pourras t'en sortir toute seule maintenant?

Quand je lui ai assuré plusieurs fois que oui, elle me laisse seule avec mes achats.

Je déballe lentement mes courses en boitillant entre le congélo, le frigo et le garde-manger. Je n'ai pas l'intention de préparer quoi que ce soit aujourd'hui. Je ne me vois pas rester debout devant la cuisinière toute la soirée.

Mais il y a autre chose. Plusieurs fois je me surprends à ouvrir le frigo, le congélo et le garde-manger et à regarder tout ce que j'ai acheté.

Je me souris à moi-même.

J'imagine déjà Emma à la maison en train de me crier :

— Maman, j'ai faim, y a quoi à manger ?

Je ne veux pas commencer à toucher aux achats avant qu'elle soit là. Ça ne me semble pas bien. Ça serait comme ouvrir des cadeaux de Noël le 22 décembre.

Le soir même, Emma m'appelle sans que je le lui aie demandé et bien qu'elle rentre le lendemain.

— Salut maman, me dit-elle joyeusement. Tu sais, Fredrik, il connaît quelqu'un qui a une maison de campagne à l'extérieur de Kalmar. Il a proposé à plusieurs personnes de la classe d'aller avec lui là-bas.

— C'est sympa, je réponds.

— Ouais, c'est sympa, répète Emma.

Je sautille jusqu'à la chaise de la cuisine et je m'assieds en coinçant le téléphone entre mon oreille et mon épaule tout en prenant appui avec mes mains sur la table.

— Qu'est-ce que tu veux manger demain soir ? Tu n'as pas répondu à mon texto alors j'ai improvisé. J'ai acheté du poulet, des tacos et...

— Maman, la maison de campagne c'est demain.

— Ah, sympa pour eux. Je me disais qu'on pouvait aussi commander des pizzas si tu en as envie.

— Maman, moi aussi j'aimerais y aller.

— Aller où ?

— Dans la maison de campagne. À Kalmar.

— Mais tu viens de me dire que c'était ce week-end ?

145

— Ben oui…, répond-elle comme si j'aurais dû comprendre ce qu'elle cherchait à me dire.

— Mais Emma, tu rentres à la maison ce week-end.

— On peut se voir une autre fois, non? J'ai dit à Fredrik que j'étais sûre que tu comprendrais.

— Mais ce n'est pas le cas, je ne comprends pas du tout.

— Oui, j'en ai l'impression.

Je veux bien être une mère cool et compréhensive, mais il y a des limites.

— Tout ça arrive trop brutalement, je proteste. Tu ne peux pas me dire ça de manière aussi directe. Il faut que tu l'enrobes un peu. Que tu commences par planter le décor. Que tu me donnes le temps de m'habituer. Que tu m'appelles d'abord pour me parler de Fredrik, que le jour suivant tu me parles de la maison de campagne et qu'ensuite tu reviennes à l'attaque avec Fredrik. Progressivement, tu comprends.

— Mon idée était d'être plus spontanée. Et puis ça s'est décidé seulement hier.

Je réfléchis.

— OK, alors on recommence à zéro.

— Comment ça?

— La discussion. On la recommence. Maintenant je suis prévenue.

— Maman, dit-elle d'une voix fatiguée. Je veux juste…

— Je n'entends rien. Lalala.

— OK. OK.

Elle prend une profonde inspiration, probablement pour entrer dans son rôle.

— Maman, tu sais quoi?

— Quoi? je demande sur un ton méfiant.

— Fredrik a une maison de campagne…

— Non, non, là tu vas encore trop vite.

Nouvelle inspiration. Plus profonde cette fois-ci.

Je regarde la cuisine avec tristesse. C'est là qu'on aurait dû prendre le petit déjeuner. Dans seulement trente-six heures. Ou plutôt un brunch — c'est comme ça qu'on avait l'habitude de l'appeler. Lorsque Emma se réveillait et voulait prendre son petit déjeuner alors que pour moi c'était l'heure du déjeuner. C'était donc logiquement un brunch.

— Tu sais Fredrik ?

— Le ringard ?

C'est son nouveau surnom.

— Maman !

— Oui, oui. Fredrik, donc.

— Il connaît quelqu'un qui a une maison de campagne.

— Le pauvre !

— Quoi ?

— Kalmar. Y a quoi à faire à Kalmar ? J'ai jamais pu blairer cette ville. Et une maison de campagne en plus ? Ça doit vraiment manquer de confort. J'espère qu'il n'y va pas trop souvent.

— Et tu sais, Fredrik ? poursuit-elle.

— Le Ringard, oui.

— Il a proposé à plusieurs personnes de ma classe de l'accompagner là-bas. Ce week-end. Je vais y aller au lieu de venir te voir.

— Ah oui ? OK, très bien, je réponds. Mais je ne comprends pas pourquoi.

— Comment se passent tes cours de moto ?

— Bof. Je me suis fait une entorse.

— Aïe.

— Ce serait bien que tu rentres à la maison t'occuper de moi, non ? je tente.

— C'est juste une entorse, maman.

— On ne sait pas encore. Peut-être que c'est cassé. Ou peut-être que c'est un traumatisme crânien.

— Tu es aussi tombée sur la tête ?

— Je n'ai jamais dit que j'étais bonne en moto.

— Maman, je raccroche maintenant. Je te rappelle plus tard.

— Et mon entorse, alors ? Ça veut dire que tu choisis le Ringard à la place de ta mère ?

— Oui ! me dit Emma.

— Jamais je n'aurais cru que j'avais élevé une fille aussi ingrate.

— On dirait mamie !

Puis elle profite du silence que son commentaire provoque pour raccrocher.

Espèce de ringard ! Je me dis. Je me lève tant bien que mal de ma chaise et je boitille jusqu'à l'entrée.

Le sol brille et mes chaussures sont soigneusement rangées à leur place.

Et si elle avait raison ? Si j'étais devenue comme ma mère ? J'attrape le parapluie posé contre le mur et je renverse une chaussure avec la pointe. Voilà. Maintenant c'est un peu moins rangé.

La porte de la chambre d'Emma est ouverte. De l'entrée, je vois une partie de son lit avec les draps tout propres, un verre sur sa table de chevet et son store remonté. Je me sers du parapluie comme d'une canne pour sautiller jusqu'à sa porte et la refermer d'un claquement. L'espace d'un instant, je suis tentée d'allumer sa chaîne hi-fi et de mettre de la musique trop fort simplement pour pouvoir m'énerver contre le bruit, comme au bon vieux temps, et me persuader qu'elle est en train de s'abîmer les oreilles. Mais je décide qu'il y a une limite à ne pas dépasser.

À la place je sautille jusqu'à la cuisine, j'allume une cigarette sans même ouvrir la fenêtre et je me mets à nourrir des pensées meurtrières à l'intention d'un certain jeune homme que je ne connais pas et qui est sans doute innocent.

Innocent ! Ah ! Laisse-moi au moins en douter !

Lorsque j'ouvre le frigo pour me servir un verre de vin, je vois toute cette nourriture qui me nargue. Des légumes frais qui vont pourrir avant que j'aie eu le temps de les manger, de la viande hachée, du poulet que je vais devoir mettre au congélateur, des quantités de boîtes en verre et d'emballages de chez Santa Maria qui vont rester là à me donner la nausée pendant des semaines. Une bouteille de Coca frais et deux autres dans le garde-manger.

Puis j'ouvre le congélateur et je me rends compte qu'il ne me reste plus aucun plat préparé.

Comparé à mon état moral pitoyable, une entorse est le cadet de mes soucis.

Le lendemain, je suis de retour au boulot. Puisque je ne peux toujours pas poser le pied par terre, on m'installe à la caisse. Assise sur ma chaise, je maudis en silence Fredrik, Karlskrona, Kalmar et tous ces millions d'années d'évolution qui ont fait que les enfants prennent leur indépendance.

Plusieurs clients sont déjà au courant de ma blessure.

— J'ai toujours dit que les motos étaient dangereuses, me signifie une mégère bien intentionnée. J'appelle ces engins des donneurs d'organes.

— Ce n'est qu'une entorse, je rétorque. Ils ne vont quand même pas me prendre mes poumons de fumeuse juste à cause de ça.

La cliente semble vexée. Ce n'est pas parce qu'elle appelle les motos des donneurs d'organes que j'avais à être aussi sèche. Elle pince les lèvres, secoue la tête et me laisse seule avec mon amertume.

Je dois arrêter les leçons pendant un temps mais ce n'est pas ça le pire. Ce qui m'inquiète le plus c'est que je ne suis pas certaine d'y voir un inconvénient. Je repense au plateau où je devais faire mes manœuvres, à la manière dont je me suis contractée et à ma prestation catastrophique. À aucun moment je n'ai pris du plaisir. Mais je me dis ensuite que c'est peut-être aussi bien comme ça.

Je pousse un gros soupir. Le client devant moi me lance un regard étonné. Je m'oblige à lui sourire et à lui dire «C'est tout ce qu'il vous fallait?» et «Bon week-end», avant de relâcher les muscles de mon visage dès qu'il a rangé ses marchandises dans ses sacs.

Et si je m'étais tout simplement imaginé que j'aimais faire de la moto? Peut-être ai-je confondu la nervosité avec l'adrénaline et la mièvrerie avec le bonheur?

Impossible, je me dis ensuite. Je me souviens de la sensation de rouler à moto sur les routes que j'ai prises cent fois en bus, de voir défiler des rangées d'immeubles sur les côtés, de doubler des gens enfermés dans leur voiture. Et aussi la sensation euphorisante des rayons du soleil de fin d'été me caressant le corps.

Mon Dieu! Et si j'étais le genre de personne qui préfère être *conduite*?

Aujourd'hui je travaille jusqu'à dix-neuf heures. Il est un peu plus de dix-huit heures. Je sors fumer une clope devant l'entrée principale. Normalement le personnel n'a pas le droit de faire sa pause à cet endroit. Ça ne donne pas une bonne image du magasin. Mais je n'ai aucune intention de sauter à cloche-pied jusqu'au quai de déchargement.

Je m'adosse à l'affiche de promo des travers de porc et j'allume ma cigarette.

Et si je passais mon permis, que je m'achetais une moto et que je n'avais plus aucune envie de m'en servir? Que je repoussais le moment de la sortir du garage après l'hiver jusqu'à ce que la fin de l'été arrive et que «ça ne vaille plus le coup puisque l'automne serait bientôt là»?

À peu près comme le nettoyage de mon balcon.

151

— Salut.

Lukas apparaît devant moi. Je me redresse trop rapidement et je pose mon pied par terre.

— Ça va ? me demande-t-il au moment où je pousse un cri de douleur et lui attrape le bras.

— Super, je halète, les larmes aux yeux.

C'est la première fois que je le vois dans des vêtements normaux. Il porte un jean, un tee-shirt noir et une veste en jean. Son allure décontractée le rend encore plus beau mais son blouson de moto me manque. Moi je suis vêtue de l'uniforme d'Extra-Market.

La moto-école aussi va me manquer. Ce n'est que maintenant que je réalise à quel point j'ai aimé me trouver dans un milieu si déconnecté de mon quotidien. Jusqu'à ce que Lukas soit obligé de m'accompagner à la maison de retraite de ma mère.

— Merci encore pour hier, je lui dis, embarrassée, de m'avoir aidée à ramener ma mère et surtout d'avoir pris le temps de prendre un café avec elle.

— Comment va-t-elle ? me demande-t-il.

— Très bien. Aujourd'hui elle n'a pas fait de fugue. Enfin, autant que je sache, j'ajoute pour être franche.

— Elle est très sympa, me dit-il.

— C'est à cause de sa démence sénile.

Il me fait un sourire incertain.

Voici les choses qu'il sait de moi : je suis nulle en moto, je travaille à Extra-Market et j'ai une mère sénile et fugueuse.

— Tu peux comprendre, toi, que ta propre fille préfère passer le week-end avec un ringard plutôt qu'avec la personne qui lui a donné la vie ?

Je lui balance ça avant d'avoir le temps de me rendre compte de ce que je dis. Ma déprime a manifestement effacé toute forme de maîtrise de mes émotions.

— De manière purement hypothétique ? me demande Lukas.

— Fredrik, je dis d'une voix sombre. Un ringard !

— Quel âge a ta fille ?

— Dix-neuf ans. Assez âgée pour tout savoir mieux que les autres.

Il sourit.

— À cet âge, ça semble normal de choisir un ringard plutôt que sa mère, non ?

— Exactement. Je n'ai pas élevé ma fille pour être *normale*. Elle ne tient pas ça de moi, ça c'est sûr.

Il murmure quelque chose qui semble être : « Je veux bien le croire. »

Maintenant il regarde autour de lui d'un air gêné.

— Je ne suis pas folle, je me sens obligée d'ajouter. En tout cas, pas plus qu'une autre.

Ce n'est jamais bon signe de devoir convaincre quelqu'un de sa bonne santé mentale.

— C'est… bien, répond finalement Lukas.

— J'ai juste le moral à zéro. Après toutes les manœuvres ratées sur le plateau.

Il me regarde attentivement.

— Les manœuvres ? À cause de ton entorse ?

— Non, non. Ça c'est rien. Il faudra juste que je me déplace en sautant de façon pas très gracieuse pendant un certain temps mais, quand je suis au travail, on m'installe à la caisse donc tout va bien.

— Alors qu'est-ce qui te met dans cet état ?

Et si je n'aimais pas la moto !

— J'ai raté tous les exercices ! Je suis nulle en parcours lent ! Oui, bon, ça ne m'aurait pas posé de problème si j'avais réussi le reste, mais je n'arrive pas non plus à contourner les cônes et même une piste d'atterrissage n'est pas assez large pour que je réussisse à faire un demi-tour.

Il sourit de nouveau. De manière plus détendue cette fois. Il s'adosse même au mur derrière lui.

— Ça va s'arranger, me dit-il.

Je rallume une cigarette. Ma pause devrait être terminée mais je ne peux pas me résoudre à rentrer. Je n'en ai pas pris de toute la matinée. Installée à la caisse, je ne voyais pas l'intérêt de me lever.

— Tu sais, je dis à la place, j'ai lu dans mon livret d'apprentissage que la plupart des trajets qu'on fait en voiture sont d'une distance de moins de cinq kilomètres. Ce n'est pas bizarre ?

— C'est mauvais pour l'environnement, tu veux dire ? Que les gens prennent leur voiture pour faire leurs courses ?

— Quoi ? Non. Mais pourquoi seulement cinq kilomètres ? Quand on a le permis et une voiture ou une moto, pourquoi aller à la boutique la plus proche alors qu'on pourrait acheter son lait à Västerås à la place ?

— Le lait est meilleur là-bas ?

J'éclate de rire.

— OK, oublie le lait. Non, pourquoi est-ce qu'on ne va pas plus loin ?

— Tu voudrais aller où ?

— Ça n'a aucune importance. Juste rouler et voir où j'arrive.

Il s'apprête à répondre quand une fille surgit derrière lui. Elle pose sa main sur son épaule d'un geste intime de possession. Manifestement ils ont rendez-vous et il a discuté avec moi en l'attendant. Je regarde ma montre et je décide qu'il est grand temps de retourner à la caisse.

— Euh, c'est Anita. Une élève de la moto-école. Et voici Sofia, une bonne amie à moi.

— On va faire les courses ? lui demande la bonne amie après m'avoir fait un signe de tête presque imperceptible.

154

Lukas nous lance à toutes les deux un regard embarrassé.

— Tu retournes à l'intérieur toi aussi? me demande-t-il finalement.

C'est pile ce dont j'avais besoin. Devoir boitiller à côté de lui et d'une nana bien foutue en jean moulant alors que je porte mon gros pantalon Extra-Market et mon tee-shirt jaune vif.

À présent il faut vraiment que je retourne à la caisse. Je ravale donc ma fierté et j'essaie de sautiller avec le plus de dignité possible.

Il me tient la porte et semble vouloir me dire quelque chose mais je vois bien que la fille trépigne d'impatience à ses côtés. Et je dois dire que moi aussi j'ai eu ma dose.

— À plus! je lui lance rapidement.

— Dis-moi si tu as besoin d'aide pour quelque chose. Pour faire tes courses par exemple.

— Lukas, elle *travaille* à Extra-Market, lui siffle la bonne amie en me toisant du regard.

— Je voulais dire pour porter tes courses ou pour te déposer quelque part.

Je revois mon garde-manger avec ses étagères de nourriture si pleines à craquer que c'en est flippant.

— Crois-moi, je lui réponds. Je n'ai vraiment pas besoin de faire des courses.

De retour à la caisse, je ne peux pas m'empêcher de le chercher des yeux dans le magasin. Et lorsqu'ils font la queue pour payer, je note ce qu'ils achètent.

Du saumon, des pommes de terre et de la crème fraîche. Au moins ça signifie qu'ils n'habitent pas ensemble. Sinon ils auraient aussi acheté des articles ménagers et sans doute des ingrédients pour d'autres repas. Mais je ne doute pas une seconde qu'ils soient plus que de bons amis.

La fille fourre les marchandises dans un sac pendant que Lukas paie. Puis elle se poste un peu plus loin dans l'entrée pour l'attendre alors qu'il s'attarde à côté de moi.

— Donc maintenant tu n'as plus aucun plan pour le week-end ? me demande-t-il.

— Non, je réponds.

J'ai déjà commencé à scanner les marchandises du client suivant.

— Ça te dirait une petite excursion ?

Sa question me fait lever les yeux de mon scan.

— Une excursion ? Où ça ?

— Juste un déjeuner quelque part. Demain ? Je peux passer te chercher vers dix heures ?

— Super, je réponds avant même de réaliser ce qu'il vient de me proposer.

Dès qu'il n'est plus à portée de voix, je me redresse et j'attrape le téléphone.

— Pia en caisse deux ! Pia en caisse deux, merci !

Les deux hommes qui font la queue à ma caisse regardent derrière eux, l'air étonné. Ils s'attendaient sans doute à voir une horde de clients surgir subitement des rayons.

— Une deuxième caisse va ouvrir, je leur souris tout en commençant à scanner les marchandises du premier client.

Ce qui ne me demande pas beaucoup de temps vu qu'il n'a qu'un Red Bull et un sachet de chips. L'autre client tient dans les mains un paquet de steaks hachés et des pains à hamburgers.

— Vous avez tout ce dont vous avez besoin ? je lui demande. Vous ne voulez pas de la sauce ? Des chewing-gums ? Un briquet ?

— C'est bon, merci, me répond le client étonné.

Je n'ai donc pas d'autre choix que de l'encaisser. Malheureusement c'est Petit-Roger qui répond à mon appel et qui se tient maintenant devant une queue inexistante sans rien comprendre. Pia arrive à quelques mètres derrière lui.

— Pourquoi tu veux ouvrir une autre caisse? me demande-t-il d'un air suspicieux.

— Ils… ont changé d'avis, je lui réponds. Plusieurs clients. Des caddies remplis. J'ai préféré vous appeler tout de suite. Les gens deviennent tellement ronchons quand ils doivent faire la queue un vendredi soir.

Pia regarde autour d'elle à la recherche des clients fantômes.

— Où ça? demande-t-elle.

Franchement, on aurait pu penser que dix ans d'amitié lui auraient appris certaines choses.

— Attendez! Ne partez pas. J'ai besoin d'un truc dans la salle du personnel, je dis en regardant Petit-Roger. Mon pied. Ça m'est trop difficile de m'y rendre en boitant.

— De quoi as-tu besoin? me demande-t-il.

— De… ma bouteille d'eau.

— Mais elle est devant toi.

Elle est à moitié pleine. Mais je ne capitule pas. Je l'ouvre et je vide son contenu à grosses gorgées. Ça me prend presque une minute. Je dois ensuite essuyer le filet d'eau qui a coulé sur mon menton.

— Trop soif, je lui dis.

Petit-Roger cède. Sans doute pour ne pas avoir à remplir lui-même ma bouteille.

— Qu'est-ce que tu fabriques? me demande Pia.

— Faut que je te parle!

— Ah, OK. Quelle discrétion!

— Lukas m'a invitée à déjeuner.

— Lukas?

— Mon moniteur de moto!

— Et pourquoi?

Bonne question.

— Il doit avoir de la peine pour moi, je suppose.

— Oui, ça ne peut pas être un plan drague, objecte Pia. En tout cas, je l'espère.

— Pourquoi?

— S'il te drague, c'est très mauvais signe qu'il te propose un déjeuner. Ça montre qu'il ne pense même pas avoir besoin de t'offrir de l'alcool pour coucher avec toi.

— Et pourtant j'en aurais bien besoin, je grommelle. Imagine qu'il me drague vraiment? Et d'ailleurs, qu'est-ce que je vais me mettre?

— Bah, en tout cas ce sera l'occasion de t'entraîner à flirter. Par contre, évite de lui parler circulation routière.

20

Il est impossible d'adopter une position flatteuse dans une voiture. On s'en rend compte quand on est installée sur le siège passager, légèrement penchée en arrière, à essayer de rentrer le ventre parce que la ceinture de sécurité est placée pile en dessous des bourrelets.

Ça ne vaut pas pour les conducteurs, bien sûr. Eux ont l'air cool, une main sur le volant et l'autre nonchalamment posée sur le levier de vitesse.

Se trouver dans une voiture avec Lukas est très étrange. Même après la fugue de ma mère j'ai du mal à l'imaginer hors du cadre de la moto-école. Dans mes pensées, j'essaie de me le représenter dans des situations de la vie quotidienne. Rentrant fatigué du travail. Se plaignant après une mauvaise journée. Regardant un film au lieu de faire la vaisselle. Réfléchissant à quoi préparer pour le dîner.

Discutant avec Sofia de ce qu'elle veut manger.

Pour la mille et unième fois je me demande ce qu'il fait avec moi. Pourquoi sacrifie-t-il son samedi pour me remonter le moral?

Il est à peine dix heures du matin et les rues sont désertes. À part quelques gens matinaux et, bien sûr, les sportifs habituels.

Un couple de retraités avec des bâtons de marche se promène sur la voie pour piétons. Au passage clouté, nous nous arrêtons afin de laisser passer une femme avec une poussette et deux enfants emmitouflés dans des blousons et écharpes qui avancent avec bien plus d'énergie que leur mère. Le parking sur la Grand-Place est vide, ce qui signifie que la ville n'est pas encore réveillée.

À part moi. Qui suis en route pour l'inconnu.

Nous nous arrêtons de nouveau au feu rouge, juste au niveau des Persiennes & Stores de Skogahammar. Sur la vitrine sont inscrits leurs services : stores enrouleurs, persiennes, stores vénitiens, stores occultants et une offre de consultation à domicile gratuite ! Mais comme d'habitude la boutique est fermée. Elle n'ouvre même pas quelques heures le samedi. Si on veut de nouvelles persiennes, il faut prendre son mal en patience et attendre jusqu'au lundi.

Or on ne peut pas dire que les gens se ruent dans ce magasin pour faire leurs courses. Pia et moi soupçonnons depuis longtemps que c'est un lieu de blanchiment d'argent pour du crime organisé. Personne n'entre ni ne sort jamais de cet endroit, et j'ai du mal à croire que les besoins de la ville en stores à lamelles ou en stores enrouleurs soient assez importants pour faire tourner une boutique.

— Tu crois que Persiennes & Stores est une façade pour du blanchiment d'argent ? je demande afin de briser le silence.

Même le moteur ne nous distrait pas ; la voiture est neuve et silencieuse.

Nous allons passer plusieurs heures ensemble et jusqu'à présent nos discussions se sont réduites à : Tourne à gauche. À gauche. Non, ça c'est la droite. Ou encore : Roule plus lentement. Rallume le moteur.

Excepté hier où je me suis bien trop répandue en paroles.

— La mafia de Skogahammar ? s'étonne Lukas.

La seule chose à Skogahammar qui se rapprocherait de la mafia, c'est un père et son fils qui font du trafic avec de l'alcool fait maison.

— T'as intérêt à payer sinon tu peux compter sur une belle embrouille avec tes persiennes, je dis. Tu pourras plus jamais les relever.

Nous sortons de Skogahammar et suivons le panneau vers la E18. C'est le seul indice que j'aie sur l'endroit où nous nous rendons. Lorsque nous passons devant le centre commercial, nous constatons que les parkings devant les magasins ÖB, Netto et Pekås sont presque déserts.

Pourquoi est-ce que quelqu'un choisirait de s'arrêter là alors qu'il peut continuer à rouler aussi longtemps qu'il veut ?

— Ça doit être lourd pour toi de t'occuper de ta mère, me dit Lukas.

— Je m'en sors.

Emma qui ne rentre pas c'est une catastrophe. Ma mère qui fait une fugue, c'est juste pas pratique.

— Vous étiez proches avant que… ?

— Avant qu'elle devienne folle ? Ou disons, plus folle ?

Il me lance un regard étonné, manifestement en attente de la suite. Mais je n'ai aucune envie de parler de ma mère. J'aimerais plutôt discuter du nombre de kilomètres de route qui s'étend à travers la Suède et de combien de temps ça prendrait d'en faire le tour. Par la fenêtre, je vois défiler de frêles bouleaux d'un jaune orangé chatoyant, les sapins aux pousses vert tendre et les zones déboisées scintillant dans la lumière matinale.

— On n'a jamais été très proches, je finis par dire. Elle me préfère les jours où elle me reconnaît à peine. Et toi ? Tu t'entends bien avec tes parents ?

— On ne peut pas dire ça, il me répond. En fait, c'est plutôt eux qui ne s'entendent pas avec moi. Mon père n'a jamais vraiment accepté ce que je fais. Ma mère, elle… suit mon père.

— Charmant, je dis.

Je le regarde à la dérobée. Il porte un jean, un pull col en V gris foncé, et sur la plage arrière est posé un blouson de cuir. Il a un bon travail qu'il fait bien, il semble… oui, bien sous tous rapports.

— Mais peut-être étais-tu horrible quand tu étais jeune ? je lui demande. Tu as commencé à te droguer à l'âge de dix ans ? Tu refusais de ranger ta chambre ?

— Non. Je n'ai jamais pris de drogues. Et je suis très ordonné. Je fais le ménage à fond une fois par an même si ce n'est pas nécessaire.

— Tu n'as jamais songé à faire quelque chose de vraiment mal pour permettre à ton père d'être déçu ?

Il sourit.

— La pensée m'a effleuré, admet-il. Et toi, tu as fait ça ?

— Bah, je n'ai jamais eu besoin de faire des efforts pour y arriver.

Je me redresse sur mon siège, je vois l'asphalte filer sous les roues avant. Pour un samedi matin il y a déjà pas mal de voitures. Tous ces gens sont peut-être en route pour faire du shopping, une excursion ou se rendre à un déjeuner familial.

La voie s'étend devant nous en une ligne sinueuse, bordée de champs, de bosquets isolés, et de temps en temps interrompue par des sorties d'autoroute et des panneaux indiquant des petites agglomérations. Des lieux que nous dépassons sans nous en rendre compte. Un panneau, une sortie, et puis plus rien. Des histoires, des générations traversées en quelques secondes sans laisser de traces.

J'aurais pu vivre dans n'importe lequel de ces endroits, je me dis. Dans un de ces trous paumés que nous dépassons sans les remarquer. Si quelqu'un longeait Skogahammar, il penserait sans doute la même chose. S'il cherchait la prochaine sortie, une station-service ou une aire de repos, peut-être noterait-il le panneau. Mais il est tout aussi probable qu'il passerait devant sans remarquer notre existence. « Encore trois heures de route à faire et je suis déjà fatigué. » Ou alors, le temps de se pencher pour changer de station de radio et il aurait dépassé mon appartement, la maison de retraite de ma mère et Extra-Market. Tous ces lieux sans importance qui me retiennent ici depuis toujours.

— On va où ? je demande.

— Tu verras.

Je souris.

— Une réponse parfaite.

Juste avant Örebro nous quittons la E18 et empruntons bientôt un chemin caillouteux qui fait crisser les pneus.

Nous nous garons devant une petite maison en bois rouge. Je suis presque certaine que c'est un relais motards. J'ai remarqué que les motards apprécient le gravier. Préférer ça au bitume bien lisse est pour moi incompréhensible.

Derrière la maison se dresse une grande véranda en bois à laquelle on peut accéder par le café. De part et d'autre de la porte sont plantés des pétunias et, au-dessus, il y a des pots suspendus d'où dépassent des fleurs maigrichonnes. Elles auraient bien besoin d'être arrosées. La peinture écaillée de la véranda et les mauvaises herbes qui poussent entre les graviers contribuent à donner au lieu un aspect légèrement vétuste, mais peut-être est-ce seulement parce que la saison de la moto est en train de se terminer.

Une affiche plastifiée sur la porte indique que les motards ont dix pour cent de réduction. Je la montre du doigt à Lukas avec enthousiasme.

Il sourit.

— T'en penses quoi ?

— Formidable, je dis avec sincérité.

Il arbore un sourire encore plus large.

Nous nous approchons du bar et attendons patiemment que quelqu'un arrive. Au bout d'une minute ou deux, un homme d'au moins un mètre quatre-vingt-dix surgit d'une arrière-salle. Il marche les bras écartés tellement ses biceps sont gonflés. Je suis sûre qu'ils sont plus gros que mes cuisses.

Je recule d'un pas pour pouvoir m'adresser à lui sans attraper un torticolis. Il a des tatouages le long des bras et du cou et porte une veste en cuir élimée. Ses cheveux sont longs et il a une barbe et une moustache.

Et de très gentils yeux. Ce qui fait qu'on a plutôt l'impression d'avoir en face de soi un nounours tatoué.

J'apprends qu'il s'appelle Rolf. Pendant que Lukas et lui bavardent, je jette de nouveau un œil autour de moi. Les tables sont recouvertes de nappes rayées rouges, posées un peu de travers, comme si elles étaient arrivées là par hasard. Sur chacune d'elles, il y a un petit vase avec des fleurs en plastique. Dans la vitrine réfrigérée du comptoir sont disposées des assiettes contenant des bouchées au chocolat, des gâteaux au massepain et des brioches à la cannelle toutes sèches. Rien de plus. Derrière le bar se trouve un appareil à café latte. J'ai la vague sensation que ça fait un bon bout de temps qu'il n'a pas été utilisé. À côté est installée une cafetière électrique qui peut remplir deux cafetières en même temps, mais il n'y a pas de café prêt.

Dans un coin de la pièce est accrochée une pancarte avec le texte : *MC 1 % Crazy Gazettes.*

L'endroit est parfait.

— Un club de moto ! je m'écrie avec enthousiasme.

— Rolf en est membre, répond Lukas, un grand sourire aux lèvres.

— Tu fais donc partie de la Fédération suédoise des motards ? je lui demande, contente de montrer que je m'y connais un peu.

— Pas… vraiment.

Je ne sais pas quoi ajouter. Puisqu'il est trop tard pour jouer la fille cool et compétente devant Lukas, je profite de l'occasion pour poser toutes les questions qui me viennent à l'esprit :

— Comment on fait pour adhérer à un club de moto ? Quelles sont vos activités ? J'ai cherché sur Google mais je n'ai pas trouvé grand-chose.

— T'as quoi comme bécane ? me demande Rolf.

Ce n'est peut-être qu'une illusion mais j'ai l'impression d'entendre une pointe d'ironie dans sa voix.

— Aucune. Enfin, pour l'instant, je réponds.

Lukas est pris d'une quinte de toux. Il fait quelques pas en arrière avant de s'approcher de nouveau de nous et de dire :

— Anita est une de mes élèves à la moto-école.

— Tu… prends des cours de moto ? me demande Rolf.

— Oui ! Enfin, pas en ce moment à cause de mon entorse.

Rolf semble maintenant lutter pour ne pas éclater de rire et Lukas est frappé d'une nouvelle quinte de toux.

Manifestement tous les deux se moquent de moi, ce que je ne peux m'empêcher de trouver malpoli. Je ne sais peut-être rien sur les motos mais ces clubs devraient justement pouvoir donner ce type d'informations, non ? Particulièrement à quelqu'un comme moi qui ne va pas pouvoir prendre de cours pendant un bon moment.

— Lukas, dit Rolf d'une voix étouffée, t'es venu avec une taupe ?

Je cligne des yeux.

— Une taupe ? je répète.

— Bah, on aurait bien besoin d'un nouveau trésorier, continue Rolf. L'ancien est parti au Brésil. Ses vacances sont plus longues que prévu.

— Il revient quand ? je demande.

— Dans vingt-cinq ans, je dirais.

Je suis presque certaine qu'il continue à se moquer de moi.

— Comment je pouvais savoir qu'il faisait partie d'un gang de bikers ? je souffle à Lukas dès que nous sommes installés à une table.

Nous avons commandé deux lasagnes pour le déjeuner, le seul plat qui soit un peu consistant à part les brioches à la cannelle. Lorsque Rolf s'est remis de sa crise de fou rire, il nous a expliqué qu'il y avait peut-être du café quelque part mais nous lui avons répondu que ce n'était pas pressé.

Lukas replace la nappe puis pousse le vase avec les fleurs en plastique afin qu'il ne se trouve plus entre nous deux. Sur le rebord de la fenêtre à côté de nous sont posés deux géraniums fanés.

— Ils disent que c'est un club 1 %, explique Lukas.

— Un pour cent de motos et quatre-vingt-dix-neuf pour cent de scooters ? Un pour cent de gros nounours et quatre-vingt-dix-neuf pour cent de petites frappes ?

— De gros nounours ? répète Lukas sans comprendre.

D'un revers de la main j'efface ce que je viens de dire. C'est sans doute une offense envers son ami, le gros dur, vraisemblablement aussi cuisinier et criminel.

— C'est quoi un club 1 % ? je demande.

— Ça vient des États-Unis. Dans les années cinquante, il y a eu des incidents entre différents gangs de bikers. L'Amercian Motorcyclist Association, interrogée par la presse américaine sur ces événements violents, a répondu que quatre-vingt-dix-neuf

166

pour cent des motocyclistes étaient des citoyens respectueux des lois et que seuls un pour cent ne l'étaient pas. C'est pour cette raison qu'ils se font aujourd'hui appeler les 1 %. Les Hells Angels, les Bandidos et les Outlaws. Mais tous ne sont pas des criminels. C'est davantage une histoire de solidarité. Être en dehors de la société.

— Et avoir un blouson de gros dur.

— Ça aussi.

— Mais comment ont-ils trouvé ce nom, Crazy Gazettes ? Les Hells Angels, les Bandidos, les Outlaws. Là, on entend de loin que ce n'est pas quelque chose pour les femmes d'âge mur. Mais les Crazy Gazettes ? On dirait le nom raté d'un club sportif dans un film Disney.

Lukas éclate de rire.

— Le premier nom des Hells Angels à Copenhague au Danemark était les Galloping Goose MC. Ce club existait aussi aux États-Unis et il était très important dans les années quarante. Il y a donc des noms encore pires, non ?

— Hm, je réponds d'un air sceptique.

Mais je ne peux pas m'empêcher de sourire. Je m'adosse à la chaise et je savoure le fait d'être assise dans un café de motards miteux, loin de chez moi, en train de discuter de gangs de bikers criminalisés.

Lukas sourit lui aussi. Un sourire sincère et détendu qui fait pétiller ses yeux. Apparemment, ma tentative ridicule d'entrer dans un club de bikers était ce qu'il fallait pour briser la glace entre nous. Pour la première fois, je comprends ce que Nesrin voulait dire. Son sourire est à la fois chaleureux et communicatif. En un mot : craquant.

Je suis presque soulagée d'entendre le pling du micro-ondes derrière le comptoir et de voir Rolf arriver avec nos lasagnes.

Il s'attarde à notre table. Je prends une bouchée de mon plat et m'aperçois que celui-ci est à peine tiède. À voir la mine de Lukas, le sien n'est pas mieux, mais aucun de nous ne fait le moindre commentaire bien que Rolf se tienne toujours à côté.

— Comment va Sandra ? demande Lukas.

Rolf me lorgne un instant, semblant hésiter à répondre en ma présence. Finalement, il décide que je suis digne de confiance et il déclare :

— Elle m'a quitté.

Un silence embarrassant règne un instant pendant que nous essayons tous les trois de trouver quelque chose à dire.

— Aïe, je lance enfin.

Même à mes oreilles, mon commentaire me paraît stupide.

— Qu'est-ce qui s'est passé ? demande Lukas.

Je devrais peut-être boiter jusqu'aux toilettes ou leur dire que je dois fumer une cigarette afin de les laisser seuls, mais je ne veux pas non plus qu'ils croient que j'ai quelque chose contre cette discussion. Ce qui n'est pas le cas. Le problème c'est que je ne sais tout simplement pas ce que je pourrais apporter à la thématique *relations amoureuses* tant mes propres expériences sont restreintes.

— C'est *elle* qui voulait acheter ce lieu, explique-t-il. Et puis un beau jour elle a dit qu'elle le détestait.

Lukas acquiesce d'un air compatissant.

— On a vécu ensemble pendant dix ans, poursuit-il. On avait l'habitude d'aller tous les deux au Custom Bike Show, et puis on a acheté cet endroit. C'est *elle* qui voulait monter un café bio afin d'être en harmonie avec elle-même, elle disait. Et un lundi matin tout à fait normal, alors qu'on s'apprêtait à ouvrir, elle a brusquement balancé la serpillière et elle a dit…

— Quoi ? demande Lukas.

— Elle a dit qu'elle détestait cet endroit. Et elle a ajouté qu'elle ne supporterait pas de rester ici une seconde de plus.

— Aïe, je répète vu que ça me semble bizarre d'être là à ne rien dire.

Rolf me regarde comme s'il avait oublié ma présence.

— Tu lui as répondu quoi? demande Lukas.

— Qu'est-ce que je pouvais dire? Elle m'a crié qu'elle ne voulait pas vendre une brioche de plus. Et elle m'a aussi dit qu'elle avait rencontré quelqu'un. Il a une bécane? j'ai demandé. Non, elle m'a répondu. Apparemment il conduit une Volvo. Un break.

Rolf secoue la tête.

— C'est incompréhensible, je dis.

— Elle a aussi dit qu'elle ne supportait plus la vue du cuir.

Je tousse au-dessus de mon plat et Rolf nous regarde d'un air désespéré.

— Moi qui croyais qu'elle aimait mes fringues.

Même Lukas ne trouve rien à répondre à ça.

— Je ne sais pas quoi faire, poursuit Rolf. Je suppose que je vais devoir gérer cet endroit seul maintenant. À terme, j'essaierai peut-être de le revendre mais je ne peux pas faire ça maintenant. Puis il ajoute avec des tremblements dans la voix : J'aurais tellement aimé ne pas disposer d'autant de temps.

Je me redresse sur ma chaise.

— Du temps? je répète.

— Toutes ces soirées et tous ces week-ends. J'essaie de me trouver des occupations mais il n'y a pas grand-chose à faire maintenant que la saison est terminée. Parfois ça me paraît tout simplement insurmontable de réussir à passer un week-end seul.

— Je comprends! je dis avec enthousiasme.

Lukas se tourne vers moi l'air surpris.

J'ajoute :

— Toutes ces heures interminables. On finit par mettre un film juste pour avoir un fond sonore alors qu'en réalité on n'a même pas la force de se concentrer dessus. Le week-end dernier, j'ai vu tous les *Die Hard* uniquement pour avoir quelque chose à faire.

— C'est exactement ça! acquiesce Rolf en s'asseyant sur une chaise à notre table.

— Et même quand on a des choses à faire, c'est un calvaire de les faire seul, je continue.

— Ici, je ne sais pas comment gérer la moitié des choses, dit-il. Qu'est-ce que j'y connais, moi, en fleurs? C'est elle qui en voulait partout. Si je ne les arrose pas, elles meurent, et si je les arrose, elles meurent aussi.

— Je n'ai jamais cru aux fleurs, je dis.

Rolf acquiesce.

— Toi aussi tu t'es fait larguer? il me demande.

Je laisse errer mon regard, mais Rolf se tourne vers Lukas avant que j'aie eu le temps de répondre.

— Comment va Sofia?

La bonne amie, je me dis. Mais dans la bouche de Rolf, on dirait plutôt une petite amie qui est là depuis déjà un certain temps. Deux couples qui ont traîné ensemble. Rolf et Sandra. Lukas et Sofia.

— Ça va, répond Lukas.

Je décide de me taire.

Quand Rolf nous quitte pour essayer de nous préparer un peu de café, Lukas et moi nous retrouvons assis l'un en face de l'autre dans un silence forcé, à l'opposé de l'ambiance taquine et décontractée de tout à l'heure.

Je me demande s'il pense à Sofia. Peut-être est-il en train de réfléchir à sa soirée avec elle. Peut-être a-t-il hâte de lui expliquer pour Rolf et Sandra, ou encore de lui raconter que son élève d'âge mûr a essayé de s'inscrire dans un club de bikers. Bizarrement, cette pensée me trouble.

Peut-être parce que les relations amoureuses me sont incompréhensibles. Je me sens en position d'infériorité. J'essaie de comprendre pourquoi quelqu'un d'aussi sympathique que Lukas est avec quelqu'un d'aussi antipathique que Sofia. J'ai beau chercher, je ne trouve pas. Je décide de laisser tomber. La liste de tout ce que je ne comprends pas sur les relations de couple serait bien trop longue.

Ce qui rend la discussion que j'ai eue avec Rolf d'autant plus absurde. En revanche, je m'y connais un peu en « temps en trop ». Lorsque nous quittons Rolf, après avoir bu un café insipide, je lui donne mon numéro de portable au cas où il voudrait m'appeler pour discuter. Je lui suggère aussi de cacher son téléphone dans l'arrière-cuisine, un conseil qui le fait réfléchir mais qui étonne Lukas.

— Pour éviter les tentations, je murmure à Rolf qui répond de nouveau :

— C'est exactement ça !

Lukas me tient la porte quand je passe le seuil en sautillant. Il marche ensuite jusqu'à la voiture à grandes enjambées pendant que j'avance péniblement à quelques mètres derrière lui.

Lorsque nous sommes tous les deux assis, la magie de tout à l'heure a totalement disparu. C'est palpable.

Je me sens ridicule d'avoir été troublée par le simple fait que Sofia ait été mentionnée. Je sais bien qu'elle existe, là-bas, à Skogahammar et qu'ils font leurs courses ensemble. Je n'ai rien à voir avec lui et avec son quotidien. On ne se connaît pas. Cette journée n'est qu'une… parenthèse. Oui, on peut dire ça. Mais j'ai quand même vécu un moment particulier où je n'ai pas pu prédire ce qui se passerait et de quoi nous discuterions. J'ai parlé avec une personne — deux, même — dont je ne connais rien et je n'ai même pas pensé aux commentaires de Pia ou à ce qu'Emma était en train de faire. Pendant quelques heures j'ai été déconnectée de mon quotidien. Une vraie pause libératrice. Par conséquent, l'idée que ça ne signifie rien pour lui me déroute terriblement. Comme si l'expérience que je venais de vivre n'existait que si nous la partagions.

Lukas met la clé dans le contact mais avant de la tourner pour allumer le moteur, il dit presque involontairement :

— Mon Dieu.

— Le pauvre, je renchéris.

Il se passe la main sur le visage.

— C'est bien du père d'Emma que tu parlais ? me demande-t-il.

— Quoi ?

— Quand tu as été quittée ? Mon Dieu, je voulais te remonter le moral et voilà que tu te retrouves au beau milieu d'une séance de thérapie avec un gars que tu ne connais même pas.

— Tu m'as remonté le moral, je lui dis en toute franchise.

Ce qui est vrai tant qu'il ne pense pas à Sofia.

Puisqu'il ne met toujours pas le moteur en route je poursuis :

— Le père d'Emma n'a jamais fait partie de ma vie. Mon conseil au sujet du téléphone et tout le reste c'est… c'est quand Emma a quitté la maison.

Je le regarde du coin de l'œil pour voir s'il a l'intention de rire de mon absence totale de vie amoureuse, mais il ne le fait pas.

Sur un ton léger, comme si c'était une pensée en l'air, je lui demande ensuite :

— Tu n'aurais pas le temps de prendre un café avant de rentrer ? C'est moi qui t'invite.

Cette fois-ci, il sourit.

— Tu mérites bien un café buvable !

Nous prenons la E18 et roulons sur une route inondée de soleil avant de tourner à la première station-service. Je dois lutter pour maintenir mon sourire à un niveau normal.

Lukas commande deux grands cafés à un garçon aux cheveux

noirs hérissés, avec un trou distendu à l'oreille et des tatouages sur les bras. Je suis presque certaine que d'autres se cachent sous sa chemise rayée et sous son pantalon gris. Lukas refuse de me laisser payer.

Depuis notre place devant la fenêtre, nous avons vue sur les pompes à essence et, un peu plus loin, sur un panneau Sibylla et une solderie de vêtements de randonnée.

J'avale une gorgée de mon café, qui est chaud et bien dosé cette fois, tout en regardant par la fenêtre. Une vieille voiture trafiquée est garée devant la pompe trois. J'observe le remplissage de son réservoir comme si c'était particulièrement intéressant. Puis je dis :

— Que pense Sofia du fait que tu passes ton samedi à me balader ?

Lukas hésite avant de répondre.

— On… enfin… on s'est séparés il y a quelques semaines.

Je le dévisage, abasourdie. Lui aussi regarde la vieille voiture. Je n'arrive pas à voir l'expression de son visage.

— Je ne voulais pas en parler devant Rolf vu sa situation, poursuit-il.

J'acquiesce. J'attrape ma tasse pour avoir quelque chose à faire de mes mains et j'avale une nouvelle gorgée de café. Il lève la sienne pile au même moment et nos regards se croisent un instant avant de retourner au tacot et à la pompe.

Aucun de nous ne trouve quelque chose à dire. Sans doute gênés d'avoir engagé cette discussion. Peut-être avons-nous atteint la limite de ce que notre samedi jovial et distrayant pouvait supporter en termes d'intimité ?

Alors pourquoi dînez-vous toujours ensemble si vous avez rompu il y a quelques semaines ? Tu as rencontré quelqu'un d'autre depuis ? J'aimerais lui poser ces questions mais je respecte le mur invisible qui s'est construit entre nous.

— Raconte-moi une fois où tu as déçu ton père, je dis à la place.

La journée est presque terminée et nous allons bientôt nous quitter, mais je veux quand même avoir le temps d'une dernière vraie discussion avec lui. On ne se reparlera pas avant des semaines. Peut-être même n'aurons-nous plus jamais l'occasion d'échanger sur autre chose que sur le code de la route.

L'espace d'un instant, je pense qu'il ne va pas répondre, mais il dit finalement :

— Je voulais être garagiste quand j'étais petit. Ce n'était pas du goût de mon père qui trouvait que je devrais avoir d'autres rêves.

— Il préférait que tu sois moniteur de moto-école ?

— Pas exactement. Tes parents rêvaient de quoi pour toi ?

— Ma mère trouvait que je ne devais pas avoir de rêves, je réponds.

— Ça a dû être pénible, non ?

Par la fenêtre, j'aperçois une Harley-Davidson qui vient de se garer devant la pompe. Je suis de nouveau avec intérêt le remplissage du réservoir.

— Non, pas du tout. De toute façon je ne l'écoutais pas. Mais après coup, en y repensant, c'est un conseil plutôt intelligent à donner à une fille. Pas d'attentes, pas de déceptions. Bon, ma mère a quand même réussi à être déçue.

— Tu as donné le même conseil à Emma ?

Je ris.

— Pas vraiment.

— Quels conseils lui as-tu donnés ?

— De ne pas tomber enceinte. De ne pas boire d'alcool provenant d'un bidon. De ne pas monter dans une voiture si le conducteur a bu.

— De bons conseils, approuve-t-il.

Je suis sûre qu'il est impressionné.

— Et toi, tu les avais suivis ces conseils ? poursuit-il.

— Bien sûr que non. C'est pour ça que je sais qu'ils sont importants.

— Et si Emma t'avait demandé quels devraient être ses rêves, tu lui aurais répondu quoi ?

Je souris malgré moi.

— Quand elle a dû choisir sa fac, elle m'a posé la question.

— Et alors ?

— Dominer le monde, bien sûr. Toutes les filles devraient rêver de ça.

Je prolonge le moment autant que je peux en buvant de toutes petites gorgées de café. Assis sur sa chaise de bar, Lukas est détendu et souriant. Il ne semble pas pressé de rentrer.

Mais je sais que ce n'est qu'une question de temps. Et je n'arrive pas à trouver un autre sujet de conversation.

Je pense à Emma dans une maison de campagne quelque part entre Kalmar et Skogahammar et à ma nouvelle vie sans moto. Finalement, j'avale la dernière gorgée sans même m'en rendre compte.

Lukas se lève comme si c'était le signal qu'il attendait et attrape nos gobelets vides. Je le suis dehors tout en regardant une camionnette qui s'est garée devant la pompe.

Le voyage de retour est très différent de l'aller. J'imagine que toutes les voitures que nous croisons sont en train de rentrer elles aussi. Des gens fatigués mais contents de leur petite sortie. Je me demande ce que ça ferait de partir quelque part, n'importe où, au gré de nos envies.

Plus nous approchons de Skogahammar, plus je sens mon quotidien reprendre place dans ma tête.

Mais je m'en fiche. J'ai déjeuné dans un relais motards, j'ai fait de la voiture et j'ai bu un café dans une station-service. Durant une journée entière je me suis sentie libre. C'est plus que ce que j'ai vécu en plusieurs années.

Ça doit bien signifier quelque chose.

Lorsque nous nous garons devant ma porte, même mon immeuble me semble différent. Je lève les yeux et je m'aperçois que la lumière de la cuisine est toujours allumée. J'ai dû oublier de l'éteindre avant de partir. Mon appartement vit sa propre vie. Le moteur est toujours en marche et nous restons un moment sans bouger, ne sachant de nouveau pas quoi nous dire.

— Ton entorse va t'éloigner des motos pendant un petit moment, déclare finalement Lukas.

— Je ne veux même pas y penser, je réponds d'une voix sombre.

Aucun de nous ne trouve autre chose à ajouter.

— Bon, conclut-il. À bientôt.

Lorsque je m'extirpe avec difficulté de la voiture, il ajoute :

— Prends soin de ton pied.

21

Les feuilles des arbres ne bougent pas d'un pouce.

Extra-Market est toujours au même endroit.

Les panneaux de signalisation aussi.

Je suis immobile et je regarde autour de moi.

Qu'est-ce que je fous? je me dis. Un seul jour de discussion polie ainsi que quelques kilomètres de promenade en voiture et je me comporte déjà comme une enfant gâtée mécontente de son quotidien!

On est lundi. Le temps est maussade. On se croirait en novembre. Les arbres sont là devant ma fenêtre. Comme toujours.

Je suis exactement la même personne qu'avant et je réalise que j'aurais été bien naïve de croire qu'un samedi agréable changerait quelque chose. J'aurais seulement aimé que ce lundi soit un tout petit peu différent des autres.

Pia et moi déballons les fruits et légumes. Des cartons remplis d'oignons jaunes, de tomates et de trois sortes de pommes suédoises.

— Tu savais que mon corps avait commencé à grincer? me lance Pia.

Je fais non de la tête tout en essayant de trouver de la place pour encore quelques grappes de tomates.

— Chaque fois que je me baisse, il grince. Les cours de muscu sont en train de me tuer.

Génial. Elle a recommencé à faire du sport.

— Pourquoi tu n'essaies pas autre chose que des cours de muscu ? je demande.

— Comme quoi ? La dernière fois, j'ai essayé l'aquagym mais c'était encore pire. C'est hyper-dangereux ce truc. J'ai failli me noyer au bout d'à peine cinq minutes et, pendant tout le cours, un cinglé sur le bord agitait les bras sur *Livin' la vida loca*.

— Un mauvais choix de chanson pour mourir, je reconnais.

— Comment s'est passé ton déjeuner ? me demande-t-elle.

Dès que j'y pense je souris malgré moi.

— C'était super ! je réponds. On est allés dans un relais motards où les deux-roues ont dix pour cent de réduction.

— Dommage alors d'y être allés en voiture.

— C'était quand même agréable.

Je me persuade que mon sourire vient du souvenir de la route que nous avons parcourue, des moments où nous avons doublé des voitures, où nous sommes passés devant des panneaux de signalisation et des bouleaux maigrichons qui défilaient derrière la vitre. Mais devant mes yeux dansent également des images embarrassantes : les jolies petites rides au coin des yeux de Lukas, son corps en mouvement lorsqu'il conduisait, les petits creux entre ses clavicules, sa soudaine quinte de toux quand j'ai essayé d'adhérer au club de bikers.

— On a fait un tour en voiture, on a déjeuné dans un petit restaurant de motards et ensuite on a pris un café dans une station-service. Une journée agréable.

Agréable. Le mot me paraît bien choisi.

— Merde, dorénavant tu vas exiger de moi que je te conduise dans des stations-service, c'est ça ?

— Oui…, je réponds d'une voix à peine audible.

Je ne suis pas certaine que ce serait la même chose de faire ça avec Pia.

Hier soir Emma a téléphoné. Je ne sais pas si c'était par devoir, vu qu'elle n'est pas rentrée, ou si c'était parce qu'elle avait envie de me raconter son super week-end. D'après ce que j'ai compris, ils l'ont passé à discuter urbanisme. Fredrik avait apparemment beaucoup de choses à dire, mais elle ne m'a pas parlé de ce qu'elle ressent pour lui. Il y avait aussi d'autres personnes de leur classe et, d'après elle, c'était sympa de se retrouver en dehors de l'école et de pouvoir discuter librement de questions importantes comme l'urbanisme du futur.

— Et toi, qu'est-ce que tu as fait ? m'a-t-elle finalement demandé.

J'ai essayé d'adhérer à un club de bikers et je me suis sentie attirée par mon moniteur, j'ai pensé, mais j'ai dit :

— Oh, rien de particulier. Mais raconte-moi plutôt pourquoi c'est important de structurer un centre-ville cohérent.

Et c'est ce qu'elle a fait.

Après le boulot, je boite jusqu'à la maison de retraite afin de discuter de la fugue de ma mère. Pour m'y rendre, je dois passer devant la moto-école. Je cherche Lukas du regard mais ni lui ni les motos ne sont là.

L'infirmière à l'attitude maternelle (cette fois-ci je réussis à lire son badge : Berit) m'emmène dans son bureau juste à côté de la réception.

Celui-ci est petit et austère. Apparemment ils ont donné la priorité aux espaces communs qui sont plus chaleureux. La pièce est composée d'un bureau clair, d'un fauteuil noir et de deux chaises pour les visiteurs dont l'assise est recouverte d'un tissu bleu rugueux. Sur une table basse sont empilés des journaux professionnels sur la démence et les soins hospitaliers des personnes âgées.

Berit veille à ne pas s'installer derrière son bureau mais sur une des chaises et me fait signe de m'asseoir. Elle croise les jambes puis se penche vers moi. Je ne peux pas m'empêcher d'avoir un mouvement de recul. J'aurais préféré qu'elle soit derrière son bureau.

Elle me regarde d'un air grave. Elle m'a déjà assuré trois fois que ça ne se reproduirait pas, je ne comprends donc pas pourquoi elle fait cette tête. Pour plus de sûreté, elle le dit encore une fois :

— Nous allons la surveiller davantage. Comme je vous l'ai dit au téléphone, ce qui s'est passé est fâcheux. Mais heureusement il n'y a pas eu de conséquence malheureuse.

Je hoche la tête.

Berit hésite. Elle semble réfléchir à la manière dont elle va organiser son discours.

— Des changements de la personnalité… ce n'est pas inhabituel dans la démence sénile. Et en tout cas, votre mère est heureuse. Elle a de la chance. Beaucoup deviennent agressifs ou confus. Mais…

Nouvelle hésitation. Finalement elle se penche de nouveau vers moi comme pour prendre son élan.

— Je ne sais pas comment vous dire ça.

Ses yeux grands ouverts sont pleins de compassion, sa voix est chaleureuse et prévenante.

— Votre mère a eu un petit ami !

Je sursaute.

— Pardon ?

— Un… oui, un *amant*.

— Maintenant ? Ici ?

— Non. Ce genre de chose ne peut pas avoir lieu dans un tel établissement, me dit-elle comme si cette maison de retraite était la gardienne de la morale.

Je leur en suis reconnaissante. Je n'aurais probablement pas supporté que ma mère ramène des hommes ici alors que je réussis à peine à être invitée à boire un café dans une station-service.

— Non, continue Berit. Avant.

— Ah bon, je réponds sans comprendre.

— C'est aussi bien qu'on aille lui rendre visite, conclut Berit en se levant.

Elle m'accompagne jusqu'à la chambre de ma mère, toujours avec cette même gravité dans le regard.

Ma mère est assise à son petit bureau à côté de la fenêtre, une expression rêveuse sur le visage. Je n'ai jamais vu son regard aussi doux. Elle a les joues roses, le teint frais et ses yeux sont clairs.

Elle est belle. En la voyant, je sens une pression dans ma cage thoracique et j'ai du mal à respirer.

Lorsque nous entrons, elle se tourne vers nous mais je ne crois pas qu'elle me voie. Une petite ride de confusion se creuse entre ses yeux pour aussitôt se lisser. Son visage se fend d'un grand sourire.

— Lars ? dit-elle en me regardant.

Berit prend un air compatissant, mais aussi légèrement suffisant. Elle semble satisfaite d'avoir raison. *Vous voyez*, dit son regard. Elle se penche vers moi et me chuchote à l'oreille :

— Ne vous inquiétez pas, le personnel croit que c'est le nom de son mari.

Puis elle se tourne vers la porte ouverte et dit très fort pour qu'on l'entende :

— Son mari ! Lars !

Le couloir est désert mais elle hoche quand même la tête vers moi en arborant une mine conspiratrice.

— Aïe.

C'est tout ce que j'arrive à dire. Mon père ne s'appelait pas Lars, chose que sait manifestement Berit. Son prénom était John mais tout le monde l'appelait Johnny, excepté ma mère qui détestait ce surnom. Elle prétendait que ça faisait criminel.

181

Mon père n'était vraiment pas une petite frappe. Il était grand, taiseux et conscient de son devoir. Il a passé sa vie à travailler. Il a acheté un appartement pour la famille, a remboursé son emprunt, a pris sa retraite et il est mort aussitôt après. Tout ça sans dire un mot.

Lorsque j'ai été suffisamment grande pour porter attention aux gens et aux choses qui m'entouraient, il s'était déjà retiré dans son monde. Le soir, il se déplaçait dans l'appartement comme une ombre silencieuse.

Ma mère lui parlait, l'engueulait, et lui il restait assis devant la télé ou à table sans broncher. La seule réaction qu'il lui arrivait d'avoir était de se lever et de changer tout simplement de pièce.

De toute mon enfance, je ne me souviens pas avoir vu ma mère regarder mon père de la manière dont elle regarde Lars aujourd'hui. Ou, en l'occurrence, l'infirmière et moi.

Ma mère continue de parler. Elle nous raconte l'époque formidable où ils habitaient ensemble à Falun. C'est là qu'ils vivaient ? Quand se sont-ils rencontrés ? J'ai beau essayer d'imaginer ma mère amoureuse, je n'y arrive pas.

Elle n'a jamais été particulièrement heureuse, ce que j'ai compris quand j'avais vingt-cinq ans. Avant, je la trouvais seulement énervante. Tous les jours, elle se traînait jusqu'à son travail, à cinquante ans elle s'est mise en retraite anticipée et, à partir de ce moment-là, c'est à la maison qu'elle s'est traînée entre son lit et la cuisine.

D'une certaine manière, elle s'est enfoncée — ou peut-être est-ce la vie qui l'a fait — dans un mécontentement grisâtre et poisseux. Il émanait d'elle une déception permanente. Notre appartement semblait toujours plus sombre que ceux de mes amis. Ce n'était pas seulement dû aux tapisseries des années soixante-dix que nous avions sur les murs.

Parfois je me demande si elle ne manquait pas tout simplement de stimulation. En tout cas, ça a été le cas à partir de sa retraite anticipée et jusqu'à sa démence sénile. On parle souvent d'animaux ou d'enfants sous-stimulés. Mais qui se soucie d'une femme de soixante ans qui passe ses journées seule enfermée chez elle ?

Ma mère était le genre de personne qui reprenait vie à proximité des catastrophes. Chaque fois qu'elle voyait passer une voiture de police ou une ambulance gyrophare en marche, elle m'appelait en s'horrifiant avec délectation de ce qui pouvait être arrivé. Dès que le mari de quelqu'un mourait, que l'enfant de quelqu'un était malade, qu'une vague de délinquance dans sa résidence provoquait des incendies dans les poubelles devant les immeubles, elle s'illuminait littéralement.

Ce sont les seules fois où je l'ai vue réellement exaltée.

À Skogahammar, il y a un nombre important de querelles incompréhensibles entre les habitants. Lorsque j'étais petite, je n'arrivais pas à comprendre ce qui les provoquait, mais elles étaient là, aussi ancrées dans nos vies que les impôts, que l'église. Nous n'y pensions pas tout le temps, bien sûr, mais nous n'aurions jamais eu l'idée de les remettre en question. Les querelles étaient là, avec la même évidence que le discours de fin d'année du directeur de l'école. Il fallait être poli avec les adultes, les saluer convenablement, sauf lorsqu'on croisait Gunvor Persson, le monsieur de la maison d'à côté qui sentait la transpiration, ou encore la dame aux gros mollets.

Mais il y avait aussi des amitiés incompréhensibles.

Eva Hansson habitait sur le même palier que nous. L'appartement juste en face du nôtre. Pendant longtemps, elle n'a été qu'une femme au foyer parmi d'autres, noyée dans la masse. Une sorte de tristesse se dégageait d'elle, une odeur persistante de désillusion et d'amertume. Étant donné que c'était aussi le cas de ma mère, je ne le remarquais pas. J'étais immunisée contre cette odeur puisqu'elle m'entourait constamment.

Et soudain, un beau jour, elle était dans la cuisine avec ma mère. Je me souviens de la fois où je suis rentrée de l'école et où elle était assise là. À partir de ce moment-là, elle n'est plus jamais repartie.

— La voisine est encore passée? me demandait souvent mon père, mais c'est toujours ma mère qui répondait.

Eva Hansson a divorcé et s'est acheté le magasin de fleurs. Mais elle a continué de faire partie intégrante de notre cuisine. Elle était — est toujours — furieusement loyale envers ma mère. Je crois qu'elle se voit comme la fille que ma mère aurait dû avoir et qu'elle me voit, moi, comme l'enfant indigne. Il est possible que ma mère pense la même chose. Chaque fois que je faisais une bêtise, Eva était encore plus fâchée contre moi que ma mère.

Après ma visite à la maison de retraite, je décide de passer devant le magasin de fleurs. Si quelqu'un sait qui est Lars, c'est Eva.

Je me retrouve en face de la devanture déprimante. Dans un moment d'inspiration, Eva a peint des plantes grimpantes le long de la vitre, mais ni la couleur ni les motifs n'ont supporté les intempéries. Avec le temps, le violet des fleurs s'est éteint et les feuilles d'un vert tendre se sont assombries et se sont usées et déformées.

Tout cela contribue à donner au lieu un air menaçant. Si Hitchcock n'avait pas été réalisateur mais fleuriste, c'est le genre de boutique qu'il aurait pu avoir.

Lorsque je passe le seuil, une petite sonnerie retentit. Je redresse le dos et marche d'un pas décidé vers la caisse mais je suis interrompue par un « Bonjour Anita ».

Gunnar, des machines à sous, est en train de déballer des pots de fleurs dans un coin. Je ne crois pas l'avoir déjà entendu dire plus que ça. En tout cas pas depuis qu'il est adulte. Quand on l'aperçoit en ville, il a toujours la tête enfouie sous sa capuche, et, pour plus de sûreté, il porte souvent aussi une casquette et des écouteurs, afin de bien se protéger de toute forme de contact humain.

Un gars intelligent, je me dis.

Il lève les yeux sous sa capuche et me sourit.

Ou plutôt il fait légèrement trembler la commissure de ses lèvres, mais je dois dire que je suis surprise par le geste.

— Salut Gunnar, je réponds.

Il hoche la tête, satisfait, comme si nous avions réussi quelque chose ensemble.

Puis je me tourne vers la caisse où Eva est en train de tailler des roses.

— Ma mère a été infidèle, je lui dis.

Peut-être aurais-je dû enrober ma phrase.

— Il s'appelle Lars. En ce moment, elle est en train de revivre leurs moments heureux à Falun. Qui aurait pu la croire assez téméraire pour se trouver un amant?

Eva taille ses fleurs avec encore plus d'obstination. Une rose tombe et atterrit sur une pauvre amaryllis sans même qu'elle ne s'en aperçoive.

— Pourquoi ne serait-elle pas assez téméraire pour… je veux dire, comment sais-tu qu'elle a été infidèle? Elle peut très bien l'avoir rencontré avant John ou même après…

— C'est vrai, je reconnais. C'était après?

Eva ne semble pas savoir si elle doit être flattée par le fait qu'elle soit la seule à pouvoir me donner la réponse ou irritée par ma présence.

— Je ne suis pas sûre que ça nous regarde, me lance-t-elle finalement.

— Elle perd de plus en plus la tête.

— Inger est aussi normale que toi et moi…, s'offusque-t-elle.

— C'est exactement ça. Avant elle était bien plus normale que moi.

— Elle l'est toujours!

Il est évident qu'Eva sait que l'état de ma mère a empiré. Elle lui rend visite bien plus souvent que moi. Je ne sais pas pourquoi elle s'obstine à le nier. Et je n'arrive toujours pas à deviner si elle connaissait Lars.

— Eva? Sais-tu qui était Lars?

Couic. Couic. Couic. Bientôt il ne restera plus de tiges à ses roses si elle continue de les couper à ce rythme avec son sécateur. Sans doute s'en rend-elle compte vu qu'elle s'arrête subitement et qu'elle regarde les fleurs d'un air soucieux.

— On prend soin d'elle à la maison de retraite, je lui signifie en m'abstenant de lui parler de la fugue.

— Elle a besoin de moi.

— Et d'une médication lourde, je marmonne pour moi-même.

Mais d'un autre côté, on ne peut pas dire que ce soit une nouveauté.

Ce n'est que maintenant qu'Eva lève les yeux vers moi.

— J'ai entendu parler de tes tentatives de faire entrer du monde dans l'organisation de la Journée de la Ville, me balance-t-elle.

Elle n'a même pas besoin d'insister sur le mot *tentatives* pour me faire comprendre qu'elle sait que ça a été un échec.

— Hans m'a demandé d'en faire partie puisque tu avais l'air de dire qu'il fallait des gens. Personnellement je suis persuadée qu'ils auraient géré ça très bien sans moi (traduction : sans *toi*) mais quand Hans me l'a demandé, je n'ai pas pu refuser. Je suppose qu'on se voit jeudi?

— Oui, je réponds d'une voix sombre.

Maintenant c'est moi qui vais probablement avoir besoin d'une médication lourde.

22

Les yeux brillants, Grand-Roger se précipite vers moi tout en agitant *Les Nouvelles de Skogahammar* du jour.

Ça y est, il est sorti! je me dis avec enthousiasme, me sentant enfin un peu plus en forme depuis mon escapade en voiture. L'article!

— Ça te fait quoi d'être une célébrité? me demande-t-il en me tendant le journal ouvert à la page culturelle.

La première chose que je vois c'est ma photo. J'ai l'air folle à lier. En dessous c'est écrit : *Anita Grankvist, le défi de sa vie.*

Un défi? Mes yeux scannent rapidement l'article. Le titre : *Anita croit en la Journée de la Ville.* Bon, en tout cas ça, c'est vrai. Ça continue : *Anita Grankvist, 48 ans* — j'en ai trente-huit, merde! —, *face au défi de sa vie, aimerait mettre en place la Journée de la Ville de Skogahammar. Vous vous demandez si cet événement existe toujours? Vous n'êtes pas les seuls. Un tour de vérification auprès du conseil municipal montre bien que personne n'en a entendu parler.*

Un tour! Il a dû se contenter de poser la question à la réceptionniste. Ou à un stagiaire.

Mais Anita, elle, est optimiste. «Cette journée sera une fête familiale formidable», déclare-t-elle à notre envoyé spécial. Enfin,

*pour l'instant, ça laisserait plutôt présager une formidable tragédie
familiale.*

L'article continue sur le même ton également dans le sondage
qui suit. Le « panel de la semaine » constitué par cinq habitants
« choisis au hasard ». Gösta, quatre-vingt-dix-sept ans, dit ne pas
en avoir entendu parler mais s'y rendra volontiers si sa maison de
retraite l'y autorise. Anna-Karin, quarante-deux ans, croit que la
fête aura lieu au printemps.

— Merde, je dis en oubliant la présence de Grand-Roger.

— Je pensais bien que ça t'intéresserait !

En lisant ça, Hans va faire un AVC.

Je suis agenouillée devant les paquets de riz thaï. Si quelqu'un
me demande ce que je fais, j'ai l'intention de dire que je suis en
train de ranger le rayon. Mais je n'ai pas honte de reconnaître
qu'en réalité je me cache.

Ann-Britt vient d'entrer dans le magasin.

La manière dont elle balaie les caisses du regard puis se dirige
vers les fruits et légumes me fait soupçonner qu'elle me cherche.
Mais vu qu'il est déjà onze heures, je ferai croire que je suis partie
très tôt en pause-déjeuner.

Le problème quand on se cache, c'est qu'on ne voit pas la personne qu'on veut éviter.

Certains estimeraient sans doute que je devrais me comporter
en adulte responsable et aller lui parler, mais cette solution ne
me plaît pas. Je la rejette aussitôt. Je n'ai pas trouvé une seule
association qui accepte d'intégrer l'équipe de projet, et Ingemar
Grahn vient à l'instant de démolir la Journée de la Ville et de me
faire passer pour une foldingue.

Une paire de bottines noires à lacets surgit dans mon champ
visuel. Le laçage est irrégulier et un cran a sauté, à part ces détails
les bottines semblent bien entretenues. Elles sont surmontées

d'une paire de mollets enveloppés dans un gros collant gris sans doute confortable mais franchement déprimant.

— Tiens, bonjour Anita !

— Bonjour Ann-Britt, je grommelle. Tu as lu *Les Nouvelles de Skogahammar*?

— Non ? Pourquoi ?

— Pour rien, je dis en me relevant avec difficulté.

Mon pied proteste autant que ma dignité contre l'effort que je lui demande.

— Justement je te cherchais, me lance Ann-Britt.

— Ah oui ?

Elle se penche vers moi. Son visage souriant et bien intentionné frôle pratiquement le mien. Elle me confie :

— Je voulais seulement te dire que je trouve très généreux de ta part de t'engager autant dans la Journée de la Ville.

— Oui…

J'omets de lui dire que si je ne laisse pas tomber c'est seulement parce que ça ferait trop plaisir à Hans, Ingemar et Pia.

Son sourire devient plus hésitant.

— Je n'ai pas réussi à trouver de nouvelles personnes qui veuillent bien s'y associer, poursuit-elle. C'est compliqué d'intéresser les gens. Tu ne trouves pas ça étrange ?

— Pff, je fais.

J'ai du mal à croiser son regard. Vu que je viens de ramper dans le rayon riz parce que je n'ai pas eu le courage d'aller lui parler, je ne me sens pas le droit de la juger.

— Mais je suis certaine que toi, tu vas réussir ! C'est tellement mieux depuis que tu es là.

Je me redresse. Je *vais* réussir. Je ne peux pas continuer à me cacher comme ça. J'ai affronté Ingemar Grahn et j'en suis sortie victorieuse, rien ne m'empêchera de recommencer.

— Je viens de lire un article sur la situation des réfugiés

syriens, poursuit Ann-Britt. C'est désolant. Comment des gens peuvent-ils faire ça à d'autres? Je ne comprends pas. Et la plupart sont des enfants! Quand je pense qu'il y a des personnes qui ne veulent pas qu'on les accueille ici, chez nous. Comment peut-on être aussi indifférent à la souffrance?

Elle accompagne sa question d'un hochement de tête désolé.

— Parfois j'ai vraiment du mal à comprendre les gens, me confie-t-elle tout bas, ce qui, dans sa bouche, doit être une critique particulièrement sévère.

— Tu sais, je lui réponds, moi aussi je me fais cette réflexion.

Mais avant tout j'ai du mal à comprendre Ingemar Grahn.

— Ann-Britt, je dois y aller, je lui dis avant de me tourner vers Grand-Roger : Tu peux t'occuper de la caisse? Je prends ma pause-déjeuner.

J'envoie un sms à Emma :

«Ingemar Grahn a encore frappé.» Elle m'appelle aussitôt alors que je me dirige vers la sortie du magasin avec toute la force et la détermination que je parviens à rassembler malgré ma démarche claudicante.

— Ne fais pas ça, maman, me dit Emma. Quelle que soit ton idée. Il ne le mérite pas.

Je ne réponds pas. Je continue à avancer aussi vite que je peux, enfin aussi vite que mon pied me le permet. J'ai juste enfilé mon blouson par-dessus mes vêtements de travail.

— Canalise ta colère, maman, poursuit Emma. Transforme-la et dirige-la vers quelque chose de constructif à la place.

— Cette Journée de la Ville sera une réussite, la meilleure de mémoire d'homme, merde!

— Ça ne devrait pas être si difficile que ça. Mais pas de blog, maman. OK?

— Il le mérite.

— Pas de blog! Promets-le-moi.

— OK, je rétorque nonchalamment. De toute façon, les blogs ça fait vraiment trop année 2000.

— Maman!

— Je te promets. Comment ça se passe avec Fredrik?

— Ça va. En fait, on a commencé à sortir ensemble…

J'entends qu'Emma sourit au téléphone et je me félicite d'avoir été assez charitable pour ne pas l'avoir appelé le Ringard cette fois-ci.

Ce n'est pas la première fois qu'Ingemar Grahn se fait critiquer.

Cet homme est tellement prétentieux qu'il n'ouvre pas un livre suédois parce que rien que l'idée que ce soit à la portée de tout le monde de le lire dans la langue d'origine lui donne la nausée.

Cet homme est tellement prétentieux qu'il n'a pas hésité à démolir littéralement un spectacle d'école. Dans lequel jouait Emma. Et il a cru qu'il s'en sortirait comme ça! Les hommes sont parfois tellement naïfs.

J'ai fait ce que toute mère qui se respecte doit faire. J'ai créé le blog www.ingemargrahn.se. Quelques heures de recherche sur Google m'ont suffi pour comprendre comment procéder. Puis j'ai baptisé le blog *Mes petits chéris!* et je l'ai rempli de photos de chatons.

Et de points d'exclamation! Pour un homme qui a un avis si tranché sur l'usage correct du point-virgule, découvrir ça a dû être comme des ongles qui crissent sur un tableau noir. Qu'est-ce que j'ai ri!

Quelques exemples de photos : deux chatons dans des tasses à café avec la légende «On peut que les aimer!!!» (Celle-là, j'en étais particulièrement satisfaite : une double raillerie en combinant les points d'exclamation avec l'absence de «ne»). Des chatons s'enlaçant avec la légende : «Qui veut me prendre dans ses

191

bras ? » Des chatons habillés avec le commentaire « Hi hi hi ! » et un chaton qui porte un bonnet avec un « Trooop mimi ».

La photo officielle sévère de son édito illustrait un texte de présentation qui souhaitait la bienvenue à tous les visiteurs de son « petit coin à lui » dans le grand monde du web et racontait sa passion : collecter sur Internet les photos les plus craquantes de chatons. Le texte se terminait par un chaleureux : « Bizouxxx ! »

Je ne l'ai bien sûr jamais informé de l'existence de ce blog. Je savourais juste l'idée que tous les gens qui le cherchent sur Google tombent dessus. Ça me mettait en joie de penser qu'on puisse le questionner sur ses hobbys et lui parler de chatons. Comme à la réunion parents-profs qui a suivi plusieurs personnes ont mentionné son blog, j'en ai déduit que ça devait être le cas.

Ingemar Grahn a fini par découvrir le blog. Après la réunion parents-profs, il y a eu quelques fuites. Mais impossible pour lui de savoir qui en était l'auteur. Je veux bien croire qu'après ça il n'était pas à l'aise avec les gens qu'il croisait et qu'il a hésité un peu avant de tailler un costard à quelqu'un dans ses articles.

Pendant deux ans, j'ai régulièrement mis le blog à jour. Jusqu'à ce qu'Emma me convainque de faire preuve de charité et de le supprimer.

Cela fait maintenant cinq ans qu'Ingemar Grahn n'a plus de chatons. Et il a visiblement retrouvé son arrogance.

Les Nouvelles de Skogahammar partage ses locaux avec une société de télémarketing. Le tableau à la réception indique que les deux groupes se trouvent au premier étage. Les murs sont en béton peint dans une nuance vert clair qui rappelle les établissements institutionnels.

Il y a aussi la liste des employés ainsi que leur titre. Voici à quoi ressemble l'équipe des *Nouvelles de Skogahammar* (probablement par ordre décroissant selon leur importance) : PDG. Vendeur d'espaces publicitaires. Vendeur d'espaces publicitaires. Vendeur d'espaces publicitaires. Vendeur d'espaces publicitaires *et* rédacteur de la page «Famille et Loisirs». Reporter *et* photographe *et* correspondant local. Reporter *et* photographe *et* rédacteur sportif. Et bien sûr : responsable de la page «Culture» *et* éditorialiste.

Je m'approche de la réception un sourire aux lèvres.

— Klara? je dis après avoir lorgné le badge de la jeune fille. J'aimerais voir Ingemar Grahn.

Klara a une vingtaine d'années. Elle est jeune, semble compétente et déjà blasée par son travail. Elle porte un rouge à lèvres écarlate, sans doute pour compenser les murs verdâtres qui l'entourent.

— Il est au courant de votre visite?

— Il devrait.

Je lui fais un clin d'œil en prenant un air entendu.

— Ne l'appelez pas. Je connais le chemin. Je suis sûre qu'il m'attend.

Au premier étage, toute la rédaction est entassée dans un coin, à peine isolée de la société de télémarketing.

Dans le fond, derrière un bureau surchargé, j'aperçois Ingemar.

Je me demande s'il a fini par savoir que j'étais l'auteure du blog et qu'il a voulu se venger en écrivant l'article. Je l'espère presque. Ça signifierait qu'il vit maintenant dans la peur de représailles.

Mais il ne semble pas particulièrement inquiet. Quand je m'approche de lui, il lève la tête et me regarde avec des yeux inexpressifs, comme s'il n'arrivait pas à m'identifier bien que nous nous soyons rencontrés il y a à peine une semaine et qu'il ait mis une photo affreuse de moi sur une des pages centrales du journal.

Je m'appuie contre son bureau, ce qui a l'avantage de l'irriter. Je le vois bien.

— Quel bel article tu as écrit, je dis.

— Toutes les citations sont correctes.

— Je n'en doute pas, je réponds. Bon, la photo n'est pas très flatteuse et j'ai été présentée comme une idiote optimiste, mais…

— Je n'ai fait que te citer, m'interrompt-il avec sarcasme.

— Il est important d'avoir un peu d'humour, non? Il faut savoir rire de soi-même. Tu es d'accord, bien sûr, toi qui as eu un blog sur les chats pendant des années.

Il se fige.

— Ce n'était pas moi! Quelqu'un avait détourné mon nom!

— Ah bon? je réponds. Tu es sur Twitter?

Il me regarde d'un air suspicieux.

— Non…

— C'est bien ce que je pensais. Je n'ai pas vu ton nom. Il ne doit pas y avoir grand monde ici qui utilise Twitter. Contrairement au milieu culturel de Stockholm. On peut même dire que c'est l'aire de jeu préférée des gens des médias de la capitale. Et tu n'as pas non plus Instagram?

Peut-être n'est-ce qu'une illusion mais je crois percevoir un petit tremblement dans son œil droit.

— Les photos de chatons, c'est toujours très apprécié.

— C'était toi l'auteure du blog! Deux années d'enfer! Pour Noël, mon chef m'a même offert un mug avec la photo d'un putain de chaton!

Je ressens une pointe de regret de ne pas avoir continué. Le mug aurait été une photo parfaite. En revanche, je me rends compte qu'il ne m'avait pas démasquée. Il a donc écrit cet article par pure méchanceté.

— Non, non, je réponds. Pourquoi je gaspillerais du temps et de l'énergie pour toi? Et je ne suis pas du tout en train de dire qu'un compte Instagram ou Twitter s'ouvrira prochainement à ton nom. Mon Dieu, ce serait du chantage.

— Tu n'oserais pas!

Au lieu de répondre, je m'efforce de prendre son expression de tout à l'heure. À la fois irritée, calme et hautaine. Je crois que j'y arrive plutôt bien.

— Qu'est-ce que tu veux de moi ? me crache-t-il.

Je vois que les mots ont du mal à sortir de sa bouche. Je souris.

— C'est drôle que tu me demandes ça…

Deux jours plus tard, Eva est assise en face de moi, un sourire complaisant aux lèvres. À côté d'elle est installée Ann-Britt avec son sourire affable, et Barbro avec ses sourcils relevés en accent circonflexe. Hans trône, comme d'habitude, dans son fauteuil de président. Et moi, je me trouve seule de l'autre côté de la table de conférence.

— Nous savons que tu as voulu bien faire, me sourit Ann-Britt.

Elle n'est pas ironique, mais pour les autres ça signifie : nous savons que tu es une imbécile.

— S'ils voulaient un article plus conséquent, ils auraient dû venir me voir. C'est moi qui fais les déclarations pour la Journée de la Ville, fait remarquer Hans. Je ne comprends pas pourquoi ils ne m'ont pas appelé.

— Ils ont décrit Anita comme une optimiste cinglée. Ou plutôt comme une idiote, intervient Barbro en me regardant d'un air sceptique.

— Ou les deux, ajoute Eva avec un grand sourire.

— Ce n'est vraiment pas juste, poursuit Hans.

Nous savons toutes qu'il ne fait pas référence à la description qui a été faite de moi.

— Cet article peut nous porter préjudice, affirme Barbro.

— On voulait que les gens entendent parler de cette journée, non ? je me défends.

— Et cette promesse que tous les habitants seront présents… Si nous n'arrivons pas à les faire venir, nous serons ridiculisées, se plaint Barbro.

— Tu aurais dû réfléchir avant de parler, me lance Eva.

— Il faut discuter de ce que nous allons faire maintenant, déclare Hans. Pouvons-nous apporter des clarifications? Si nous avions eu un site, nous aurions pu nous prononcer.

— Qu'est-ce que vous voulez clarifier? Que nous ne croyons *pas* en la Journée de la Ville? Que personne ne viendra?

Aucune réponse.

— Je sais déjà ce qu'on va faire, je déclare.

Mon idée ne doit pas les intéresser. Ils doivent surtout se demander comment se sortir de cette histoire.

— Nous allons organiser une réunion d'information.

Tous me dévisagent.

— La semaine prochaine, je poursuis.

— Tu n'arriveras jamais à faire venir qui que ce soit, me signale Barbro.

Eva acquiesce d'un signe de tête.

— *Nous* n'arriverons jamais à faire venir qui que ce soit, je rectifie. Ou plutôt, *nous réussirons* à les faire venir.

De nouveau, silence.

— J'ai résolu le problème. Ingemar Grahn va écrire un article enthousiaste à ce sujet dans le numéro de jeudi. Ensuite nous inviterons toutes les personnes qui nous semblent utiles. Les associations, les boutiques, les gens qui montrent un minimum d'intérêt pour cette journée ainsi que ceux qui se sont moqués de l'article. Et tous vos amis.

— On va inviter *nos* amis? reprend Barbro. Mon Dieu, pourquoi?

— Parce que nous croyons en cette journée, je réponds.

Ils baissent tous les yeux mais personne ne fait de commentaire.

— Et je m'occuperai de la scène.

Hans s'apprête à protester mais je l'arrête.

— Il y aura une scène. Et il y aura un bal.

Je décide de ne pas faire attention à la pointe de nervosité que je ressens devant mon affirmation audacieuse. Je ne sais absolument pas comment je vais m'y prendre. Mais je me dis que c'est pour la Journée de la Ville.

Je me suis promis de ne pas raconter mon plan à l'équipe de projet et j'ai complètement oublié d'en parler à Pia, je n'arrive cependant pas à être très convaincante.

23

Dans mon esprit, il n'est pas nécessaire d'attendre la tombée de la nuit pour aller au Réchaud à alcool, on peut très bien être déjà installé là-bas quand elle tombe.

C'est désagréable de quitter un appartement douillet alors qu'il pleut dehors. J'aurais dû mettre une veste plus chaude. Dès que j'entre en contact avec l'humidité, la lumière brumeuse des lampadaires et l'asphalte luisant, je me dis que mon canapé est le seul endroit raisonnable. J'aurais voulu être allongée sous une grosse couverture avec des chaussettes aux pieds et regarder un film sans intérêt.

Il est neuf heures et on est samedi soir. Officiellement je suis en route pour le Réchaud à alcool afin de trouver Charlie et de le convaincre de me donner un coup de main pour la Journée de la Ville. Je n'ai pas pris la peine de l'appeler en me disant qu'il serait probablement là.

De ne même pas réussir à se duper soi-même n'est pas bon signe. Des années d'aveuglement. Je sais exactement pourquoi j'y vais.

J'espère croiser Lukas.

Sachant que Pia verrait tout de suite clair dans mon jeu, je ne lui ai rien dit car elle sait très bien que c'est le seul endroit de la ville où j'ai une chance de tomber sur lui.

Par hasard.

À cette heure de la journée, les rues sont sombres et vides. Les rares restaurants encore ouverts sont déserts. J'ai presque la sensation d'avoir raté la sirène d'alerte à la population et que le pauvre vendeur de kebab et moi sommes les seuls à ne pas nous être réfugiés dans un abri antiatomique. Nous nous saluons d'un signe de tête à travers la vitrine vide.

Skogahammar a été construit à une époque où on supposait que tout se ferait en voiture. Rien n'a changé depuis. Quelques voies pour piétons ont été ajoutées, mais je pense que le nombre de places de parking dans la ville doit dépasser largement celui des habitants.

Des tentatives ont été faites pour rendre la Grand-Place plus attrayante en l'aménageant avec des bancs en fer forgé, un espace pour le sapin de Noël, une sorte de motif au sol, mais la moitié du périmètre reste toujours occupée par des places de parking vides. Nous avons aussi une Petite-Place mais elle est devenue le domaine des voitures, elle aussi.

Lorsque j'arrive devant le bar, je m'arrête un instant afin de rassembler mon courage pour pouvoir entrer.

Ce n'est que le bon vieux Réchaud à alcool, après tout.

Mais la première chose que j'entends en poussant la porte c'est :

— Putain !

— Qu'est-ce tu fous ici !

Ma soirée a à peine commencé et je me retrouve déjà au beau milieu d'une dispute entre gens bourrés.

Mais non. Les gars rigolent en se tapant dans le dos. Ce n'est qu'un samedi soir comme tant d'autres. Les jeunes boivent des bières accompagnées de shots et compensent leur absence de barbe par une dose trop importante d'after-shave. L'un d'eux porte une veste militaire bien que ce soit l'évidence même qu'il n'a jamais fait son service.

Je balaie la salle du regard. Pas de Lukas.

Il n'y a bien sûr aucune raison qu'il se trouve ici. Il existe plein d'autres endroits où passer son samedi soir. Mais je ne peux pas m'empêcher d'être déçue.

En réalité, je n'ai pas appelé Charlie parce que j'espérais ne pas avoir besoin de cette excuse. J'étais sûre de trouver Lukas et d'être assez courageuse pour aller le voir, l'air détaché, comme si j'avais l'habitude de venir ici toute seule.

En revanche, Charlie, lui, est là. Il est assis à une table au fond de la salle en compagnie de deux hard rockers. Même à cette distance, je devine qu'il a pris son air blasé. C'est exactement l'attitude que j'aimerais pouvoir adopter mais je suis en nage et mal à l'aise dans ma jupe grise inconfortable et ma veste assortie.

Trop timide pour m'approcher de lui, je m'installe au bar, à côté de deux hommes, et je commande une bière.

Le Réchaud à alcool est à moitié vide. Il y a à peine plus de monde qu'un jeudi soir. Pourtant tout semble différent. Le volume sonore est plus élevé bien que la musique ne soit pas très forte. Les voix sont criardes et excitées comme si les gens essayaient de se persuader eux-mêmes qu'ils s'amusent et que tout va bien.

Charlie ne m'a toujours pas remarquée. J'en profite pour réfléchir à la manière dont je vais l'aborder.

Je pourrais peut-être passer par hasard devant sa table et dire nonchalamment un truc du genre : Tiens, t'es là, toi ! (En jetant un rapide coup d'œil vers un autre coin de la salle comme si j'étais en route pour retrouver des gens à une table plus loin.) Que je m'assoie ? Euh… Juste une minute alors. Je voulais d'ailleurs te parler d'un truc.

Lorsque j'ose enfin m'approcher de lui, la scène se passe en réalité comme ça :

— Anita !

Je n'arrive pas à savoir si son intonation signale de la surprise, de l'indifférence ou de la joie.

— Ah, salut! je réponds.

Je serre plus fort mon sac à main et reste plantée devant leur table. Comme Rolf du relais motards.

Charlie attrape une chaise et donne une petite tape sur l'assise.

— Assieds-toi.

Reconnaissante, je me laisse tomber sans même me soucier d'avoir l'air cool.

Ses amis s'appellent Niklas et Johan. Ils portent tous les deux un tee-shirt noir avec un motif hard rock : une tête de mort, une paire de couteaux, un serpent, et aussi le nom d'un groupe que je ne connais pas.

Si on laisse de côté le nom du groupe, les gars ont exactement le même look que moi il y a vingt ans. L'un d'eux a même perfectionné son apparence par une coiffure très élaborée. Mais ses cheveux fins et crépus sont trop longs pour tenir convenablement en l'air.

— Beaux tee-shirts, je leur dis.

Les deux gars me font un sourire radieux. Leurs yeux gentils sont mal assortis aux serpents et aux têtes de mort.

— Moi aussi je portais ce genre de tee-shirt avant.

Les sourires s'éteignent aussitôt. Je réalise trop tard que je viens de dire une bêtise.

Ma tenue à moi n'est pas franchement une réussite. J'ai mis la seule jupe que je possède, en vue d'une chance microscopique de croiser Lukas au cas où il aurait envie de regarder mes jambes. Elle est en coton gris et me donne l'allure d'une secrétaire comptable.

La veste assortie n'est pas non plus une bonne idée. Je suis assise en face de la porte d'entrée. Chaque fois qu'elle s'ouvre, elle attire mon regard et je dois ensuite faire un effort pour paraître indifférente aux allées et venues des gens.

— Tu cherches qui ? me demande Charlie avec une pointe d'irritation dans la voix.

Je sursaute, fautive.

— Personne ! je réponds. Mais… où sont passés les gens ?

— Il est trop tôt, me fait remarquer Johan.

Niklas confirme d'un hochement de tête.

Johan est grand et maigre, Niklas seulement maigre. Il a aussi — quel destin tragique pour un hard rockeur ! — une calvitie naissante qu'il a essayé de camoufler en se rasant la tête et en misant sur une grosse barbe.

— Il est quand même neuf heures et demie, j'objecte.

J'ai dû faire un petit somme dans l'après-midi en prévision de la soirée. Sans doute vaut-il mieux ne pas mentionner ce détail.

— Il est trop tôt, répète Charlie. D'abord on commence par se chauffer chez quelqu'un.

— Après on se chauffe chez quelqu'un d'autre, poursuit Niklas.

— Et après on vient ici, ajoute Johan.

— Puis on finit la soirée chez encore quelqu'un d'autre, conclut Charlie.

— Ça a l'air fatigant, je commente. Du coup… quand est-ce que les gens arrivent ?

Charlie hausse les épaules.

— Probablement sur le coup de onze heures.

Ce qui signifie qu'il faut que je reste éveillée encore au moins une heure et demie au cas où Lukas viendrait. Ce qui signifie aussi que je pourrais lâcher la porte d'entrée pendant un moment et me décontracter. Chose que je ne fais bien sûr pas.

— On dirait une sorte d'étude zoologique, je dis. Et vous êtes mes guides dans la jungle.

— Ça fait combien de temps que tu n'es pas sortie ? me demande Johan.

— Quinze ans, je réponds trop vite pour avoir le temps de réfléchir.

Tous les trois me dévisagent.

— Quinze ans ? répète Niklas.

— Anita a un enfant.

— Dans ce cas… tu ne devrais pas être dehors à cette heure-ci, dit Johan.

Que Dieu bénisse son âme naïve. Comme si la moitié des mères présentes ici ne picolaient pas en cachette pour supporter leur existence.

— Emma a dix-neuf ans. Elle habite à Karlskrona.

— Salut Anita !

La voix de Lukas me parvient de quelque part derrière moi. Il a réussi à entrer et à se faufiler jusqu'à notre table sans que je le remarque.

Je sursaute au point de manquer de renverser ma bière. Puis je me retourne en essayant d'organiser mon visage en un sourire détendu et surpris.

Dès que mon regard croise le sien, je perds toute contenance. Les jolies rides autour de ses yeux rieurs me liquéfient. J'ai du mal à respirer.

Je déglutis tout en essayant de me maîtriser, mais j'ai soudain une conscience exacerbée des détails autour de moi : les sourcils de Charlie qui se relèvent légèrement, les rictus confus de Niklas et Johan, le regard froid de la femme qui se tient juste derrière Lukas, comme une ombre insipide qui cherche à comprendre pourquoi il s'attarde.

Pourvu qu'il ne soit pas passé directement de Sofia à elle, je me dis. La femme a les cheveux blonds, un brushing, un pull beige sur un tee-shirt clair. Elle est si lisse que je l'ai oubliée dès que je me suis de nouveau tournée vers Lukas.

Son regard est toujours posé sur moi.

— Comment vas-tu ? me demande-t-il. Au fait, merci pour la dernière fois.

Les sourcils de Charlie se relèvent encore et l'Ombre derrière Lukas jette des coups d'œil impatients vers la salle. Moi, je n'arrive pas à le quitter des yeux ni à formuler la moindre parole sensée.

Je suis presque soulagée quand Lukas se tourne vers Charlie, le salue comme une vieille connaissance et se présente à Niklas et Johan.

— Asseyez-vous, lui propose Charlie.

— Sofia ne va pas tarder, rappelle l'Ombre à Lukas.

Jusqu'à présent, c'est sa seule contribution à la conversation.

S'ils étaient ensemble, elle ne serait pas si fermement résolue à attendre l'ex de son mec.

— Il y aura sûrement de la place pour elle aussi, dit Lukas en s'asseyant sur la chaise à côté de moi.

L'Ombre choisit la place d'en face. À peine est-elle assise qu'elle sort son portable.

Je ne peux pas m'empêcher de refaire un sourire à Lukas. Malgré son jean on ne peut plus ordinaire et sa chemise en coton rayée, il réussit à avoir l'air aussi cool que s'il avait revêtu ses habits de moto.

— Comment vous vous connaissez ? demande Charlie.

— Nous… euh…, je bredouille.

— Anita prend des cours de moto, explique Lukas.

Je suis assez satisfaite de la mine impressionnée de Charlie. En revanche, je n'ai pas très envie qu'on me rappelle que notre relation se réduit à celle de prof-élève. Je suis soudain frappée par le fait qu'on ne se connaît pas officiellement. Il est mon moniteur. Et je suis son élève. Qui plus est, sa pire. C'est ce qui nous réunit.

Je devrais peut-être essayer de ne pas l'oublier. J'ai passé la semaine à le chercher des yeux dans toute la ville alors que lui n'a probablement pas eu une seule pensée pour moi.

— Et vous, comment vous vous connaissez? demande Lukas à Charlie.

— Anita et moi avons empaqueté environ cinq cents préservatifs ensemble. On a tous les deux une vie sexuelle hyperactive, dit Charlie.

— *Elle*? s'étonne l'Ombre.

— Je suppose qu'une histoire amusante se cache derrière tout ça, non? dit Lukas.

— Une histoire? je répète.

— Anita m'a accompagné à une réunion LGBT à Örebro, explique Charlie. À cette époque, j'étais un jeune gay angoissé qui n'osait pas y aller seul. J'ai donc demandé à la seule personne que je savais assez folle pour accepter de m'accompagner. J'ai essayé de la convaincre de faire croire qu'on était ensemble mais là, il y a eu une limite qu'elle a refusé de franchir.

L'Ombre semble totalement désarçonnée par ce que Charlie vient de raconter. Elle le fixe avec stupéfaction.

— Je me disais surtout que ça ne serait pas bon pour tes plans drague, j'explique.

— Si vieille et toujours aussi naïve! me sourit Charlie. C'est impossible d'être crédible en tant qu'homo si on n'a pas d'ex.

Puis il poursuit :

— Ils voulaient organiser une campagne en milieu scolaire. Tous les gens présents devaient aider à mettre des capotes dans des emballages LGBT.

Lukas éclate de rire. Ça me fait sourire. Je me décontracte légèrement tout en jetant un œil à notre reflet dans la vitre. Je vois un groupe étrange et improvisé de gens qui rient ensemble. Et moi, assise au milieu. Comme si j'étais au centre et que les autres dans le bar étaient les figurants de mon samedi soir. Ils sont tous plus jeunes et plus beaux que ceux qui traînent au Réchaud à alcool les jours de semaine. Plus jeunes d'esprit en tout cas. Habitués à rire plus fort et à écouter de la musique plus récente. Les jeans sont plus serrés, les tops plus scintillants, le maquillage des filles si parfait que leurs expressions se confondent et qu'elles se ressemblent toutes.

Je suis contente d'avoir misé sur du mascara et du fard à paupières.

Sur les tables, il n'y a plus aucun signe montrant que le lieu fait aussi restaurant. Là où se trouvent habituellement des nappes et des fleurs en plastique sont maintenant posés des drinks multicolores, des plateaux avec des shots et la bière de la semaine.

Notre table est couverte exclusivement de bières. L'Ombre attend toujours l'arrivée de Sofia pour commander.

Et lorsque Sofia fait enfin son entrée, elle produit son petit effet.

Après avoir passé le seuil d'un pas décidé, elle s'immobilise et balaie les tables du regard afin de se faire une idée de ce qui se passe. Mais je la soupçonne de vouloir en réalité attirer les regards sur elle. Naturellement, elle connaît la majeure partie des gens et n'a pas besoin d'être sauvée par une vieille connaissance de travail. Elle dit bonjour à presque toutes les tables : deux phrases par-ci, une main sur une épaule par-là, un rire, et ça tout en se dirigeant d'un air déterminé vers nous, ou plus précisément vers Lukas. Elle est accompagnée d'une autre fille, manifestement l'Ombre n° 2, qui marche derrière elle et avance à contre-temps ; lorsque Sofia s'arrête pour dire bonjour, l'Ombre n° 2 se met en route, et lorsque Sofia se met en route, l'Ombre n° 2 s'arrête pour dire bonjour.

Les deux filles enlacent chaleureusement l'Ombre n° 1 puis Lukas avec encore plus d'enthousiasme. Elles sont bien plus expérimentées en la matière que moi. Sans que je comprenne comment elles s'y sont prises, elles ont réorganisé la table, ont apporté quelques chaises supplémentaires et demandé à Johan et

Niklas de se décaler sans vraiment les regarder dans les yeux. Et nous voilà serrés, Charlie, Niklas, Johan et moi, au bout de notre table comme au début. Lukas est toujours assis à côté de moi, mais Sofia se trouve maintenant face à lui, encadrée par les deux Ombres.

— Ça y est, les gens sont là ? je lance à Niklas, Johan et Charlie qui acquiescent.

Sofia nous toise rapidement pour finalement décider qu'on ne l'intéresse pas. Elle le fait tout en discutant avec Lukas et les deux Ombres, comme si elle n'avait eu besoin que de deux secondes pour décider qu'on n'était pas dignes d'attention. Je suis presque certaine qu'elle m'a exclue d'emblée.

Je suis tournée vers elles. Peut-être parce que mon corps est inconsciemment attiré par Lukas mais aussi parce que ce petit groupe constitue une sorte de pôle magnétique. Elles savent qu'elles sont au centre, ce qui a pour résultat que nous nous comportons en conséquence.

Les trois filles se mettent à chuchoter entre elles, mais suffisamment fort pour que tout le monde les entende. Elles parlent du gars assis à la table d'à côté qui, de source sûre, était « complètement bourré » le week-end dernier et qui, de source tout aussi sûre, aurait peloté Jenny alors qu'elle venait de larguer Stefan, et ainsi de suite. Elles dressent le portrait d'une galerie de personnages inconnus de nous autres.

Sofia est sans conteste la leadeuse du groupe. Quand elle rit, les autres rient. Et lorsqu'il arrive à l'Ombre n° 1 ou l'Ombre n° 2 de se prononcer, elles vérifient sa réaction du coin de l'œil. Si Sofia rit, elles sont rassurées. Si Sofia regarde son portable, elles perdent les pédales.

— Pourquoi tu as demandé à Anita de t'accompagner à une réunion LGBT ? demande Lukas à Charlie en poussant plusieurs verres pour pouvoir nous voir.

Un tressaillement collectif parcourt notre partie de la table. Comme si nous réalisions soudain que nous sommes là, nous aussi.

Mais Charlie est content d'être de nouveau au centre.

— Je n'avais que dix-sept ans et aucune envie de faire mon coming-out devant ma classe. Anita était la seule personne à qui je me voyais poser la question. À cette époque, je faisais des heures sup le week-end à Extra-Market et je savais déjà qu'elle était cinglée.

— Comment tu le savais ? demande Lukas.

Il me regarde en me faisant un grand sourire mais je me sens obligée de protester.

— Je ne suis pas cinglée !

Un court silence s'ensuit.

Sofia n'apprécie pas que l'attention se soit déplacée sur Charlie. Elle sort son portable de façon ostentatoire mais quand ma folie est mentionnée, elle le baisse et ricane.

— C'est la maison en pain d'épice qui m'a convaincu, explique Charlie. Pompéi.

Niklas et Johan me dévisagent.

— C'était toi ? me demandent-ils.

Je les regarde sans comprendre. Ils sont bien plus âgés qu'Emma. Ni eux ni Charlie n'ont pu être au lycée lorsque Emma était en sixième.

— Il y avait un marché de Noël au collège tous les ans, poursuit Charlie. Il était installé dans le hall et les élèves étaient obligés de s'y rendre avec leur famille.

— Je sais, confirme Lukas. Tous mes copains y allaient chaque année avec leurs petits frères et sœurs.

— J'ai même été obligé d'y aller plusieurs années après avoir quitté le lycée, déclare Niklas. Et chaque fois on devait se coltiner l'expo de maisons en pain d'épice et faire semblant de l'admirer.

— Quand j'étais au collège, il n'y en avait pas, mais je me demande si je n'ai pas vu des images dans *Les Nouvelles de Skogahammar*, intervient Lukas.

— Certainement. Chaque année il y avait un article avec des photos, explique Charlie. Mais les maisons se ressemblaient toutes. En général, c'étaient des reproductions de bâtiments historiques.

— Il y avait une sacrée concurrence entre les parents, j'explique. Il fallait que ça en jette.

Johan, Niklas et Charlie confirment. Les jeunes devaient en être conscients, eux aussi.

— Et la concurrence était rude ? demande Lukas.

— Tu n'imagines même pas, je réponds.

— Chaque année, il y avait une dizaine de châteaux, explique Charlie.

— Et des pyramides, ajoute Niklas.

— Mais il n'y a eu qu'un Pompéi ! font-ils tous en chœur. Une maquette de deux fois deux mètres, avec de la cendre grise et tout.

— Comment vous savez ça ? je demande. Ça faisait bien longtemps que vous n'étiez plus à l'école.

— Le bouche à oreille, dit Charlie. Une légende urbaine perpétuée de génération en génération.

— Mon petit frère était au collège à ce moment-là, explique Niklas.

— Dès que j'en ai entendu parler, j'ai su qu'Anita était la bonne personne.

Voilà la vraie histoire de Pompéi : mon idée de départ était de faire un village idyllique. Je n'avais jamais eu le courage de participer à ce concours auparavant, mais cette année-là j'avais décidé de faire un effort pour Emma. J'avais construit toutes les parties du village en pain d'épice pendant une bonne semaine, jusqu'à ce que l'odeur me donne la nausée. J'avais élaboré des plans, j'avais fait des calculs et des tests, il ne me restait plus que le montage et la décoration.

Le soir où je devais enfin mettre la touche finale, j'ai fait tomber la plaque avec le village qui s'est écrasé par terre.

Il était quatre heures du matin. Je n'avais qu'une envie : me mettre en position fœtale et pleurer toutes les larmes de mon corps. Mais Emma avait été si fière de ma construction que je devais trouver une solution.

Après avoir craqué et juré en silence, j'ai regardé les ruines du village où j'avais investi tant de temps et d'efforts et j'ai pensé à Pompéi.

Puisque les ruines étaient déjà là, il ne me restait plus qu'à trouver de quoi faire la cendre. J'ai consacré une bonne demi-heure à faire le tour de mon garde-manger. C'est terriblement compliqué de trouver des choses comestibles de couleur grise. J'ai essayé de mélanger différents aliments mais le résultat était toujours une boue marron. Ce que j'ai trouvé de mieux a été du coton teint avec la peinture à l'eau d'Emma (le coton est autorisé dans les maisons en pain d'épice !) et j'ai émietté des biscuits au chocolat noir fourrés d'une crème blanche. Le mélange du blanc et des miettes noires sur le coton gris a bizarrement donné un aspect très réaliste à la scène.

Quand on est incapable de faire quelque chose de bien, il faut savoir improviser.

— Je n'arrive pas à comprendre pourquoi tu n'as pas gagné, dit Niklas.

— C'est moi qui ai remporté le premier prix, sourit Sofia. Enfin, ma petite sœur, précise-t-elle.

Au même moment Johan s'écrie :

— Tous mes copains étaient dégoûtés. C'est un château de princesse cucul qui a gagné.

Mais il est immédiatement pris de remords.

— Ma mère a fabriqué le château pour ma petite sœur, explique Sofia en le fusillant du regard. Là, au moins, c'était une vraie construction. Pas une ruine. Mais franchement, ça intéresse qui les maisons en pain d'épice ?

— Oui, je suis bien d'accord, je dis pour calmer le jeu.

Sofia nous tourne le dos et se lance dans une nouvelle discussion avec ses deux copines et Lukas. Je lutte contre l'envie de l'écouter.

Il n'y a aucun doute, nous sommes redevenus les figurants. Mener notre propre discussion semble presque indécent, mais je regarde Charlie et je lui dis à voix basse, comme si j'avais peur de déranger Lukas, Sofia et les deux Ombres :

— J'essaie d'organiser la Journée de la Ville. La programmation de la scène c'est mon grand défi. On a besoin d'un programme. Puisque tu as participé à la Gay Pride, je me disais que tu pourrais peut-être me donner un coup de main ?

— Je n'étais qu'un bénévole. Un parmi tous ceux en pull vert horrible. Et je n'ai fait ça qu'une année. C'est un miracle que j'aie réussi à coucher.

— À mon avis, ça te posera autant de problème à la Journée de la Ville, j'avoue.

J'entends Lukas tousser derrière moi.

Il y a seulement une semaine, j'étais seule avec lui. Je pouvais lui parler de tout et de rien, le contempler autant que je voulais. Maintenant je dois économiser mes regards. Chaque fois que je me tourne dans sa direction, Sofia est aux aguets.

— Mon Dieu, qui peut bien avoir envie d'aller à la Journée de la Ville ? lance-t-elle.

Je n'en attendais pas moins d'elle.

— C'est un peu ça le problème, je réponds.

Puis je poursuis mon argumentation pour tenter de convaincre Charlie.

— La Gay Pride c'était un projet aussi fou, non? Pourtant chaque année c'est une super fête. Un projet qu'on croyait au départ impossible mais qui finalement est couronné de succès. Comme la Journée de la Ville. Sans la fête, le programme et le succès, bien sûr. Mais c'est un projet tout aussi impossible. Et maintenant j'ai besoin de renfort.

— C'est vrai que ça pourrait être marrant, dit Charlie. Tu veux quoi exactement?

— Un groupe. Qu'il se passe quelque chose.

Niklas se redresse.

— Nous on a un groupe! déclare-t-il.

Johan confirme avec enthousiasme.

— Qui s'appelle Eldur Dauða. Ça signifie Feu et Mort en islandais. Ça veut tout dire, non? On a des tee-shirts, un site et tout.

— Oui… on parlera des détails plus tard, je dis.

— On fait du black metal. Ça va être génial. Gorgoroth avait des têtes de mouton clouées sur la scène et déversait plus de quatre-vingts litres de sang de mouton pendant les concerts. T'imagines comme ce serait cool de faire ça à la Journée de la Ville.

— C'était en Pologne, précise Niklas.

— Pas d'animaux morts, je dis puisque Charlie ne proteste pas. Pas de vivants non plus, j'ajoute pour plus de sûreté.

— On pourrait quand même utiliser du sang de cochon?

Lukas éclate de rire. En me faisant un rapide sourire, il se penche vers nous pour dire à Niklas et Johan :

— Ou des chauves-souris. Comme quand Ozzy Osbourne a arraché la tête d'une chauve-souris sur scène et qu'il a été bon pour quelques seringues contre la rage à l'hôpital après le concert.

— Je regarde souvent The Osbournes, l'interrompt Sofia. Ozzy n'a pas franchement l'air d'être une flèche.

— La plupart du temps, il est bourré, explique Lukas. Et il croyait que la chauve-souris était en plastique.

Lukas, Johan et Niklas poursuivent leur discussion sur le metal malgré les interventions répétées de Sofia. Finalement elle abandonne et se tourne vers moi.

— J'ai entendu parler de votre petite balade ce week-end, dit-elle.

Comment ça? Qu'est-ce qu'elle a entendu?

L'espace d'un instant, je me dis qu'elle arrive à lire dans mes pensées et qu'elle sait que je suis venue ici dans le seul espoir de rencontrer Lukas.

— Lukas a tendance à avoir de la peine pour les gens, poursuit-elle en faisant un sourire indulgent dans sa direction.

Lukas s'arrête de parler et la regarde l'air embarrassé.

Je m'efforce de remonter le coin de mes lèvres dans une tentative de sourire.

— Je n'étais pas dans mon assiette, je consens sur un ton léger.

— C'était compréhensible, non? me sourit Lukas.

Ce que Sofia n'apprécie pas du tout.

— Et une station-service t'a redonné la pêche? me dit-elle en haussant ses sourcils parfaits.

Elle est très bonne à ça. Je vois bien qu'elle cherche à m'humilier. Mais que faire?

— Rien ne vaut un café à Statoil pour retrouver la pêche, je réponds.

En l'occurrence, c'était vrai.

— Un café à Statoil? répète Sofia en riant.

Son rire est une véritable œuvre d'art : pétillant et clair avec un soupçon de moquerie. Même Charlie se joint à ce rire. Mais je sais qu'il se rangerait de mon côté si on en venait aux mains.

— Regardez, Stefan est là, dit-elle soudain aux deux filles.

Les trois Ombres reprennent leurs potins.

Il est plus de vingt-trois heures, je viens de terminer ma troisième bière et je ne me sens pas capable d'en boire une quatrième en écoutant Sofia parler de gens que je ne connais pas, de films que je n'ai pas vus, de musique que je n'ai pas entendue. Son parfum douceâtre et vanillé commence à me donner mal au crâne.

Je n'ai pourtant pas envie de partir. Qui sait quand je reverrai Lukas la prochaine fois, je me dis, idiote que je suis. Comme si ça valait la peine d'écouter le bavardage insipide de nanas inconnues dans l'espoir de pouvoir échanger trois mots avec lui.

Le pire c'est que je trouve que ça vaut effectivement la peine. Mais soudain la situation me semble absurde.

C'est une chose d'être requinquée par un cours de moto. C'en est une autre de l'être par un café dans une pompe à essence et par quelques mots autour d'une table un samedi soir. Là, c'est franchement ridicule.

— Il est temps pour moi de rentrer, je dis en me levant.

Tout le monde se tait et me regarde avec surprise.

C'est un départ indigne, j'en suis consciente. Je manque de faire basculer ma chaise en attrapant ma veste et mon blouson et je dois ensuite me pencher pour récupérer mes affaires sur la table : mon portable, mon portefeuille, mes cigarettes, mon briquet. Je fais un signe maladroit à tout le monde avec mes deux mains encombrées et je me sauve en vitesse. Oui, je me sauve, je n'ai pas honte de le dire.

Bien qu'il se soit mis à pleuvoir, l'air frais du soir est une véritable libération. Les fumeurs se serrent contre le mur du bar, sous les cinquante centimètres de toit qui ne protègent personne.

Je sors sous la pluie d'un pas décidé et j'allume une cigarette bien méritée. Je reste ensuite là, à regarder les gouttes me tomber dessus. Selon une théorie de Pia, si on brave la pluie, on a moins la sensation d'être mouillée. J'y repense lorsque je sens l'eau commencer à couler dans mon cou. Je redresse le dos.

Derrière moi j'entends la musique du Réchaud à alcool. Plus forte maintenant. Ainsi que le brouhaha des fumeurs qui sont trop soûls pour se plaindre du mauvais temps.

J'entends aussi quelqu'un crier «Anita», et je me retourne lentement.

Lukas se tient sur le seuil, le visage levé vers le ciel, probablement pour estimer l'intensité de la pluie. Il n'a pas mis son manteau mais il est vite poussé dehors, bousculé par les fumeurs. Lorsqu'il se retrouve sous la pluie, il semble encore plus indifférent que moi. Pia serait impressionnée.

— Tout va bien? me demande-t-il.

Je jette un œil derrière lui pour vérifier si Sofia l'a suivi.

— Oui, je réponds. Tout va bien.

— Tu es partie très rapidement.

— Demain je travaille, je mens.

Il n'a pas l'air de savoir quoi dire mais il reste quand même. Je tire une taffe de ma cigarette.

— Bon…, je finis par dire. C'était sympa de se revoir, maintenant faut que…

— Tu fais quoi le week-end prochain? m'interrompt-il.

Je me fige.

— Comment ça? je demande bêtement.

— Ça te dirait qu'on se voie?

— Oui.

Ma réponse arrive trop vite. J'ai envie de me donner une claque. Super, Anita, je me dis. Tu joues l'inaccessible à la perfection. Comme toujours.

Il sourit.

— Samedi?

— OK.

— Ici? À dix-neuf heures?

Je hoche la tête et il s'apprête à rentrer dans le bar.

215

— Lukas, attends! je dis. Pourquoi tu veux qu'on se voie samedi?

Comme si je m'attendais à ce qu'il me balance à la figure que c'est par compassion. Mais même cette raison ne suffirait pas pour que je refuse le rendez-vous. Aïe, ça ne plairait pas à Pia…

Il s'immobilise et me regarde, surpris.

— La seule chose que tu sais de moi c'est que j'ai une mère folle et que je suis nulle en parcours lent, je poursuis.

— Pas seulement, me sourit-il. Tu as aussi emballé cinq cents capotes pour un ami et tu as fabriqué un Pompéi en pain d'épice pour ta fille.

— Au départ, ça devait être un village, je rectifie.

Il ne prête pas attention à ma réponse. Peut-être n'est-il pas intéressé par les détails de ma construction.

— Et il faut bien que quelqu'un t'apprenne l'histoire du hard rock.

Sur ces mots, il passe le seuil de la porte et me laisse plantée là avec mon sourire stupide.

24

Je veux bien croire que je sois quelqu'un d'indépendant et que je m'en sorte toute seule, mais ce n'est rien comparé à Pia.

Quand son mari s'est retrouvé en prison et que j'ai invité ses trois fils à dîner, il s'en est fallu de peu qu'elle me rentre dans le lard.

Avant le scandale, je ne la connaissais que de nom. Elle était cachée dans la nébulosité de la classe moyenne : deux voitures, une villa, un mari aux cheveux ondulés et au regard badin. Mais après la fraude fiscale, les projecteurs se sont subitement focalisés sur elle et j'ai alors appris qui elle était. Comme tout le monde.

Simon, celui du milieu, était dans la classe d'Emma, mais tous ses enfants étaient si proches en âge qu'ils passaient beaucoup de temps ensemble. Un soir qu'ils étaient à la maison, ça m'a paru naturel de leur proposer de rester dîner.

Quelques jours plus tard, je les ai de nouveau invités. Pas par pitié mais parce que je me disais que si mon père s'était trouvé en plein procès, j'aurais apprécié un dîner pas compliqué en compagnie de deux personnes qui se fichent totalement du scandale.

— J'ai appris que tu avais invité mes fils à dîner, m'a-t-elle balancé un jour que nous nous trouvions dans le couloir devant la classe d'Emma et de Simon.

C'était la première réunion parents-profs après l'inculpation de son mari et j'étais étonnée qu'elle soit présente. Apparemment j'avais fait quelque chose de mal. Elle se tenait bien droite devant moi en me fusillant du regard comme si je l'avais offensée.

— Oui ? j'ai répondu en la regardant droit dans les yeux.

— Je suppose que le fait d'avoir un mari en prison rend la chose plus intéressante.

— Sans doute, je lui ai répondu en toute sincérité.

Probablement parce que je n'aimais pas son ton, mais peut-être aussi parce que je n'ai jamais appris à me taire. J'ai ajouté :

— Pour être honnête, jusqu'à maintenant je me suis surtout dit que tu n'avais pas l'air franchement rigolote.

Pia a hésité l'espace de quelques secondes avant d'éclater de rire de sa voix rauque. Et depuis ce moment-là, on est amies.

— Tu la vois, la femme là-bas ? Elle doit être bourrée, m'a-t-elle chuchoté à l'oreille pendant la réunion parents-profs en faisant un signe de tête vers une femme toute fine à l'air absent. Il la trompe. Tout le monde est au courant. Même elle. Mais personne ne dit rien, bien sûr. Ce qui a aussi été le cas avec mon mari. Mais la différence c'est que moi, je n'avais rien vu. Je n'étais pas aussi intelligente qu'elle. Elle n'a plus d'illusions. Faut au moins l'admirer pour ça. Un verre, ça te dirait ?

— Maintenant ?

— La réunion est d'un chiant !

Puis elle m'a invitée à dîner et elle m'a trouvé un boulot à Extra-Market. Si je lui en avais donné la possibilité elle aurait dirigé ma vie. Depuis cette époque, elle n'a pas changé d'un pouce. Elle porte toujours des jupes trop courtes, elle a un trait de khôl trop épais autour des yeux, des cheveux trop blonds et, si elle le pouvait, elle continuerait à gérer ma vie.

Je ne lui raconte pas ma soirée de samedi. Ni celle qui vient de passer, ni la prochaine. Je crains sans doute qu'elle comprenne que Lukas n'a absolument aucun sentiment pour moi et que moi j'en ai déjà beaucoup trop pour lui. Je n'ai pas envie de lui donner une raison de se moquer de moi.

Si elle apprenait que je le soupçonne de me voir par pitié, elle ne m'autoriserait probablement plus à le rencontrer. Elle serait capable de m'enfermer dans mon appartement, de barricader la porte et de monter elle-même la garde.

Les vrais amis ne laissent pas leurs proches faire de concessions quand il s'agit de leur «estime de soi», a-t-elle l'habitude de me dire. Généralement, je lui en suis reconnaissante.

Mais pas aujourd'hui. Je ne comprends toujours pas pourquoi Lukas veut me voir. Ça ne peut pas être uniquement par compassion. Et en réalité je m'en fous. Je ne pourrais pas m'empêcher d'aller au rendez-vous même si je savais que c'était juste pour me remonter le moral.

Le lundi matin, Pia et moi sommes assises à nos places habituelles dans la salle du personnel tandis que Petit-Roger fait sa énième tentative de nous pousser à prendre des responsabilités.

Je dois lutter pour ne pas avoir l'air coupable. Comme s'il suffisait à Pia de me regarder pour savoir que je suis sortie ce week-end et que je lui cache quelque chose.

— Considérez ça comme un challenge, une chance de montrer ce que vous avez dans le ventre! Ça peut être la prochaine étape vers une carrière fantastique…

— Quand j'essaie de vendre la Journée de la Ville, est-ce que je suis aussi mauvaise que lui? je chuchote à Pia.

Depuis quelque temps, je n'arrive plus à me moquer de Petit-Roger et je commence à avoir de la sympathie pour les projets mort-nés.

— T'es pire, me répond Pia. Au moins lui, il propose un boulot payé.

— Sans augmentation de salaire, je lui rappelle.

219

Lorsque Petit-Roger a commencé à parler de ce nouveau poste, la rémunération a été notre première question. Sa réponse a mis fin à notre intérêt qui est descendu en flèche.

— Mais je n'ai pas dit qu'il réussirait mieux que toi. Vous avez autant de chances l'un que l'autre. Et au moins, toi, tu es plus jolie.

— Tout est relatif, je réponds.

La réunion d'information aura lieu jeudi. Ingemar Grahn s'est fait violence et a écrit un nouvel article convenable. De son côté, Petit-Roger a accepté de sponsoriser un café amélioré, ce qui est mentionné dans le journal.

J'ai l'intention de tout organiser dans les moindres détails. J'ai besoin de ça pour éviter de penser à Lukas. Il reste encore pas mal de travail à faire, mais Ann-Britt est prête à m'aider. Même Barbro s'est un peu adoucie depuis le dernier article.

Les Sorcières de la Culture ont toutes les trois promis de participer à la Journée de la Ville et seront présentes à la réunion d'information. C'est apparemment le premier article d'Ingemar Grahn qui les a décidées.

— Tu as été bonne sur ce coup, m'a félicitée la Dame du Théâtre après le deuxième article. On ne peut pas tout accepter de la part des hommes.

— Il a ridiculisé notre Journée du Livre, m'a expliqué la Dame du Livre. Nous avions invité une auteure pour la jeunesse. « Ça conviendra à tous les lecteurs de Skogahammar », a-t-il écrit, ce qui était méchant puisque le livre s'adressait à la tranche d'âge des 5-7 ans.

— « De l'art surréaliste », a-t-il écrit à propos de notre exposition, m'a dit la Dame de l'Art. C'était des paysages à l'aquarelle !

— Anita, tu comptes te lever un jour ou tu as l'intention de rester assise ici toute la matinée ? me lance soudain Petit-Roger.

Je ne m'étais pas rendu compte qu'il avait terminé son monologue et que tout le monde quittait la salle de réunion pour se diriger vers le magasin.

Il va falloir que j'arrive à dérouter Hans, je me dis avec détermination. Et il va aussi falloir gérer les Sorcières de la Culture.

Le jeudi, je suis sur place une heure à l'avance. Mais au bout de cinq minutes je me demande si ça représente un intérêt quelconque.

Il faut à tout prix rendre le local plus accueillant, mais comment ?

La pièce respire cinquante années d'engagement. Un portrait est accroché sur un mur (« Henri Dunant ! » comme aime à nous le rappeler Ann-Britt, avec du respect dans la voix. Sûrement une personne fort sympathique !), sur le mur d'en face il y a une étagère pleine de cartons qui portent des étiquettes : « Cassettes audio : radio de Skogahammar » suivi des années : 81, 82, 83... et jusque dans les années quatre-vingt-dix.

La pièce se situe dans la cave. De minuscules fenêtres près du plafond rappellent la liberté à l'extérieur. Elles sont bien trop étroites et bien trop haut placées pour qu'on puisse imaginer pouvoir s'échapper par là. Peut-être est-ce fait exprès ?

Ça sent le renfermé et la vieille poussière. Odeur typique pour un local géré collectivement. Au milieu de la table, à portée de main de tous, est posée une boîte de biscuits aux épices Annas pepparkakor. Elle est là depuis la première réunion.

Dans le fond de la pièce sont disposés deux fauteuils aux tissus rêches et boulochés ainsi qu'un canapé assorti à côté duquel se trouve une petite table basse recouverte d'une nappe faite au crochet. Le reste de la pièce est occupé par l'énorme table de conférence.

Je m'aperçois qu'elle est composée de six petites tables réunies qui ne sont pas solidaires entre elles. Il suffit de les enlever pour réorganiser l'espace et le rendre plus accueillant. Je l'explique aux autres quand ils arrivent une demi-heure avant la réunion.

— Mais on va les mettre où ? s'étonne Barbro.

— Dans la pièce d'à côté.

Une porte mène à un petit hall qui ouvre sur la cuisine et sur une grande réserve.

— C'est là que nous entreposons les objets pour notre vide-greniers, explique Ann-Britt.

— Un vide-greniers ? Ce serait parfait à la Journée de la Ville, je dis. Au moins il se passerait quelque chose.

— Le problème c'est que notre vide-greniers est prévu pour la semaine d'après, m'apprend Ann-Britt, l'air gêné. Nous… nous n'étions pas sûrs qu'il y aurait du monde à la Journée de la Ville.

— Plus maintenant. Dorénavant votre vide-greniers aura lieu à la Journée de la Ville, justement.

Je passe la tête dans la réserve. Le sol est encombré de sacs en papier et de cartons.

— Et les gens viendront, je poursuis. Je vous promets que tout sera vendu. Il ne vous restera plus le moindre jeu de société incomplet ou napperon fait au crochet.

— Ah oui… oui…, dit Ann-Britt. Mais il faudra quand même que j'en parle à la direction. Ce n'est pas sûr que… bon, je vais leur en parler, tout simplement.

Je réfléchis.

— On fera de la place pour les tables et on les empilera. Hans, donne-moi un coup de main !

— Mais, nous n'avons jamais…, proteste-t-il.

— Et voilà. Formidable. C'est bien ! Barbro, mets-toi là et attrape. Parfait. On va réussir à toutes les caser. Plus que cinq tables…

Je vois dans les yeux de Barbro et Hans que : a) ils me prennent pour une foldingue, b) ils se demandent qui a été assez stupide

222

pour me faire entrer dans l'équipe, c) ils se disent qu'ils feraient mieux de me foutre dehors. Mais puisque c'est moi qui ai voulu cette réunion d'information, ils savent que si ça rate, c'est aussi moi qui en subirai les conséquences. Ingemar Grahn ne se privera pas d'écrire un article sarcastique la semaine prochaine. Il a promis de faire un compte rendu fidèle de la réunion d'information et de la Journée de la Ville. J'ai accepté le deal. Quoi qu'il en soit, ce serait trop lui demander de mentir. Et de toute façon, peu importe puisque ça va bien se passer.

— Autant qu'on prépare le café pour la pause dès maintenant.

— Mais…, balbutie Ann-Britt.

— Quoi ?

— Je ne peux pas entrer dans la cuisine. Il y a deux tables qui bloquent la porte.

Les gens arrivent au compte-gouttes. Je souris, je salue, je ne mémorise aucun des noms mais je veille à ce que les Sorcières de la Culture ne soient pas regroupées. Les gens entrent, hésitent devant les rangées de chaises vides et s'installent finalement dans le fond. Puis ils attendent que la réunion commence. Mal à l'aise, leurs manteaux sur les genoux, ils jettent des regards déroutés autour d'eux, peu habitués à être assis à côté de gens qu'ils ne connaissent pas.

La plupart ont l'air de se demander ce qu'ils font là.

Lorsqu'il est six heures et quart, nous sommes une trentaine de personnes dans la salle. J'ai réussi à ouvrir les minuscules fenêtres. Avec un peu de chance, nous ne serons pas morts de chaud dans vingt minutes. Hans se tient devant, prêt à prendre la situation en main.

Moi, je suis adossée au mur et j'essaie de me persuader que ça va bien se passer. J'ai fait tout ce que j'ai pu. Contre toute attente, j'ai réussi à faire venir trente habitants à une réunion

223

d'information pour un événement dont ils connaissaient à peine l'existence il y a quelques jours. Il doit bien y avoir une vingtaine d'associations présentes.

Il est l'heure de commencer. C'est maintenant à Hans de jouer.

Pour une raison que j'ignore, il a l'air de faire la tête. Mais peut-être est-ce l'expression de son visage au repos. Il se déplace vers le milieu de la scène, le ventre bien en avant.

— Bon, commence-t-il, l'air inspiré. On va y aller. Nous avons déjà, oui, dix-sept minutes de retard. Pas facile d'être à l'heure. Haha.

Je redresse instinctivement le dos.

— Il manque sans doute encore quelques personnes. Dommage que nous ne soyons pas plus nombreux.

Nous sommes trente, bon sang ! C'est l'histoire d'une réussite qu'il est en train de transformer en farce.

— Bon, je m'appelle Hans Widén. La plupart d'entre vous me connaissent, non ?

Des regards inexpressifs dans la salle. Quelques personnes font même un mouvement négatif de la tête. Elles n'auraient pas dû.

Hans se lance dans un monologue de dix minutes. Il se présente, n'oubliant pas les points forts de sa carrière et son long engagement au Rotary. Les participants ont l'air de ne toujours pas comprendre dans quel type de réunion ils ont atterri.

— La Journée de la Ville est une manifestation importante pour Skogahammar.

C'est bien, Hans. Reviens au message.

— Particulièrement pour les entreprises locales. En tant que membre actif du Rotary, j'ai moi-même souvent...

Quatre-vingt-dix pour cent des personnes présentes représentent des associations. Autant que je sache, la seule à diriger une entreprise est Eva, et on n'a pas besoin de la séduire pour qu'elle se joigne à l'équipe. C'est fait. Malheureusement pour moi.

— Mais nous avons quand même des problèmes pour trouver des gens qui acceptent de s'engager…

Nonnonononnononon! Stop! Ne jamais vendre quelque chose en expliquant que personne ne s'y intéresse.

C'est la seule chose que j'ai apprise dans ma longue carrière de mère. Chaque fois qu'Emma voulait se lancer dans un nouveau sport, je me retrouvais à une réunion d'information. S'il y a quelque chose que j'ai compris, c'est que si personne ne veut s'engager, moi non plus je ne veux pas. Je risquerais d'avoir à assumer des responsabilités. Les associations intelligentes ne dévoilent pas leurs difficultés à trouver des membres.

Ce serait comme inviter des gens sur un bateau qui est en train de couler. Comme vendre des billets pour le *Titanic* après la collision. «Bienvenue à bord. Nous avons juste eu un petit problème avec un iceberg.»

— Il est difficile d'intéresser les gens. Mais tout le monde ici est bien placé pour le savoir. Haha, continue Hans, insinuant que les associations ont des problèmes de recrutement.

Bizarrement, personne ne fait de commentaire. Le public est toujours assis bien sagement, le regard dans le vide. Comme si les réunions nulles constituaient un élément normal dans leur vie et qu'ils attendaient tout simplement que ça se passe.

Ce qui doit sans doute être vrai. Je me détends. Si la barre est placée aussi bas, je devrais pouvoir sauver cette réunion sans trop de mal.

— Et maintenant, Anita va vous expliquer nos projets pour la fête de cette année, conclut Hans avant de me laisser la parole.

Il faut que je me débrouille pour leur donner envie de nous aider.

— Je suis heureuse de vous voir aussi nombreux! je commence en faisant mon plus beau sourire.

Plusieurs personnes dans le public réagissent. Les gens au premier rang s'installent confortablement sur leurs chaises.

Je baisse la voix à un niveau auquel ils sont plus habitués.

— Et c'est formidable d'être accueillis dans les locaux de la Croix-Rouge, qui sera bien sûr présente à la Journée de la Ville. Elle a d'ailleurs décidé d'organiser son traditionnel vide-greniers justement ce jour-là.

Ann-Britt me regarde d'un air épouvanté mais je n'y prête pas attention.

— Nous sommes tous et toutes allés à leurs vide-greniers, n'est-ce pas ?

Plusieurs personnes du public acquiescent.

— Ils font un travail formidable (il faut que je trouve un synonyme à formidable au plus vite !). Un grand merci à Ann-Britt pour son engagement aussi bien à la Croix-Rouge qu'à la Journée de la Ville.

Plusieurs personnes dans le public sourient. Tout le monde apprécie Ann-Britt. Et la redoute aussi, c'est vrai, mais avec respect. Ann-Britt a maintenant l'air carrément choquée.

Je poursuis dans le même esprit. Puisque Hans en a parlé, je mentionne les entreprises : Extra-Market qui sponsorise la réunion, Les Fleurs d'Eva qui organisera une activité pendant la Journée de la Ville.

— Eva a très généreusement accepté de faire don de fleurs coupées pour son activité « Faites-le vous-même », où vous pourrez créer votre propre composition florale.

Je ne lui en ai pas parlé mais sa contribution involontaire est accueillie par des applaudissements. Lorsque j'ose enfin tourner les yeux vers elle, je la vois adresser un sourire forcé au public.

— Le but de la Journée de la Ville n'est pas seulement d'informer les gens sur nos activités, mais aussi de proposer des ateliers.

Mon idée semble révolutionnaire aux yeux des gens. La plupart restent dans l'expectative. Ils paraissent même sceptiques. Voire inquiets.

— C'est à vous de décider si vous voulez participer et en quoi consistera votre participation. Pour nous c'est une occasion (je réfléchis frénétiquement à un synonyme mais j'y renonce) *formidable* de faire valoir les activités des associations de la ville. Parce que nous savons tous que ce sont elles qui font tourner Skogahammar.

Je vois s'esquisser des sourires méfiants en réponse à ma tentative de séduction non dissimulée.

— S'il se passe des choses dans cette ville, le mérite n'en revient pas à la municipalité, je déclare.

Des rires dans la salle. Je fais une prière silencieuse pour qu'Anna Maria n'apprenne jamais ce que je viens de dire.

— Quelqu'un a une idée à proposer ? je demande, ce qui est peut-être une erreur.

Une femme se lève. Elle est habillée d'un chemisier blanc dans un tissu vaporeux avec des fleurs brodées de toutes les couleurs. Violettes, roses, jaunes.

— Nous devrions organiser une manifestation pour la paix, propose-t-elle. Quelque chose pour les adolescents. Pourquoi ne pas construire une gigantesque colombe de la paix ?

— Ah oui ? Et dans quel matériau ?

— En papier mâché, bien sûr. Ça pourrait être magnifique. Comme un témoignage. Pour la paix. Fait par nos adolescents.

— Vous voulez équiper nos adolescents de colle à papier peint ? je demande pour être bien sûre de comprendre. Je veux dire, c'est une idée intéressante. On en reparlera. À l'occasion.

Aïe, je suis en train de perdre le contrôle de la réunion.

Mais curieusement, la femme au papier mâché a brisé la glace. Quelqu'un d'autre intervient pour louer l'initiative d'Eva.

— Il y a quelques années, j'ai organisé un atelier de composition florale, commence-t-elle. Une activité fort agréable et qui a été très appréciée.

— Je suis persuadée que vous avez encore beaucoup d'autres idées dont nous pourrons discuter à la pause-café, je dis. Nous aurons aussi, bien sûr, une tombola, une scène avec des groupes de musique ainsi qu'un bal sur la Grand-Place…

Je ne sais pas bien quoi ajouter pour achever de les convaincre. Et je ne suis d'ailleurs pas certaine d'y être parvenue.

— Vous vous posez sans doute la question de la nécessité de cette journée, je déclare finalement. Ou vous vous dites que cela vous demanderait trop de travail. Nous espérons naturellement que vous participerez, mais il est important d'en avoir l'envie et aussi le temps. Et sachez que nous serons toujours là, à vos côtés. Aussi bien pour les échanges d'idées que pour l'aspect pratique…

Les membres de l'équipe de projet semblent sur le point de s'évanouir. Un rappel à moi-même : trouver davantage de gens pour l'organisation.

— Je suis persuadée que la Journée de la Ville est nécessaire. Il nous faut une raison de nous rencontrer. Nous avons besoin de fréquenter des gens différents de ceux que nous côtoyons habituellement. Nos enfants ont besoin de s'amuser ensemble, même les ados qui croient être trop vieux pour ça. Et nous avons besoin de danser !

Voilà. J'ai fait ce que j'ai pu.

Je craignais que tout le monde ne profite de la pause pour se sauver — c'est ce que je faisais lorsque je me trouvais dans ce genre de réunions — mais la plupart des gens restent.

Peut-être est-ce grâce à la contribution d'Extra-Market. À mon époque, on nous offrait du café qui était resté trop longtemps dans la cafetière, éventuellement accompagné de quelques biscuits. Aujourd'hui, nous avons un grand plateau rempli de petits pains feuilletés à la crème, de brioches à la cannelle, de beignets, de croissants. Considérablement meilleurs que les éternels gâteaux secs. Nous proposons aussi du café et trois sortes de thé. Un petit panneau annonce : « Sponsorisé par Extra-Market ».

Les gens sont impressionnés.

Et ils *discutent*. Entre eux et avec l'équipe de projet.

Eva se charge de la Dame du Livre, Ann-Britt de la Dame du Théâtre et Barbro de la Dame de l'Art. Elles ont pour mot d'ordre de les maintenir séparées et dans différents coins de la pièce. Jusqu'ici tout va bien. Elles ont aussi pour mission de discuter avec elles de l'importance de la littérature/du théâtre/de l'art, en particulier pour la jeunesse. Mais de ce côté-là, ça fonctionne moins bien. Ni Eva, ni Ann-Britt, ni Barbro n'arrivent à en placer une. Elles sont réduites à hocher la tête et à écouter les trois Sorcières.

Hans, lui, est chargé d'amadouer le club de foot. Anna Maria a bien précisé qu'il était primordial d'impliquer les grosses associations quand on organise une manifestation comme la Journée de la Ville. C'est plus une question de prestige que de ressources (les grosses associations ne sont pas très généreuses). Je suppose que ça équivaut à réussir à faire participer la fille et le garçon les plus populaires du lycée à une activité. Les autres se sentent automatiquement concernés.

C'est décidément une erreur d'avoir confié cette responsabilité à Hans. Je croyais voir arriver le directeur du club avec qui Hans aurait pu s'entendre mais c'est une jeune femme qui a été envoyée. Elle a l'air sympathique et enthousiaste et a constamment un sourire collé aux lèvres. Elle a apporté son propre casse-croûte qu'elle est en train de manger. Hans semble dérouté.

Je m'apprête à aller le sauver — et la fille par la même occasion — quand je suis interceptée par un jeune homme en pantalon de velours côtelé, chemise blanche et veste genre tweed. À première vue, je me dis qu'il est né un siècle trop tard, mais lorsqu'il s'approche je comprends qu'il aurait été aussi anachronique un siècle plus tôt. Le garçon est grand, maigre et dégage cette aura particulière qui lui garantit de rester seul à la pause-café.

Il a quand même l'intelligence de faire l'effort d'entrer en contact avec quelqu'un de l'organisation.

— Jesper, se présente-t-il poliment. De l'association Les Amis de Svartåbanan.

En parlant, il se penche légèrement vers moi, ce qui est étonnamment charmant et exprime un enthousiasme qui compense la fadeur de son apparence.

— Les trains m'ont toujours fasciné, poursuit-il.

— Ça ne m'étonne pas, je réponds.

— Nous luttons pour conserver ce qui reste de la voie de chemin de fer de Svartåbanan. Celle-ci a été fermée en 1985 parce que personne ne voulait financer sa rénovation et, depuis, une grande partie de la ligne s'est considérablement dégradée.

— Une ligne que personne n'utilise… ? Ça ne semble pas vraiment étonnant que personne ne s'en soucie.

— Bien sûr. Ce week-end nous avons débroussaillé la voie autour de Lannabruk. Svartåbanan marque le signe d'une évolution. Avant l'arrivée de cette ligne, il n'y avait presque pas d'industrialisation dans cette région.

Et après non plus, je me dis.

— Plusieurs membres des amis de Svartåbanan sont mécaniciens et ont conduit les trains sur cette ligne. J'ai trente-deux ans. Je suppose que nous sommes la dernière génération à savoir que Skogahammar a été desservi par le train.

— Sans aucun doute…

Je me demande ce que ça fait d'avoir trente-deux ans et de lutter pour la conservation de quelque chose qui avait déjà commencé à se dégrader avant sa naissance. Mais son enthousiasme est vraiment charmant.

— Je trouve formidable l'idée de cette Journée de la Ville,

continue-t-il. Nous allons, bien sûr, y participer. Peut-être pourrions-nous organiser une petite réunion afin d'échanger quelques idées ?

— Absolument, je dis. Inscrivez-vous ici. Nous avons préparé une liste pour récolter les idées. En plus du nom, du numéro de téléphone et éventuellement de l'appartenance à une association, vous pouvez cocher une case pour faire partie d'un groupe de travail. J'espère trouver quelques volontaires.

L'Homme du Train remplit toutes les informations et coche la case pour le groupe de travail.

Puis il s'attarde un moment pour continuer à échanger des idées.

Gunnar, qu'Eva a dû obliger à venir, passe toute la réunion au fond de la salle, adossé à un mur, sa capuche remontée sur sa tête.

Les deux garçons s'entraident pour remettre les tables à leur place. Ann-Britt ramasse les tasses à café et les thermos puis met de l'eau dans une bassine pour la vaisselle dès que la cuisine est de nouveau accessible.

Maintenant que c'est terminé et que tout le monde met la main à la pâte, je ne sais pas bien quoi faire. Je suis remontée comme une pile à cause du trac et du café, mais aussi fatiguée par l'effort intellectuel que l'exercice m'a demandé. Je suis contente que ça soit terminé mais je ne suis pas pressée de rentrer.

Après m'être accordé une cigarette, je tiens compagnie à Ann-Britt dans la cuisine. Elle a enfilé une paire de gants en caoutchouc jaunes et un nuage de vapeur flotte au-dessus de la bassine. J'imagine des générations de femmes au foyer échanger un regard approbateur en la voyant. Personnellement, je fais la vaisselle dans une eau à peine tiède et ne possède même pas de gants en caoutchouc.

J'attrape le torchon et j'essuie les tasses à café au fur et à mesure qu'elle les pose sur le minuscule égouttoir. Je les empile dans le placard où sont rangés une dizaine de mugs dépareillés.

— Anita ? dit soudain Ann-Britt d'une voix émue. Je voulais te dire… jamais personne n'a dit quelque chose d'aussi positif à mon sujet.

Après la réunion d'information, Emma m'appelle de son propre chef. Dès que je vois son nom sur l'écran, je me promets de ne surtout pas parler de Lukas.

— Comment se passe le blog de chatons ? me lance-t-elle comme formule de salutation. Et ta réunion ?

— J'ai rendez-vous avec quelqu'un samedi. Un homme.

Non ! C'est pas vrai ! Ça doit être une forme du syndrome de la Tourette ! Je mets ma main devant ma bouche pour m'empêcher d'aller plus loin.

— C'est qui ?

— Personne.

Excellente réponse, Anita.

— Il fait partie de l'équipe de projet ?

Je grogne en guise de réponse.

— Il fait de la moto ?

Puisque je ne réponds toujours pas, elle déclare d'un air triomphant :

— Je le savais ! Un motard avec un blouson de cuir, un ventre de buveur de bière et une moustache. Comment il s'appelle ?

Vu que je n'ai pas l'intention de lui dire qu'il est jeune, bien foutu et que, pour couronner le tout, c'est mon moniteur de moto, je ne proteste pas.

— Lukas, je réponds à contrecœur.

Au moins, Emma a eu son petit moment d'amusement.

— Je rigole, me dit-elle. Je trouve ça très bien que tu aies recommencé à voir des mecs.

232

Je me fige.

— Quoi? Non, ce n'est pas du tout ce que tu crois. On doit juste… se voir, je me défends.

— Samedi après-midi?

— À dix-neuf heures. Au Réchaud à alcool. Pour prendre une bière et discuter.

— Ça ressemble bien à un rancard. S'il n'est pas marié. Mais même s'il l'était, j'aurais des soupçons.

— Il n'est pas marié.

— Alors c'est un rancard.

Mon Dieu.

Il serait exagéré de dire que je n'ai pas rencontré de mecs depuis le début de ce millénaire, mais après un rapide calcul je réalise que ce n'est pas si exagéré que ça.

Quand je rentre du travail le vendredi, je tape «sujets de discussion pour premier rendez-vous» sur Google, ce qui n'a pas la vertu de me calmer. Au contraire. Une véritable avalanche de pages donne des astuces et des conseils pour éviter «les silences gênants», mais je ne trouve pas une seule question à laquelle je pourrais moi-même répondre. Le coach en séduction a, par exemple, une longue liste de propositions :

«Que fais-tu quand tu ne travailles/n'étudies pas?» recommande-t-il avec la motivation enthousiasmante : «La plupart des gens ont des hobbies ou des centres d'intérêt passionnants qui demandent parfois à être creusés. Raconter ce qu'on fait le week-end, dire si on a l'habitude d'organiser des activités entre amis ou si on est membre d'une association… constituent autant de sujets de discussion légers mais très utiles car ce sont de bons moyens pour savoir si on a des points d'intérêt communs. »

Qu'est-ce que je fais le week-end? Euh, je pars à la chasse aux associations de Skogahammar, j'essaie de ne pas harceler ma fille et je rends visite à ma gâteuse de mère qui me prend pour son amant. On doit bien avoir quelque chose en commun, non?

«Aimes-tu voyager? Quelle serait la destination de tes rêves? Si vous aimez tous les deux voyager, vous passerez probablement votre rendez-vous à vous raconter des souvenirs de voyage et à vous conseiller des destinations étonnantes. »

Où est-ce que j'aime voyager? Cet été je suis allée plusieurs fois à Karlskrona. Tu y es déjà allé? Il y a beaucoup de galets là-bas.

«Si tu étais un animal, lequel serais-tu et pourquoi? Une question peut-être un peu stupide mais charmante qui met en avant votre côté ludique en même temps qu'elle vous apprend ses points forts sans que vous ayez besoin de lui poser directement la question. »

Si j'étais un animal? Non. Non, non, non. Je ne suis pas assez charmante et espiègle pour imaginer quel animal exprimerait le mieux mes points forts. En fait, je n'arrive même pas à trouver quelles qualités je pourrais mettre en avant.

Un site portant le nom bizarre de Happy Pancake a également une liste de propositions. Dès les premières, je comprends qu'elles ne me sont pas applicables : «Nourriture et boisson. Endroits préférés. Restaurants préférés. »

Je mange beaucoup de plats surgelés. L'escalope viennoise de chez Findus est mon plat préféré mais je ne comprends pas cette manie d'y mettre des petits pois. Le quai de déchargement à côté des poubelles d'Extra-Market est un endroit où je passe beaucoup de temps. Pour la question : restaurant préféré? Dur, dur. Un kebab avec du pain, ça fait toujours plaisir. Ou peut-être le filet de porc, frites à la sauce béarnaise du Réchaud à alcool. Pour dix euros, on a une bière en prime.

25

Il existe des villes qui veulent donner une bonne impression aux visiteurs. Grâce à leurs gares ferroviaire et routière majestueuses, par exemple. Peut-être construites en pierre ou revêtues d'un crépi blanc et encadrées de quelques statues. Peut-être agrémentées aussi d'une fontaine avec des parcs ou des places pavées à proximité. Mais ce n'est pas le cas de Skogahammar.

La seule chose qui rende notre gare routière grandiose est le fait d'exister. Il serait d'ailleurs difficile de la distinguer de l'ancienne usine qui la jouxte s'il n'y avait pas le panneau avec ses lettres rouges écaillées annonçant de manière prosaïque : AUTOCARS.

Je me trouve devant cette gare à neuf heures et demie, le samedi matin, dans une dernière tentative de me préparer pour la soirée.

Je ne sais pas alimenter une conversation, je ne sais pas non plus comment faire pour être rigolote, lumineuse et pleine de charme, comme le préconisent tous les sites de rencontre. Mais je peux au moins améliorer ma tenue. Hier, en inspectant ma garde-robe en long et en large, j'ai constaté que je ne possédais rien qui soit un minimum flatteur.

Me voici donc devant l'arrêt du car pour Örebro. Vingt minutes avant son départ. La gare routière est presque aussi délabrée que notre ligne ferroviaire. Le bâtiment abritait autrefois une petite boutique où on pouvait acheter des confiseries et, à côté, une salle avec des bancs disposés sous de grandes fenêtres style usine.

La salle n'est presque plus utilisée mais reste ouverte jusqu'à vingt-deux heures. À la manière des petites villes de province, ce territoire vide a attiré différents utilisateurs qui s'y sont installés pour exercer leurs activités préférées. Les bancs à l'intérieur sont devenus l'espace d'Alf, notre poivrot local. Et les bancs à l'extérieur appartiennent désormais aux ados, dans un accord tacite entre les deux parties. Malgré les tensions liées à l'appartenance territoriale de chacun, les relations restent amicales : les ados offrent à Alf du tabac à priser, quand ils en ont, tandis qu'Alf leur propose de la bière tiède lorsqu'il a des élans de générosité.

À cette heure matinale, le car est presque vide. Une femme dans la cinquantaine auréolée d'un nuage de bière s'assied sur le siège à côté de moi.

— Tu vas où ? me demande-t-elle aussitôt.

— Je vais faire du shopping. Des fringues, je précise. Ce n'est pas de gaieté de cœur.

— Qui ferait ça de gaieté de cœur ? rétorque-t-elle. Et pourquoi il te faut des nouvelles fringues ?

J'inspire profondément avant de répondre :

— J'ai rancard avec un homme. Enfin, je crois.

— Ah merde… Moi je dois aller rendre visite à ma mère. Comme d'habitude ça va encore être l'enfer. On n'a jamais pu se piffer elle et moi. Mais on peut pas dire que j'aie été une gosse facile. J'ai fait pas mal de conneries dans ma vie. En même temps, qui n'en a pas fait ?

Les mots *j'ai un rancard j'ai un rancard* tournent comme un mantra dans ma tête.

— Un jour j'ai acheté un cheval.

— Un cheval ? je répète, temporairement amusée.

— Oui. Importé d'Irlande. Trois semaines plus tard, le gars me téléphone pour me dire que le cheval est en quarantaine à Göteborg et que je peux bientôt venir le chercher. Alors j'appelle mon père et je demande : «Tu m'aimes, papa?»

Elle me fait un grand sourire, dévoilant une couronne en or sur une de ses canines, puis elle continue :

— «Putain mais qu'est-ce que t'as encore foutu, saleté de gosse», il me répond. «J'ai acheté un cheval», je lui annonce. Et alors là, il a pété une durite et j'ai été obligée de raccrocher. Mais après, je l'ai rappelé et je lui ai expliqué que c'était pas ma faute.

— Pas ta faute? je répète.

— Non. Et mon père était d'accord avec moi.

— Ah bon?

— Alors il a appelé le gars du cheval et il lui a demandé comment il avait pu vendre un canasson à une môme de quatorze ans. En plus, c'était une jument et elle était pleine.

Lorsqu'elle doit descendre du car, nous sommes presque devenues amies. «Tu veux pas venir boire une bière avec moi» sont ses derniers mots. «Non, il faut que je sois belle» sont les miens.

— Alors, tout se passe bien? gazouille la petite vendeuse de l'autre côté du rideau à peine opaque de la cabine d'essayage. Vous avez besoin d'aide?

— Non merci, je mens.

Rien à faire, à part essayer d'enlever ce foutu jean que je n'ai pas réussi à monter au-dessus de mes cuisses. J'ai l'impression d'avoir pris dix ans et vingt kilos en dix minutes. Une très mauvaise stratégie de la part du fabricant s'il veut que je mette de l'argent ailleurs que chez Weight Watchers.

Partout dans la boutique il y a des photos de filles et de garçons qui ne peuvent pas avoir plus de quatorze ans. Je suppose qu'il est encore trop tôt pour que la horde d'adolescents soit réveillée. La vendeuse est si aimable qu'il est évident qu'elle s'ennuyait ferme avant mon arrivée.

Elle m'explique qu'on n'est jamais trop âgée pour porter du denim, mais elle le dit d'une façon qui montre que c'est pour elle purement hypothétique. Jamais elle ne sera aussi vieille que moi.

Le regard qu'elle me jette montre qu'à ses yeux ma bataille est perdue d'avance en matière de mode. Et c'est uniquement parce qu'elle ne m'a jamais rencontrée. Si elle me connaissait, elle saurait qu'il n'y a pas que cette bataille qui soit perdue d'avance, mais toute la guerre.

Ce que je connais en mode, je l'ai appris dans le regard fatigué d'Emma chaque fois que je faisais quelques tentatives de lui acheter des vêtements. Enfin, à l'époque où j'en avais encore le droit.

«Maman, plus personne ne porte de jean stretch. Je vais avoir l'air d'une imbécile avec ça. Maintenant tout le monde porte un Levi's.» L'ironie du sort a voulu que je porte moi-même un Levi's. J'ai choisi de ne pas le lui dévoiler pour ne pas briser ses illusions. Et quand brusquement tout le monde s'est mis à avoir constamment l'air d'aller à la gym en portant un sweat gris à capuche et un jogging noir, c'était apparemment une faute de goût d'avoir seulement une bande sur les côtés et un sweat qui ne porte pas un nom de fruit ou de champignon. Ensuite elle a bien entendu insisté pour s'acheter elle-même ses vêtements et mettre mille couronnes dans un jean tellement usé qu'il résistait à peine à deux mois d'utilisation. Mais j'admets que l'usage était quotidien.

Levi Strauss et ses copains, les chercheurs d'or, ont dû se retourner dans leur tombe.

Et les temps ont apparemment de nouveau changé.

Le jean stretch est revenu.

Même après avoir quémandé un jean deux tailles au-dessus de ceux qu'elle me propose, j'arrive avec beaucoup de peine à le remonter jusqu'à mi-hanches. La taille est si basse qu'on se demande pourquoi les fabricants n'ont pas choisi de la placer juste au-dessus des genoux.

La vendeuse se révèle finalement très sympathique et se lance avec moi dans une chasse au jean comme s'il s'agissait de sa propre croisade. Mais quarante minutes plus tard, j'ai une envie folle de fumer et je suis prête à capituler.

— Linnea, je dis (nous nous sommes présentées lorsque j'ai essayé mon dix-huitième jean et qu'elle a dû m'aider à le retirer). Ça ne va pas fonctionner. Ce ne sont pas les jeans qui ont un problème, c'est moi.

Je le dis gentiment mais avec détermination.

— Laisse-moi encore une chance, me demande-t-elle.

— Pas de stretch, OK ?

— OK, pas de stretch.

— Et il faut qu'il monte jusqu'à la taille.

— Et il faut qu'il monte jusqu'à la taille, répète-t-elle avec du dégoût dans la voix.

— Il faut aussi qu'il me maintienne le ventre. Un vrai tissu bien épais, quoi.

C'est foutu d'avance.

Mais Linnea est de retour au bout d'à peine quelques minutes.

— Ah ! s'écrie-t-elle triomphante. J'ai trouvé le jean parfait pour toi.

— Linnea, c'est une jupe, je la reprends.

— Exactement. Depuis le début on fait fausse route. Pourquoi continuer à répéter la même erreur ? Manifestement, il faut voir plus grand.

Je fronce les sourcils. Et si je la tuais ! Si je l'étranglais avec un de ses denims !

239

— Je ne parle pas de la taille, souligne-t-elle rapidement quand elle voit mon regard. Je pense au style. Je pense country.

Elle tient dans ses mains trois chemises et une large ceinture en cuir avec une grosse boucle dorée.

— Essaie-la avec ça.

— Mon Dieu, je grommelle. Quelqu'un peut me dire quand les chemises à carreaux en flanelle sont revenues à la mode?

Linnea me dévisage avec de grands yeux, l'air de dire qu'elle ne se souvient pas d'une époque où les chemises à carreaux en flanelle n'étaient pas à la mode. Sans doute se dit-elle que ça date du temps où les chercheurs d'or portaient des Levi's. Je soupire.

— La seule chose qui manque c'est une paire de bottes de cow-boy, me lance-t-elle avec enthousiasme.

— Je n'ai pas l'intention de me déguiser en chanteuse de country, je la préviens.

Mais c'est vrai que les vêtements me vont plutôt bien. La jupe en jean me met en valeur, elle suit mes courbes et me donne un petit côté arrogant. J'ai un look cool qui me plaît bien.

— Par contre j'aimerais autre chose que des chemises à carreaux en flanelle, je dis.

Linnea accepte de me donner un chemisier plus classique de couleur noire.

— Pas mal! fait-elle avec une fierté légitime. Pas mal du tout!

Pia surgit chez moi, sans prévenir, quarante minutes avant mon rendez-vous au Réchaud à alcool.

— Ce n'est pas franchement le bon moment, je dis en restant sur le seuil de ma porte.

Il règne un chaos total dans mon appartement. Les sacs du magasin traînent par terre dans l'entrée. Mes nouveaux vêtements ne m'ont pas empêchée d'essayer ceux que je possède déjà. Il semble qu'une guerre éclair ait eu lieu dans ma garde-robe;

des jeans, des hauts, des pulls et plusieurs paires de collants sont éparpillés sur le lit et par terre. C'est la jupe en jean et le chemisier noir qui sont sortis vainqueurs de cette bataille, bien sûr. Une paire de collants noirs fins s'y est ajoutée et me donne la sensation d'être bien habillée.

Je suis trop concentrée sur ma tenue pour prêter attention à ce qui m'entoure mais je vois quand même que Pia semble un peu déstabilisée.

— J'ai apporté du vin rouge, me dit-elle en me montrant un petit cubi. Est-ce qu'il y a quelque chose qui s'appelle «pas le bon moment» quand on vient avec du vin? Je me disais qu'on pouvait passer une soirée toutes les deux... à discuter.

— De quoi? je demande, étonnée.

Pia ne répond pas. Elle me pousse et passe devant moi. À part la jeter sur le palier, il n'y a rien que je puisse faire pour l'empêcher d'entrer. Elle se dirige vers la cuisine et sort deux verres à vin avant même d'avoir enlevé son manteau.

Je fais l'inventaire des mauvaises excuses possibles pour ne pas boire du vin un samedi soir, mais elle ne me croirait pas si je disais que je dois faire le ménage, regarder un film ou encore téléphoner à Emma. Et ce sont les seules choses qui me viennent à l'esprit.

J'accepte le verre que Pia me tend.

— J'ai le temps seulement pour un verre, je la préviens.

Puis j'avoue :

— J'ai rendez-vous. Avec quelqu'un. Un ami. Une connaissance.

— Qui ça? me demande-t-elle avec méfiance.

— Ce n'est pas un rancard, je clarifie.

Pia s'immobilise.

— Attends... Attends un peu... Tu vas voir le moniteur!

Elle pointe vers moi un doigt accusateur.

— Non, non, je rétorque rapidement. Juste en tant qu'amie.

— Je m'absente une demi-seconde et pendant ce temps-là tu rencontres des mecs derrière mon dos.

— Ce n'est pas un rancard, je répète.

Mais ensuite je me dis : pourquoi ça n'en serait pas un, après tout ? Pourquoi est-ce qu'on ne pourrait pas se voir seuls, lui et moi, un samedi soir… et flirter ? Une légère tension dans l'air, les yeux dans les yeux… Je poserais même ma main sur son bras, de manière décontractée, presque involontairement, quand il dirait quelque chose de particulièrement intéressant.

— Tu ne m'écoutes pas.

— Non, je reconnais.

— Bon, je te repose la question : comment ça se fait que tu trouves soudain que c'est une bonne idée ?

— C'est lui qui m'a demandé.

— Tu n'as jamais ressenti le besoin de rencontrer des mecs avant ?

— Euh… je ne sais pas.

Je sors dans le couloir et j'entre dans la salle de bains pour me maquiller. Pia me suit.

— C'est toi qui n'as pas arrêté de me dire qu'il fallait que je rencontre des mecs, je lui dis par-dessus mon épaule pendant que j'essaie de me mettre du mascara sans faire de pâtés.

— Oui, c'est vrai. Mais ce n'est pas drôle si tu ne me racontes pas tous tes rancards ratés.

— Pia… et si celui-ci était *réussi* ?

Elle ne sait plus quoi dire.

— C'est une possibilité, murmure-t-elle finalement.

— Réussi. Juste sympa, quoi. Deux personnes sympathiques qui apprécient de se voir et qui…

— Toi et ton moniteur ?

— Je parlais en général. On prend une ou deux bières avec quelqu'un histoire d'apprendre à mieux se connaître.

Ça ne devrait pas être impossible de vivre ce genre de choses avec un homme. Je refuse de croire que ça le soit. Je repense au sourire que Lukas m'a adressé devant Charlie et les autres et je me demande ce que ça ferait de revivre ça seule, cette fois.

— Apprendre à se connaître?

— Oui… découvrir quel est le voyage de ses rêves, son plat préféré ou en quel animal il aimerait se transformer… peut-être flirter un peu aussi?

— C'est pas comme ça que ça marche, déclare Pia qui est apparemment experte en la matière. Il est question de deux personnes qui essaient, chacune, de trouver quelqu'un d'un peu plus beau et d'un peu plus intelligent qu'elles-mêmes. Ce qui signifie que l'homme ne sera intéressé par toi que s'il est plus moche et plus chiant que toi. Ce qui sera probablement aussi le cas, les femmes choisissant toujours des hommes moins bien qu'elles. Il parlera de son boulot chiant et à quel point il est incompris par ses collègues et son supérieur qui ne se rendent pas compte que, sans sa masse de travail et ses mails quotidiens, rien ne fonctionnerait au bureau.

Je finis de me maquiller puis je vais évaluer le résultat devant le grand miroir du couloir.

Pia me suit avec son verre de vin et s'adosse au chambranle de la porte.

— Enfin, Pia, il faut vraiment que ça se passe comme ça? je demande.

— Dans quelle autre situation tu demanderais à un adulte en quel animal il aimerait se transformer? Promets-moi de répondre «bœuf musqué» s'il te pose la question.

— C'était juste un exemple. Bien sûr qu'il ne va pas me poser la question. Et je suis sûre qu'il ne s'agit pas d'un rancard. Je parlais en général.

— Promets-moi!

— OK, je réponds tout en me vaporisant *Euphoria* dans le cou et sur les poignets.

Il faut que je me trouve un parfum au nom plus adapté, je me dis. *Doom* de Calvin Klein, par exemple. Ou *Breakdown* de Gucci.

Mais non. Je ne dois pas penser comme ça.

— J'ai l'intention de passer une soirée sympa et tout à fait normale avec une personne intéressante, je déclare avec détermination tout en lorgnant ma montre.

Pia se ressert un verre de vin.

— Sympa et normal, c'est déjà une contradiction, rétorque-t-elle. Tu comptes être habillée comme ça ?

Lorsque j'arrive au Réchaud à alcool, j'ai dix minutes de retard, mais Lukas n'est pas encore arrivé.

Je balaie une nouvelle fois la salle du regard afin de m'assurer que je ne l'ai pas raté. Seulement deux tables sont occupées. Une à côté de la porte où un couple vient d'être servi et commence son hamburger. Une autre plus au fond où est assis un groupe d'au moins trois générations : un couple de personnes âgées installé en bout de table, un couple de quadras avec des bières posées devant eux et trois enfants en train de manger des glaces.

Je ressors fumer une clope.

Je commence à regretter d'avoir mis la jupe. Même avec des collants j'ai froid aux jambes. Et surtout, il est impossible d'avoir l'air décontracté et nonchalant quand on s'est mis sur son trente et un.

Je suis le genre de femme à avoir la tête remplie de fantasmes d'ado et qui rêve de rencontrer quelqu'un. Le genre de femme à être toujours un peu trop habillée pour ce que Skogahammar a à offrir.

Me voilà. Un peu trop sapée, un peu trop naïve et un peu trop déconnectée de la réalité.

Lorsqu'il est près de sept heures et demie, j'ai fumé deux cigarettes. Encore cinq minutes, je me dis. Après je me tire.

C'est alors que je le vois arriver dans la rue. Il avance à grands pas, sans doute conscient d'être en retard. Je reconnais sa silhouette de loin. Il porte une chemise blanche et un blouson de cuir noir. Il a quand même fait un petit effort.

Mais le souci c'est qu'il est accompagné de trois femmes.

Une soirée sympa tout à fait normale en perspective !

26

J'aurais dû rester à la maison avec Pia.

C'est ma première pensée. Ma deuxième est une condamnation silencieuse de toute la chaîne de circonstances qui m'ont amenée là où je suis maintenant. À une telle distance de mon périmètre de confort que je ne serais même pas capable de retrouver mon chemin avec un plan, une boussole et un GPS. Le déménagement d'Emma, les motos, le déjeuner dans le relais motards, les soirées à Skogahammar… Quelque part dans le cours des événements je devrais tout de même trouver le moyen de rembobiner, de modifier quelque chose pour retourner, comme par magie, sur mon canapé avec le cubi que Pia m'a généreusement laissé.

Je les vois approcher en slow motion.

C'est Lukas qui mène la marche. Visiblement pressé d'arriver mais ça ne me calme pas.

Les femmes marchent quelques pas derrière lui. L'une d'elles, qui doit être un peu plus jeune que moi et qui porte un chemisier blanc sous une veste grise, est presque à son niveau et ne semble pas être habituée à se ranger derrière un leader. Une autre suit un peu plus loin. Elle a les cheveux blonds et courts dressés sur la tête. Même à cette distance je discerne un bracelet clouté autour d'un de ses poignets. La troisième a l'air de ne pas comprendre où ils se rendent et pourquoi ils sont si pressés. Elle tient un portable à la main et lève de temps en temps les yeux pour suivre le dos de Lukas.

Les trois sont toutes sublimes, chacune à sa manière. Bah, ça aurait pu être pire, j'essaie de me rassurer pour me redonner le moral. Sofia aurait pu être là.

Lukas arrive le premier et a le temps de mettre son bras autour de ma taille et de m'embrasser dans le cou avant qu'elles nous rejoignent. Je crois qu'il visait ma joue mais je suis si crispée que j'ai fait un pas de côté. Même le parfum de son après-rasage n'arrive pas à me détendre.

— Anita, me dit-il. Je suis désolé pour le retard. J'ai été retenu.

Ça se voit qu'il est mal à l'aise. À présent les trois femmes m'encerclent.

— En retard, je répète comme dans un brouillard.

Mon regard se fixe quelque part au-dessus de son épaule. Lukas lâche ma taille et se tourne vers les autres.

— Anita, dit-il, dépité, laisse-moi te présenter Jenny, Josefin et Julia.

C'est une blague, je me dis.

— Mes sœurs trouvaient marrant de me faire une visite surprise, poursuit-il.

Je vacille.

— Tes sœurs?

— Alors c'est toi Anita? dit la sœur rock (Josefin, je crois).

Je prends brusquement conscience que je suis passée d'un scénario cauchemardesque à un autre.

Quelques nouveaux clients sont arrivés au Réchaud à alcool pendant la demi-heure où j'ai attendu dehors, mais ils ne sont pas nombreux. Le premier couple a maintenant terminé son hamburger. Quand nous entrons, l'homme est en train de manger les dernières frites dans l'assiette de sa femme. Aucun d'eux ne semble pressé de s'en aller. Ils ont l'air rassasiés et fatigués et n'éprouvent pas le besoin de se parler. En revanche, les trois générations à la table d'à côté s'apprêtent à s'en aller. Les voix agitées des enfants couvrent la musique et la discussion entre la serveuse et quelques hommes installés au bar.

Gunnar est comme d'habitude installé devant la machine à sous, sa capuche remontée sur la tête. Il murmure quelque chose quand nous passons devant lui. Peut-être «salut» ou peut-être autre chose.

— Ça va, Gunnar? je lui lance.

Aucune réaction de sa part.

La sœur classique me suit de près et nous regarde d'un air étonné.

— Un de mes ex, j'explique d'une voix neutre.

J'aurais juré que ça fait rire Gunnar.

Je me dirige vers la grande table à l'angle de la salle. Une sorte de box avec des bancs de chaque côté et quelques chaises au bout. Nous restons tous debout, comme le font souvent les groupes lorsque personne ne veut prendre l'initiative de s'asseoir en premier.

La sœur classique me fait un signe impatient de la main pour me demander de me glisser sur un des bancs. Mais je m'écarte poliment pour lui céder la place, ce qui oblige les autres à faire de même. Tout cela pendant que la sœur classique et moi continuons à faire des manières en incitant l'autre à s'asseoir. Sans prononcer un seul mot, bien entendu.

Elle montre clairement qu'elle en a assez de ce petit jeu quand la sœur rock nous bouscule et s'assied.

— Je suis fumeuse, je dis pour expliquer pourquoi je préfère ne pas m'asseoir dans le fond.

Elles s'installent toutes les trois sur le banc, Lukas à côté et moi tout au bout.

— Ce serait pénible pour vous si vous deviez vous lever chaque fois que je ressens le besoin de m'empoisonner, je me justifie.

En réalité, je tiens à pouvoir me barrer facilement, ce que Lukas semble avoir très bien compris. Il m'adresse un sourire plein de sous-entendus.

La serveuse nous lance un regard fatigué et semble avoir décidé que nous sommes venus pour dîner vu qu'elle nous apporte cinq menus. Elle tient un petit bloc-notes, prête à prendre notre commande de boissons. Le personnel du Réchaud à alcool a un comportement lunatique concernant le service à table. Si les serveurs nous apprécient ou s'ils sont dans un bon jour, ils peuvent nous apporter une deuxième bière avant même qu'on ait terminé la première. S'ils sont mal lunés, on doit passer sa commande au bar. Ils préféreraient sans doute appliquer ce même principe pour les repas et obliger les gens à aller chercher eux-mêmes leurs plats dans la cuisine. Aujourd'hui la serveuse n'a manifestement pas envie d'être conciliante et s'évertue à faire traîner ses commandes.

— Une bière, je dis en la fixant intensément pour lui faire comprendre à quel point c'est urgent.

La sœur classique commande un verre de vin blanc — pas celui de la maison — après avoir demandé puis étudié longuement la carte des vins. Je regarde la serveuse d'un air suppliant afin de lui signifier que je ne fais pas partie de ce groupe et que j'ai été kidnappée.

Je jette des coups d'œil envieux vers le bar pendant que la discussion se poursuit à notre table en s'abattant parfois sur moi comme des vagues déferlantes.

Josefin, la sœur rock :

— Je suis prof de musique dans un collège. Je veux être

249

musicienne mais en fait je déteste la musique. Je déteste les enfants. Et encore plus les ados. C'est quand même fou que je sois obligée de donner des cours. C'est ce que je dis à mes élèves chaque fois que je les vois.

Je suppose que le commentaire m'est destiné.

— Ils l'adorent, m'explique Jenny, la sœur classique. Mais si elle a réussi à garder le boulot c'est parce que je l'ai conduite là-bas tous les jours les deux premières semaines.

— Tu continues à me conduire là-bas.

— Oui, mais maintenant tu as au moins pris ta douche et tu es habillée quand j'arrive. La première semaine, j'étais obligée de venir trois quarts d'heure plus tôt pour te rappeler que tu avais un travail.

Josefin se tourne vers moi.

— Jenny est proviseure adjointe. Elle m'a pistonnée et a réussi à m'obtenir un poste.

— La proviseure adjointe la plus jeune de toute l'histoire de l'école, disent Lukas, Josefin et Julia en chœur.

— Je ne t'ai pas pistonnée, rectifie Jenny.

— Et toi, tu travailles dans quoi, Anita ?

— Je travaille à Extra-Market.

J'essaie de le dire avec enthousiasme.

Nous arrêtons de parler boulot.

Je ne sais toujours pas ce que fait Julia, la troisième sœur. Elle participe encore moins que moi à la conversation.

La serveuse apporte enfin nos bières. Je la remercie avec une telle émotion qu'elle sursaute et me faire un petit sourire après un moment d'hésitation. Mais le vin blanc n'est toujours pas là.

J'ai du mal à me faire une idée de l'âge des trois sœurs. Jenny doit être de la même année que moi. Mais je ne me souviens pas d'avoir été à l'école avec elle. Elle doit donc être légèrement plus jeune.

Josefin n'a pas d'enfants. D'après ce que je comprends, elle est la deuxième de la fratrie, suivie de Julia et enfin de Lukas.

Josefin et Julia doivent avoir plus de trente ans. La différence d'âge entre elles et moi n'est donc pas si grande. Mais un monde semble nous séparer. Je suis persuadée qu'aucune des deux ne s'est retrouvée seule avec un bébé qui a la colique et une terrible frustration comme unique compagnie. Je ne prétends pas être plus adulte et plus mûre qu'elles. Je suis simplement plus expérimentée.

— Pouvez-vous m'expliquer, je commence, pourquoi…

— … je m'appelle Lukas alors que les autres prénoms commencent par J ?

J'acquiesce.

— On nous pose tout le temps la question, répondent les sœurs en chœur, mais elles laissent à Lukas le soin de fournir l'explication.

— Julia avait cinq ans quand je suis né, Josefin six et Jenny sept. Honnêtement, je crois que nos parents s'étaient alors rendu compte des inconvénients de donner à leurs enfants des prénoms aussi semblables. Notre père avait l'habitude de crier Julia ou Jenny au hasard sans tenir compte de l'enfant qu'il appelait. Je crois qu'il n'avait pas envie d'un Johan qui aurait encore compliqué les choses. À moins que mon père ait eu une peur bleue de se tromper et de m'appeler Jenny, Josefin ou Julia, ce qui aurait pu faire de moi un homo.

— C'est possible, consent Josefin. Ça le mettait hors de lui quand on jouait à la poupée avec toi en te maquillant et en te déguisant avec des robes.

— Merci pour l'anecdote flatteuse sur mon enfance. Ne les écoute pas, Anita.

— Je suis certaine que tu étais mignon en robe, je lui dis en buvant une gorgée de bière.

251

— Mes sœurs m'ont toujours vu comme un mélange entre un petit frère pénible et une poupée particulièrement ennuyeuse.

— C'est toujours le cas, dit Josefin en me faisant un clin d'œil. Et toi, Anita, tu as des frères et sœurs ?

— Non.

Lukas pose sa main entre mes omoplates et j'ai brusquement un mal fou à me concentrer sur la discussion. Je me glisse avec discrétion — enfin je l'espère — plus près de lui jusqu'à ce que je sente la chaleur de son corps contre le mien.

Lorsque ses sœurs sont engagées dans un nouveau sujet de discussion, il en profite pour s'approcher encore plus de moi et me chuchote à l'oreille :

— Je m'excuse pour la présence de mes sœurs. Demain on a un dîner de famille et elles m'ont fait la surprise d'arriver un jour plus tôt. J'ai essayé de les convaincre de passer la soirée sans moi mais elles ont refusé. Et je sais qu'elles m'auraient quand même suivi si j'avais tenté de m'enfuir.

— Elles n'habitent plus ici ?

— Jenny et Josefin habitent à Västerås. Julia à Stockholm.

— Intelligent de leur part d'avoir quitté Skogahammar, je dis avant d'ajouter : Mes condoléances pour ton dîner de famille.

— C'est juste un mauvais moment à passer.

J'ai l'impression qu'il se fait l'écho de ma propre philosophie de vie.

La serveuse apporte enfin le verre de vin blanc.

— Tout le monde a choisi ce qu'il veut manger ? nous demande Jenny, bien qu'il soit évident qu'elle est la seule à avoir pris la décision.

— Je reviens, dit la serveuse en me lançant un regard excédé.

— Excusez-moi, je dis avant de me lever et de la suivre.

Arrivée au bar, je me penche au-dessus du comptoir pour lui expliquer :

— Voilà la situation : j'avais rendez-vous avec l'homme. On se connaît à peine. Les trois femmes sont ses sœurs. C'est la première fois que je les vois.

La serveuse se débarrasse de son plateau, pose deux verres sales dans l'évier, sans montrer si elle m'a entendue ou pas. Finalement elle lève les yeux vers moi. Elle est très maquillée, peut-être dans une tentative fatiguée de montrer qu'on est samedi. Son mascara, son fard à paupières sombre, son khôl, son fond de teint et sa poudre contrastent violemment avec l'expression indifférente de son visage. Comme si elle ne savait pas pourquoi elle me manifeste un quelconque intérêt.

— Je vais avoir besoin de davantage de bière pour pouvoir supporter cette soirée, je poursuis. Si tu veilles à ce que j'aie en permanence un verre plein devant moi, je te donnerai mon fils aîné en échange.

— T'as un fils ?

— Non. J'admets que c'est une promesse qui ne sera pas tenue.

Elle jette un œil vers les tables. Les autres clients ne lui demandent pas de travail. Le groupe intergénérationnel est parti et le couple a encore une bouteille de vin à moitié pleine sur la table. Deux types sont assis au bar mais je suis quasi certaine qu'ils ne s'attendent pas à un service quelconque. Et il y a, bien sûr, Gunnar à la machine à sous.

— D'accord, me dit-elle sans enthousiasme.

Je présume que c'est tout ce qu'elle a l'intention de me répondre, mais j'ai à peine le temps de me redresser qu'elle ajoute :

— Mais à mon avis, tu réfléchis mal.

Je me fige.

— Je réfléchis mal ?

— Un verre de bière plein te rendra prisonnière de la table. Tu dois faire en sorte qu'il te reste en permanence trois gorgées. De cette façon, tu pourras toujours faire durer ta bière si tu en as envie ou la finir et partir si tu en as marre, ou encore utiliser le fond comme prétexte pour aller en chercher une nouvelle au bar.

— T'as raison ! Ça fait décidément trop longtemps que je n'ai pas eu un rancard.

— Je ne veux pas te décevoir, mais vu d'ici, on ne dirait pas vraiment que c'en est un.

— T'as encore raison, je grommelle. OK, je viendrai chercher ma bière. Merci.

— Bonne chance.

Son ton n'est pas encourageant.

Lorsque j'arrive à la table, les trois sœurs sont au beau milieu d'une discussion. Lukas se tourne vers moi et me chuchote :

— Vite, avant qu'elles ne nous dérangent de nouveau. Raconte-moi quelque chose sur toi.

J'éclate de rire.

— Tu sais, poursuit-il, tout ce que je connais de toi, je l'ai appris par d'autres.

Je hausse les sourcils.

— Par Charlie. Par ses copains. Tu as toujours autant de mal à te dévoiler ?

— Je n'ai aucun mal à me dévoiler, je proteste.

— Sans faire de l'humour, je veux dire, précise Lukas avant de boire une gorgée de bière.

Il lui en reste un quart dans son verre. Il s'approche donc du niveau que la serveuse considère comme parfait.

— Raconte-moi un truc que je ne sais pas déjà.

— C'est une bien meilleure idée que de me demander quel est mon plat préféré, je dis.

Je fais un mouvement résigné de la tête et décide de lui répondre :

— Le soir, je m'installe parfois sur mon balcon pour regarder l'autoroute. Et je rêve de partir quelque part. Loin d'ici.

— C'est de ça que tu rêves ? dit-il tout bas. Et qu'est-ce qui t'empêche de partir ?

— Je devais déménager. Quand j'étais plus jeune, j'étais fermement décidée à aller n'importe où, juste pour ne pas faire partie de ceux qui passent toute leur vie ici.

Aussi bien notre discussion que celle de Jenny et de Julia sont brusquement interrompues par Josefin qui nous lance sans vergogne :

— Alors ? Ça fait combien de temps que vous vous fréquentez tous les deux ?

Ce n'est pas un rancard ! je pense machinalement.

— Je croyais que vous aviez promis de bien vous tenir, fait remarquer Lukas.

Sur un ton amusé, comme s'il ne s'attendait pas à cette question mais que ce nouveau sujet de conversation ne lui posait pas le moindre problème.

— Dès qu'il nous a appris qu'il avait rompu avec l'autre fille, là… Comment elle s'appelle ? Sofia ? C'est bien ça ?

— Ils sont restés ensemble presque deux ans, lui signale Jenny, agacée. Tu pourrais quand même te souvenir de son prénom !

Jenny est du genre à mémoriser le prénom de tous ses élèves.

— Il sort toujours avec ses nanas pendant environ deux ans et après il les quitte, poursuit Josefin avec insouciance. Un défilé continu de Linda, de Sofia et… Anna ? T'as déjà eu une Anna ?

— Il est resté presque cinq ans avec Linda, intervient soudain Julia.

— C'est quand j'étais ado, rappelle Lukas. Ça n'a aucun intérêt.

— Au contraire, répond Josefin. À cet âge-là, rester cinq ans avec quelqu'un c'est comme être marié et avoir des petits-enfants à l'âge adulte. Tu avais quel âge quand vous vous êtes rencontrés ?

— Treize ans.

À présent, Lukas regrette amèrement le nouveau sujet de

conversation. Mais pour une fois je suis d'accord avec Josefin. C'est effectivement bizarre.

— Et tu avais quel âge quand vous avez cassé? demande Josefin.

— Dix-huit ans.

— C'est normal, tu trouves? Je pose juste la question. Anita, qu'est-ce que t'en penses?

— Pas vraiment, j'admets.

— Ah! Et toi, quelle a été ta relation la plus longue?

— Josefin! s'écrient Jenny, Julia et Lukas en chœur.

— Six mois, je réponds. Mais il était marié, ce qui fait qu'on ne pouvait pas se voir très souvent. Sinon ça aurait duré encore moins longtemps.

Même Josefin ne trouve rien à redire. Je hausse les épaules et je bois une gorgée de bière tout en me faisant la réflexion que je n'aurais pas supporté de passer plus de temps avec lui.

— Alors que Lukas, lui…, poursuit Josefin, c'est un monogame en série. Il avait à peine quitté Linda qu'il était en couple avec une autre fille. Une fille presque identique. Ma théorie c'est qu'il n'a, en fait, pas le choix. C'est tout simplement les filles qui choisissent d'être avec lui. Un beau matin, il se réveille et il est dans une nouvelle relation.

Lukas a l'air suffisamment mal à l'aise pour que je comprenne que sa sœur a raison.

— Ce n'est pas si inhabituel, je signale. Je suppose qu'à peu près toutes les relations commencent de cette façon. D'un côté ou de l'autre. Une fille rencontre un mec. La fille dit au mec qu'ils sont ensemble. La fille emménage chez le mec déboussolé qui n'a même pas le temps de réagir et qui se demande où sont passés ses meubles et pourquoi il possède tout d'un coup des torchons et des casseroles.

Ce n'est bien sûr pas ce que nous racontent les comédies

romantiques. Mais c'est comme ça que ça marche à Skogaham-mar. L'endroit où on place la grossesse dans le processus varie en fonction des avis et des goûts.

— Exactement! dit Josefin. Mais pourquoi est-ce que ses his-toires à lui se terminent toujours? C'est ça que je ne comprends pas. Sofia n'avait rien fait de mal, si? Les autres non plus? Lukas devient de moins en moins endurant avec les années. Quand il avait treize ans, il a réussi à rester cinq ans avec Linda. Avec celle d'après, presque trois ans. Et aujourd'hui, il n'arrive même pas à passer le cap des deux ans. Dans quinze ans, il n'aura que des coups d'un soir. Comme les gens normaux, en fait.

— Excusez-moi, je dis en me levant. Quelqu'un d'autre veut une bière?

— La serveuse ne se déplace pas? demande Jenny mécontente en regardant le menu.

— J'en doute, je réponds joyeusement. Mais je peux lui dire de venir.

La serveuse et les types du bar lèvent des yeux fatigués vers moi quand je m'appuie au comptoir.

— Je ne vais pas pouvoir compter sur un coup d'un soir avec lui avant quinze ans! je leur lance.

— Encore une bière? elle me répond.

Dès qu'elle m'a vue me lever, elle a commencé à préparer un verre. Elle le fait glisser vers moi sur le bar. Je m'accorde deux bonnes gorgées avant de me décider à retourner à notre table.

— Commander au comptoir c'est le meilleur conseil qu'on m'ait donné, je lui dis. Je crois que plusieurs personnes à ma table aimeraient dîner.

— Alors ils n'auront plus assez faim pour boire de la bière, blague un des deux types.

— Faut donc que j'aille prendre leur commande, conclut la serveuse sans enthousiasme.

Je lève mon verre vers elle pour la remercier avant de retourner m'asseoir à ma place.

Jenny a soigneusement empilé tous les menus en bout de table pour inciter la serveuse à venir, mais je suis convaincue que celle-ci fera exprès de faire traîner sa venue en voyant la pile.

— Quel âge as-tu, Anita ? demande Josefin.

Lukas lui jette un regard noir, comme si elle venait de franchir la limite à ne pas dépasser.

— Trente-huit ans, je réponds.

— Et Lukas en a vingt-neuf. Alors la grande question est : se trouve-t-il dans sa crise de la trentaine, ou toi dans ta crise de la quarantaine ? Si vous combinez les deux, vous pourriez avoir une crise commune de la soixante-dizaine.

— Josefin, sifflent Lukas et Jenny en même temps.

Et moi je leur pose la question :

— Si vous étiez un animal, vous seriez quoi ?

— Un chat, répond instantanément Josefin. Une bête indépendante et intelligente.

Je suis presque certaine d'entendre Julia murmurer : « Et trop gâtée. »

— Moi je serais un chien, déclare Jenny.

Julia ajoute :

— Un chien de berger.

— Et toi, Anita ? me sourit Lukas.

— Un bœuf musqué, bien sûr.

27

Je me réveille plus fatiguée encore que lorsque je me suis couchée. Groggy, molle et avec un mal de crâne dont je suis certaine qu'il n'est que psychologique. Mon corps fait tout ce qu'il peut pour me maintenir au lit, aidé par le temps qui est gris, humide et sans intérêt. Même la pluie semble trouver que cette journée ne mérite pas qu'on déploie une énergie quelconque.

Mais est-ce que j'écoute leurs signaux? Non. Je me lève péniblement, j'appelle Pia et je me fais inviter à dîner. C'est ma mauvaise conscience de l'avoir mise à la porte hier et de ne pas lui avoir parlé plus tôt de Lukas qui me pousse à quitter l'appartement.

Lorsqu'il est l'heure de partir, j'enfile un vieux jean, une chemise pas très avantageuse et une doudoune chaude et informe. Il y a moins de vingt-quatre heures, j'étais en jupe, maquillée, parfumée et chargée d'une overdose d'adrénaline. Maintenant je suis crevée, j'ai froid et je suis habillée comme un sac.

Pia habite à un quart d'heure de chez moi, dans un quartier composé presque exclusivement de maisons à patio. Aussi bien géographiquement que socialement, l'endroit se situe entre les grands ensembles de la périphérie nord et la zone pavillonnaire de la périphérie sud.

L'âge moyen des habitants est d'environ quatre-vingts ans.

Tous ont des boîtes aux lettres personnalisées, des chiens aussi âgés qu'eux et des rideaux cousus main qui sont changés à chaque saison et à chaque grand événement. Tous gardent un œil sur leurs voisins, aussi bien pour être au courant des ragots que pour vérifier que personne n'est tombé et se trouve allongé par terre dans son vestibule depuis trois jours. Une sorte de coopération informelle entre voisins contre la fracture du col du fémur.

Le jardin de Pia est composé d'une petite allée dallée et d'une végétation suffisamment importante pour dissimuler en partie sa maison. Des pots ébréchés avec des plantes touffues se bousculent devant sa fenêtre et contre le mur à côté sont appuyés deux vieux vélos.

Lorsqu'elle est chez elle, la porte n'est jamais fermée à clé. Et puisque je sais qu'elle est en train de faire la cuisine, je ne prends pas la peine de frapper avant d'entrer. Pia déteste qu'on l'interrompe quand elle est occupée.

Dès que je passe le seuil, je sens l'odeur de son parfum qui plane dans chaque pièce. Sucrée et lourde avec une touche vanillée.

La maison de Pia sent également la clope, le café et le gâteau qui sort du four. Pia en prépare pratiquement un par jour. Elle est toujours en mouvement, elle répare, bricole, cuisine de bons plats bien caloriques même quand elle est seule.

Mais il faut aussi évoquer les couleurs de sa maison. Les murs de son vestibule exigu sont turquoise depuis l'époque où il était encombré des blousons, des gants et des chaussures boueuses de ses fils. Sans doute fallait-il de la couleur pour compenser le désordre. Quand on rend visite à Pia, on a la sensation d'entrer dans un endroit particulier. Sentiment accentué par la fumée de cigarette. De nos jours, peu de gens fument à l'intérieur.

Sa salle de bains est rouge, dans des tons différents. La cuisine, elle, est blanche mais avec des touches de couleur rose. Les godets d'herbes aromatiques à côté de la cuisinière (achetés à Extra-Market) sont revêtus de pots rose vif et les géraniums rouges sur le rebord de la fenêtre ont des cache-pots rose pâle. La lampe au-dessus de la table est blanche avec des motifs rose clair.

Peut-être est-ce grâce à toutes ces odeurs et ces couleurs que la maison ne semble jamais ni vide ni délaissée, même après le départ des trois adolescents et de leurs copains.

J'accroche mon blouson dans l'entrée et me dirige vers la cuisine où Nesrin est déjà installée. Je ne savais pas qu'elle serait là, elle aussi. Elle semble soulagée de me voir, comme si elle venait de réaliser qu'elle ne connaît pas assez bien Pia pour rester seule avec elle.

Pia lève à peine la tête. Elle se tient devant son plan de travail, en train de hacher un oignon.

— Qu'est-ce qu'on mange? je lance en m'asseyant en face de Nesrin.

Je déplace un géranium pour mieux la voir.

— Des boulettes de viande, de la purée et de la confiture d'airelles.

— Cool, dit Nesrin. Tout sauf du riz. Les Suédois ne savent pas préparer le riz. Je me souviens de la première fois que j'en ai mangé à l'école. «Mais c'est pas du riz, ça!» je me suis écriée. Après, la cantinière me détestait.

Pia ne fait pas attention au commentaire de Nesrin.

— Alors, comment s'est passé ton *rendez-vous galant*? me demande-t-elle, une pointe d'ironie dans la voix.

L'odeur d'oignon se répand dans la pièce, avec le bruit du couteau sur la planche à découper.

— Quel rendez-vous galant? s'étonne Nesrin.

— C'en était pas un, je me défends.

— *Quel* rendez-vous galant? répète Nesrin.

— C'en était pas un, je répète, mais je vois bien qu'elles ne m'écoutent pas.

— Anita avait rendez-vous avec Lukas, lui explique Pia.

Nesrin me dévisage.

— Quoi! Allez, raconte! s'écrie-t-elle.

— Il n'y a rien à raconter.

— Mais vous avez passé la soirée ensemble?

— Ils sont allés au Réchaud à alcool. Samedi soir.

— Alors ça ressemble bien à un rancard.

— Ses sœurs étaient là.

Long silence. Puis Pia se tourne vers moi, son couteau à la main.

— Quoi? s'offusque-t-elle.

— OK, t'as raison, c'était pas un rancard, admet Nesrin.

— Il a combien de sœurs?

— Trois.

— Et il était obligé de toutes les amener? demande Pia en oubliant l'oignon. Bon, je peux comprendre qu'il ait besoin de protection pour t'empêcher de lui sauter dessus, poursuit-elle, mais trois ça me paraît un peu beaucoup.

— Ça te fait plaisir de dire ça, hein? je lui balance.

Pia me sourit tout en haussant les épaules puis elle attrape la viande hachée dans le frigo. J'ai le temps de voir qu'il regorge de fruits, de légumes et de boîtes en plastique avec des étiquettes bien collées dessus.

— Comment t'as fait pour atterrir là-dedans? me demande Nesrin. Je veux tous les détails.

Je raconte ma soirée du samedi précédent en faisant un petit — mais nécessaire — mensonge. Je prétends que Charlie m'a appelée pour me proposer de venir boire un verre.

Pia me regarde d'un air suspicieux. Je suis encore sortie un samedi soir sans lui en parler. Nesrin, elle, semble plus choquée par le fait que j'aie une vie. Mais toutes les deux gobent mon explication.

— J'ai voulu convaincre Charlie de m'aider pour la Journée de la Ville, je dis, et ça paraît suffisamment barbant pour être vrai. Lukas se trouvait là par hasard avec des amis.

Mais Nesrin est épouvantée par la suite de l'histoire.

— S'il t'a proposé de boire un verre avec lui samedi soir, tu as dû croire que c'était un rancard, ou du moins qu'il était intéressé par toi.

— Non ! je proteste.

Mais Nesrin continue :

— Tu étais assise au Réchaud à alcool à l'attendre, pleine d'espoir et bien fringuée, et voilà qu'il se pointe avec trois meufs. Tu as dû être hyper-triste.

Pia prend un air dégoûté. Je n'aime pas beaucoup l'image qu'elle renvoie de moi. En particulier parce qu'elle est techniquement vraie.

— Je n'étais quand même pas aussi pathétique, j'essaie.

— Qu'est-ce qu'il t'a dit ? Il s'est excusé ? Et toi, qu'est-ce que t'as fait ?

— Ce n'était pas un rancard, je répète pour la énième fois. C'était juste quelques bières, et un dîner en compagnie de... quatre personnes. On a discuté, on a bu, on a mangé et après je suis rentrée.

Je suis restée au Réchaud à alcool jusqu'à environ vingt et une heures. Puis je suis partie avant que la soirée ne se mette vraiment en route. Le bouquet final aurait été que Sofia surgisse.

— Bah, au moins tu as plus d'expérience maintenant, déclare Pia.

Ce qui est vrai.

Nesrin me regarde d'un air compatissant et déclare, toujours aussi indignée pour moi :

— Tu aurais dû te barrer tout de suite. Ou boire une bière et te tirer aussitôt après. Comme ça, il aurait eu tout le temps de divertir ses trois sœurs. Si ce n'était même pas un rancard, pourquoi tu as eu à les supporter ? On ne va quand même pas être polie avec la famille de quelqu'un si on ne peut même pas coucher !

C'est pourtant ce que j'ai été. Polie.

Ce soir-là, nous avons finalement réussi à commander nos plats et je suis ensuite restée devant mon filet de porc et mes pâtes à participer du mieux que je pouvais à la conversation.

C'est ça qui est si déprimant. Je n'arrive même pas à être digne de mes propres désirs. Je les considère comme quelque chose dont je pensais un jour avoir l'utilité mais dont je ne sais plus quoi faire. Je ne veux pas les jeter mais je les ai enfouis dans un carton sur lequel j'ai inscrit « Mes désirs » bien lisiblement au marqueur et je les ai rangés dans un coin de mon grenier mental en essayant ensuite d'oublier l'existence même de ce carton.

Sofia, elle, aurait au moins montré qu'elle était déçue. Ça, j'en suis persuadée. Soit elle serait partie, soit elle aurait fait la gueule, soit elle aurait été cassante toute la soirée. Ce qui aurait aussi probablement été le cas de Linda et de toutes les autres filles avec qui Lukas est sorti.

— Ou plutôt, tu aurais dû ne pas y aller du tout, déclare Pia. À quoi tu t'attendais ? Le Réchaud à alcool un samedi soir… L'ambiance est toujours hystérique. Tu vois le nombre de cons qu'il y a dans cette ville ? Eh bien, ils sont tous regroupés dans le seul endroit qui vend de l'alcool.

— Moi, j'ai l'habitude de sortir le samedi soir, proteste Nesrin.

— Toi, t'es jeune, c'est pas pareil. L'ampleur de la connerie humaine n'est pas encore flagrante pour toi. Anita est assez âgée pour en être plus consciente.

Malgré tout, j'ai dû oublier de déposer quelques-uns de mes désirs dans le carton puisque j'ai quand même envie de le revoir. Ce qui prouve à quel point j'ai sombré dans la folie. En moins de trois semaines, je trouve tout naturel de le voir chaque week-end et d'avoir à supporter le vide interminable des jours de semaine.

Le fait que j'aie plein de boulot avec la Journée de la Ville ou que je doive consacrer davantage de temps à ma mère ne change rien à l'affaire. Ce n'est pas ça dont j'ai envie. Je me sens comme une enfant pourrie gâtée qui ne pense qu'à s'amuser et ne supporte pas la moindre frustration.

— Mon pied va mieux, je crois que je vais pouvoir reprendre mes cours de moto, je déclare.

C'est un compromis raisonnable. Le rencontrer pendant les cours. Me ressaisir pour le reste.

— La moto c'est mieux, consent Pia.

Elle vient de terminer la préparation des boulettes de viande et s'assied avec nous pendant que la poêle chauffe.

— Finalement, c'est peut-être aussi bien qu'il ne se soit rien passé avec Lukas, continue-t-elle.

Elle prend ce ton neutre qui signifie que le sujet l'amuse follement et qu'elle ne va pas tarder à faire une blague.

— Tu t'imagines coucher avec lui ? me lance-t-elle.

Voilà. C'était clair, je savais que ça allait déraper !

— Moi, je me vois très bien, répond Nesrin.

— Il faudrait passer son temps à rentrer le bide, rit Pia. Et trouver le moyen de contracter en même temps les cuisses, les fesses et toutes les parties molles du corps. C'est l'inconvénient de sortir avec des mecs plus jeunes.

Je fais une grimace et Nesrin semble indifférente.

— On peut aussi insister pour que la lumière soit éteinte et pour avoir des rideaux opaques, poursuit Pia. Mais est-ce vraiment suffisant ?

Lorsque j'arrive chez moi, j'allume la lampe de l'entrée et je me plante devant le miroir. Je ne prends même pas la peine d'allumer le reste de l'appartement. De toute façon, il est vide et trop bien rangé. C'est déprimant. Ce n'est vraiment pas ce dont j'ai besoin.

Comment ai-je pu croire en cette histoire en ayant si peu d'attentes et en me montrant si naïve ? J'ai la sensation de m'être fait avoir par une discussion amicale et quelques regards. C'est carrément tragique. Mais ça me fait surtout admettre que Pia a raison. La compassion de Nesrin n'arrange rien.

Et si ça avait réellement été un rancard ? Je suis si terriblement sous-qualifiée en la matière qu'on aurait couru au désastre. Si la vie amoureuse fonctionnait de la même manière que la vie professionnelle, je serais impossible à employer. Mon CV en relations amoureuses est tellement court et entrecoupé de pauses si longues que tout candidat potentiel serait méfiant. Le pire c'est que les relations que j'ai pu avoir n'ont jamais demandé ni engendré des qualifications quelconques.

Mon CV ressemblerait à peu près à ça :

De 1999 à aujourd'hui : divers.

De janvier 1997 à novembre 1999 : homme préférant rester anonyme. Romance intermittente et insipide avec homme marié et père d'un enfant de l'âge d'Emma. Temps passé ensemble calculé à partir de notre première rencontre jusqu'au dernier soir où j'ai attendu en vain son coup de fil.

De mars 1990 à mars 1990 : Adam Andreasson. A eu un effet sur le long terme puisque cette histoire d'une nuit a eu pour conséquence Emma.

De mai 1989 à août 1989 : Jocke Andersson. Défi posé par la relation : trouver une laque qui assure une coiffure crêpée et gonflée après le port d'un casque de moto. C'est aussi là que j'ai perdu ma virginité. Mon idée étant de m'en débarrasser au plus vite. De toutes les fois où j'ai couché avec des mecs, ce sont celles avec lui que je regrette le moins. Ça reste pourtant un mystère qu'on soit sortis ensemble pendant deux mois.

J'ai la forte sensation que ces dix années de «divers» ne tromperont personne. *Divers* n'est bien sûr que la réécriture enjolivée d'*aucune activité*. Mais ce n'est pas tout à fait vrai. Je n'ai pas vécu dans le célibat pendant toutes ces années, même si je le ressens comme ça. C'est simplement qu'aucun des hommes que j'ai rencontrés durant cette période n'a été assez marquant pour mériter un paragraphe à lui seul.

Ce n'est pas uniquement la faute des hommes, bien entendu. Je veux dire, qu'est-ce qui fait qu'Erik Lovèn aurait moins de valeur que quelques coups tirés sur la banquette arrière de la voiture du père de Jocke? À part qu'Erik était avocat à Karlskrona, ce qui dès le départ aurait dû me dissuader.

Nous nous sommes vus trois fois en tout et pour tout, mais j'ai quand même eu le temps d'apprendre qu'il avait fait ses études de droit à l'université de Stockholm (sujet qui est revenu plusieurs fois au cours de nos rares conversations, parfois suivi de la précision *pas l'université d'Örebro,* comme si j'avais pu croire que l'université de Stockholm se situait à Örebro), qu'il était membre du Rotary, qu'il marchait sur les traces de son père (prononcé avec un P majuscule), ce qu'il considérait comme un défi pour lui (fausse modestie). Il n'était ni meilleur ni pire que Jocke. Mais, quelque part après notre dix-huitième anniversaire, on arrête de se soucier des hommes avec qui on n'a aucune affinité mais avec qui il nous arrive cependant de coucher. Seuls les mecs dont la séparation s'est terminée par un clash se sont qualifiés pour entrer sur ma liste. Mais, plus je prends de l'âge, moins je suis disposée à m'abandonner dans une relation.

Tout d'un coup, rien que l'idée que je n'aurai pas à actualiser mon CV jusqu'à la fin de ma vie me fout le cafard. J'aurai juste à rectifier les dates de «divers». De 1999 à 2030, genre.

Je suis à peu près certaine que Lukas n'entrera même pas dans cette catégorie.

J'enlève mon blouson et je l'accroche au portemanteau. Il a plu sur le chemin du retour. Une fine bruine d'automne juste assez intense pour que mes cheveux frisottent et que mon blouson se mouille. Je me coiffe tant bien que mal avec les doigts.

J'hésite.

Avoir des rideaux opaques.

Je déboutonne lentement ma vieille chemise bleu clair si peu seyante. Lorsque j'en suis au dernier bouton, je laisse la chemise glisser jusqu'au sol. Je regrette aussitôt ce que je viens de faire. Comme si quelqu'un pouvait me voir à moitié nue dans l'entrée. Je me penche pour ramasser la chemise et je la plie rapidement.

Puis je déboutonne mon jean. Je le baisse et le retire. Je me penche de nouveau pour le ramasser et le plier. Sans doute afin de retarder autant que possible le moment où je serai obligée de regarder mon reflet dans le miroir.

Lorsque je lève enfin les yeux, j'ai les joues en feu. Je regarde mes seins monter et descendre dans mon soutien-gorge en coton blanc à chacune de mes respirations. Puis je regarde ma culotte qui est également en coton blanc. Des sous-vêtements que même ma mère approuverait.

Enfin, pas si elle me voyait les porter sans rien d'autre dans l'entrée, bien sûr.

Mon corps a porté un enfant, c'est indéniable. La lumière vive du plafonnier éclaire impitoyablement aussi bien mes vergetures que mon ventre et mes hanches.

Je m'efforce de continuer à m'observer.

C'est un corps marqué et endurci par des activités telles que des cours de moto et des promenades. Si on ne tient pas compte de mon entorse au pied, il est plutôt en bonne santé. En tout cas, jusqu'à présent il ne m'a pas fait défaut. Je passe ma main sur mon ventre jusqu'aux seins. Pendant quelques secondes, je ferme les yeux en imaginant la sensation d'être touchée par quelqu'un d'autre.

Puis je les ouvre et me rends compte que je suis à moitié nue dans mon entrée. Je me précipite dans ma chambre et j'enfile mon peignoir, comme une adulte. Comme une femme normale.

Une minute. C'est le temps que j'ai réussi à tenir devant mon reflet.

Prends des cours de moto, je me dis. Ne le rencontre pas dans d'autres circonstances, même si — contre toute attente — il veut te revoir. Organise la meilleure Journée de la Ville de tous les temps. Et fais en sorte qu'Emma vienne bientôt passer un week-end à la maison.

Les autres désirs, je les range soigneusement dans le carton dans un coin de mon grenier mental.

28

Se plier aux attentes des gens apporte une certaine forme de satisfaction. Peu de choses dans la vie sont aussi fiables, aussi stables, aussi immuables que les envies des autres. Elles forment un bruit de fond constant, comme la radio de ma mère qui reste toujours sur la même station. J'ai juste à me taire et à écouter. Alors que mes propres désirs peuvent se ranger dans un carton et s'oublier.

Dorénavant, j'irai plus souvent rendre visite à ma mère. Parce que Eva le veut et que ma mère d'avant l'aurait exigé.

Je vais aussi me concentrer sur la Journée de la Ville. Parce que cette manifestation représente les désirs de beaucoup de gens : Anna Maria veut que cette journée soit un succès, Ann-Britt veut que quelqu'un d'autre qu'elle prenne les décisions, Niklas et Johan (Dieu les bénisse!) veulent jouer du black metal et l'Homme du Train veut redonner sa grandeur à la ligne de Svartåbanan. La moindre des choses est que je fasse de mon mieux pour que leurs désirs se réalisent.

L'envie de Pia c'est d'aller boire un verre au Réchaud à alcool en semaine. Lorsque nous nous retrouvons devant Extra-Market le lundi matin, je lui propose de sortir un soir. Son visage s'illumine, comme si ce début de semaine devenait soudain plus supportable. Elle balance une vanne gentille à Petit-Roger quand nous le croisons dans la salle du personnel, la preuve irréfutable qu'elle est de bonne humeur. Je le savais. Je savais qu'elle s'animerait de nouveau dès que j'arrêterais de me focaliser sur autre chose qu'elle, par exemple sur mon moniteur, mes cours de moto et mes nouveaux vêtements.

La grippe a frappé le magasin. Les membres du personnel qui travaillent en extra tombent comme des mouches. Ça signifie que toute la réunion du lundi matin est consacrée à la recherche de solutions pour les soirs de la semaine et les week-ends. La santé des permanents est encore bonne. Magda renifle de façon inquiétante, mais seule la grippe espagnole pourrait lui faire rater quelques jours de travail. Pia et Nesrin sont égales à elles-mêmes et les blagues de Grand-Roger sont toujours aussi nulles, ce qui indique qu'il doit, lui aussi, aller plutôt bien.

— Comment peuvent-ils tous tomber malades en même temps ? se plaint Magda.

On dirait qu'elle n'a toujours pas admis que la grippe est contagieuse. Curieusement, je ressens une affinité avec elle puisque ça a été aussi ma première réaction.

— La prochaine fois, ce sera notre tour, déclare Nesrin avec fatalisme.

Pia déclare sans scrupule que ni Nesrin, ni elle, ni moi ne pourrons travailler jeudi soir. En revanche, j'accepte toutes les heures supplémentaires qu'on me propose sans broncher. J'envisage même d'annuler mon cours de moto que je viens de réserver. En allant au boulot, j'ai passé un coup de fil à Ingeborg pour fixer une heure. Ce cours serait pour moi une récompense pour les activités que j'assure par ailleurs, mais maintenant je me dis que je devrais peut-être le reporter en attendant que tout le monde soit rétabli. Je demande malgré tout si je pourrais éventuellement être absente quelques heures le jeudi après-midi, ce que Petit-Roger m'accorde. Pia me lance un regard noir me reprochant mon ton coupable.

Même sans cette épidémie de grippe, j'ai un emploi du temps bien chargé. Il va falloir que je gère les suites de la soirée d'information à laquelle beaucoup de gens avaient répondu présents. Je vais devoir organiser une réunion pour mettre en place les différents groupes de travail. Éventuellement chez moi. Un endroit informel et chaleureux, à l'image de ce que devrait être la Journée de la Ville. Anna Maria aimerait aussi que je lui fasse un résumé de l'évolution du travail.

Et je vais devoir aller rendre visite à ma mère. Dès ce soir. Depuis que j'ai décidé de devenir responsable et travailleuse, je pense instinctivement à elle. Ça doit correspondre à un besoin plus ou moins inconscient de ma part de lui montrer que je travaille dur, que je me concentre sur autre chose que moi-même et que je n'espère rien de la vie.

Exactement ce qu'elle a toujours attendu de moi.

Lorsque j'arrive, la porte de la chambre de ma mère est grande ouverte. Dans le couloir des éclats de voix me parviennent. Surtout d'une. Celle de ma mère.

— Mais je vous dis qu'Elisabet vient me rendre visite aujourd'hui! Il faut que je rentre faire le ménage. Je n'ai même pas commencé. Je ne peux pas rester ici!

Elisabet est la sœur de ma mère. Elle habite à Borlänge. Depuis que l'état de ma mère a empiré, elles ont très peu de contact, alors qu'avant elles avaient une relation très étroite bien que chaotique.

Sa voix est stridente et irritée mais j'entends aussi une pointe d'autre chose. Celle de l'infirmière est douce, chaude et compétente. Quand j'arrive sur le seuil, je la vois à côté d'elle, une main apaisante posée sur son épaule. Ma mère porte encore sa chemise de nuit mais a enfilé le pantalon gris qu'elle met généralement pour sortir. Ses cheveux ne sont pas coiffés.

— Pourquoi ils ne me laissent pas faire le ménage? me lance-t-elle quand elle me voit arriver.

D'évidence elle ne me reconnaît pas. Pour elle, je ne suis qu'une étrangère susceptible de me ranger de son côté.

— Je ne comprends pas, poursuit-elle.

Son ton est maintenant pleurnichard. Pleurnichard et exaspéré. Mais pas de sa façon habituelle. Je comprends soudain qu'elle essaie de masquer sa peur. Ça me fait un choc.

— Elisabet vient aujourd'hui. Pourquoi ne me laissent-ils pas faire le ménage?

Une stagiaire qui a entendu la scène essaie de pénétrer dans la chambre. Je me rends compte que je bloque l'entrée.

— Excusez-moi, me dit-elle en me poussant gentiment mais avec fermeté.

Elle ne peut pas avoir beaucoup plus de dix-huit ans mais elle est bien plus calme et pondérée que moi. Et elle est aussi bien plus utile. L'infirmière et elle essaient de convaincre ma mère de s'asseoir. *Elisabet vient un autre jour, le ménage est déjà fait…* Des petites phrases absurdes prononcées dans l'espoir de débloquer quelque chose dans sa tête. Je les regarde en silence.

— Je sais quand même quel jour on est, se plaint ma mère. C'est évident. Et Elisabet ne va pas tarder.

Je reste dans l'embrasure de la porte sans savoir quoi dire ni quoi faire. Même une infirmière inconnue a des gestes plus naturels à l'égard de ma mère que moi. Je ne me souviens même pas de la dernière fois où je l'ai touchée. Et aujourd'hui je ne sais absolument pas comment m'y prendre.

— Peut-être vaut-il mieux que vous reveniez un autre soir? me suggère l'infirmière avec un sourire.

Il n'y a rien que je puisse faire.

Lorsque je m'éloigne dans le couloir, j'entends toujours la voix désespérée de ma mère. Elle résonne encore dans ma tête quand je sors à l'air libre.

Lorsque Skoghammar s'est construit, l'idée a dû être de créer un centre administratif et commercial. Peut-être n'a-t-on pas voulu utiliser les locaux les plus attractifs dans la rue centrale pour des institutions administratives. Peut-être trouvait-on que le mastodonte en brique rouge avait un certain charme et fonctionnait comme un centre à lui tout seul. Quelle qu'en soit la raison, notre maison communale est aujourd'hui située de l'autre côté de la Grand-Place, à quelques pâtés de maisons de la gare routière et avec pour arrière-plan les rails de chemin de fer abandonnés.

La maison communale est un bâtiment de cinq étages en brique rouge avec un toit en tôle marron. Un excellent représentant de l'architecture publique suédoise des années soixante et soixante-dix.

À l'entrée, il y a des panneaux annonçant tout ce dont dispose la commune : les services dentaires publics en bleu et blanc (rien que de voir les mots, je sens l'odeur de désinfectant et de fluor et je perçois l'appréhension des enfants dans la salle d'attente). Ce centre de soins me fait immédiatement penser à des surchaussures en plastique bleu. Des panneaux plus petits indiquent les services les plus fréquentés : le bureau d'aide sociale, le service jeunesse et sport (toutes les villes ont au moins une équipe de foot), le bureau de l'urbanisme (même s'il ne se construit plus rien, il existe toujours des vieux qui tiennent à ce qu'il soit maintenu).

Il est dix-huit heures trente. Tout le bâtiment semble avoir été déserté. À l'extérieur pendouillent tristement trois drapeaux, comme s'ils étaient en berne. On dirait qu'ils ont décidé eux aussi de ne pas travailler en dehors des heures de bureau.

Anna Maria m'accueille devant la petite entrée à côté des grandes portes tambour fermées. La réception est vide et les couloirs sont plongés dans l'obscurité. Mais pendant que nous évoluons dans le bâtiment en direction des ascenseurs les lampes s'allument progressivement.

— Économie d'énergie, me dit-elle. C'est bon pour l'environnement et pour les finances mais j'ai toujours l'impression d'avoir raté l'alarme d'évacuation.

Quelque chose me dit qu'Anna Maria est souvent là quand les lampes sont éteintes dans les couloirs.

Je me retourne pour jeter un œil sur la petite exposition à côté de la réception. De grands panneaux blancs avec de vieilles affiches vantent la qualité de Skogahammar en tant que commune du futur, conçue pour les enfants et proche de la nature. Techniquement parlant, c'est vrai que nous sommes tout près des forêts. J'ai aussi l'impression de voir…

— Ce sont des sacs-poubelle?

— Une partie d'un processus de concertation autour d'un nouveau plan d'organisation des déchets, m'explique Anna Maria tout en me faisant signe de monter dans l'ascenseur.

Elle me suit, passe sa carte dans un lecteur et appuie ensuite sur le bouton du cinquième étage.

La maison communale semble être organisée de façon hiérarchique. En tout cas, l'administration générale se trouve au dernier étage du bâtiment. Anna Maria me conduit jusqu'à son bureau; une oasis vitrée à la lisière d'un open space.

Elle s'assied dans un fauteuil noir, pivote de quelques centimètres et se retrouve face à moi, les coudes posés sur son bureau étonnamment bien rangé.

— Bon, dit-elle. Comment ça se passe avec les associations? Tu as réussi à avoir le club de foot?

— Non, je réponds. Pas encore, mais ils étaient présents à la réunion d'information.

Anna Maria me fait un grand sourire.

— Très belle initiative, cette réunion ! On m'a dit que c'était très réussi. Et Ingemar Grahn en avait même parlé avant dans le journal. Habituellement il n'est pas aussi serviable. J'avais bien dit que tu étais quelqu'un de diplomate, ajoute-t-elle, satisfaite d'avoir eu raison.

— J'ai l'intention de créer un groupe de travail, j'annonce. Avec ceux qui ont envie de s'investir davantage. Pour l'instant, il y a un représentant de l'association des amis de Svartåbanan, Ann-Britt de la Croix-Rouge, Charlie qui va se charger de la programmation de la scène et moi.

Anna Maria acquiesce d'un signe de tête avant de déclarer :

— Nous aurons besoin d'un plan précis pour savoir où installer les tentes et les différentes activités. J'ai trouvé quinze jeunes qui pourront aider en tant que bénévoles, mais il faudra qu'ils sachent quoi faire.

— C'est… en cours, je réponds.

Je note rapidement *Plan ?!?!* sur mon bloc en espérant que Hans saura comment procéder.

— Bien, bien. J'ai passé commande d'une scène à des fournisseurs avec lesquels nous avons l'habitude de travailler à la commune. Ils feront l'installation le samedi matin et démonteront le soir. Est-ce que les magasins sont dans le coup ?

— Ils…

— Parfait. C'est très bien d'avoir pu faire ce petit point.

Anna Maria se penche en arrière sur son fauteuil, l'air satisfait de l'évolution des choses.

Dans mon bloc-notes j'ai juste marqué : *Plan ?!?! Associations. Scène. Magasins.*

Le groupe de travail que j'ai réussi à constituer, je l'imagine un peu comme la revanche des *nerds*. Ça me rend encore plus déterminée à faire en sorte qu'il fonctionne.

Le soir même, j'appelle Jesper, l'Homme du Train, qui est toujours aussi enthousiaste. Il est d'accord pour assister à une réunion. Je promets de revenir vers lui avec une date et un lieu.

Ann-Britt se propose d'apporter des gâteaux et Charlie aussi d'être présent.

— Niklas et Johan viendront peut-être faire un tour pour qu'on organise ensemble leur concert, m'annonce-t-il. Ils sont à fond.

Si je veux que Charlie devienne responsable de la programmation, ce serait une mauvaise idée de protester.

— Amène-les et on verra ce qu'on peut faire, je réponds.

Et qui sait? Un peu de black metal mettra peut-être de l'animation.

29

Apparemment c'est une erreur d'avoir décidé de reprendre des cours de moto. Si je veux me persuader que je suis raisonnable et pondérée, ça ne m'aide pas de rester plusieurs minutes à hésiter devant la porte de la moto-école.

Ça fait trois semaines que je ne suis pas venue. J'avais oublié que le local était si accueillant. J'ai l'impression d'être dans une autre ville, libérée de toutes mes obligations.

Dès que je passe le seuil, je n'ai plus besoin de penser à autre chose qu'aux changements de vitesse et au parcours lent. Soudain c'est le quotidien qui me semble absurde et lointain : ma mère, Extra-Market, la Journée de la Ville. Est-ce vraiment si important que ça ?

Un soleil automnal jette une lumière chaude sur les panneaux de la FSEC accrochés à la fenêtre et sur les quelques voitures garées devant. Les quatre motos se trouvent à leur place habituelle, la mienne incluse.

Ce n'est qu'un cours comme les autres, je me dis en essayant de me persuader que les papillons dans mon ventre sont dus à la montée d'adrénaline avant de grimper sur la moto.

Lorsque j'entre enfin, Lukas n'est pas à la réception. Et il n'arrive pas pendant le long moment où Ingeborg me pose des questions sur l'état de mon pied et me raconte des anecdotes au sujet d'autres blessures et accidents. Puis elle me laisse partir vers le vestiaire en m'informant qu'il est ouvert et en me recommandant de tomber sur l'autre pied la prochaine fois que je devrai sauter de la moto.

En découvrant un autre élève assis sur un des bancs, j'ai un choc. J'avais commencé à considérer le vestiaire comme mon domaine privé.

Le garçon semble bien trop jeune pour passer son permis de grosses cylindrées. À peine vingt ans, les cheveux courts, les joues écarlates et de la frustration dans ses yeux naïfs marron clair.

— Parcours lent ? je demande d'un air compatissant.

— Et aussi parcours rapide. Je ne comprends pas pourquoi je n'y arrive toujours pas.

— Au moins, tu n'as pas fait tomber ta moto, je dis entre l'affirmation et la question.

Je croyais avoir su prendre un ton encourageant mais il me regarde avec de l'effroi dans les yeux. Rien que l'idée que ça soit possible semble le terrifier. Je me répète plusieurs fois à moi-même qu'il n'est pas normal de renverser sa moto et je me promets de ne pas le faire au cours suivant.

— Anita, je me présente en lui tendant la main.

Il la prend avec hésitation.

— Robin. Je ne vous ai pas vue dans le journal ? poursuit-il.

J'ignore son commentaire.

— Robin, tu vas y arriver. Aujourd'hui tu vas assurer.

— J'ai déjà eu mon cours.

— OK. Alors tu assureras la prochaine fois.

Il me fait un signe de tête avant de partir. J'enfile mes protections et, quand je sors, Lukas m'attend devant les motos.

Il est penché au-dessus de l'une d'elles, en train de vérifier quelque chose. Je profite de ces quelques secondes pour tenter de prendre une expression convenable et forcer mes joues à arrêter de chauffer.

Lorsqu'il se redresse et qu'il m'aperçoit, il me fait un grand sourire. On dirait que ça lui fait plaisir de me voir.

— Encore merci pour samedi dernier, me dit-il. Je suis vraiment désolé pour mes sœurs. On avait un dîner de famille et elles sont arrivées une journée trop tôt…

Il continue à me sourire mais je détourne les yeux et je regarde ma moto à la place.

— Tu me l'as déjà expliqué, je l'interromps.

Concentration ! je me dis.

— Juste pour que tu le saches : aujourd'hui j'ai décidé d'assurer, j'ajoute.

Il lève les sourcils, l'air étonné.

— Je te le signale maintenant au cas où tu ne remarquerais pas de changement. Pour que tu saches quoi dire à la fin du cours. Merde, saleté de boucle !

Mon attitude pleine d'assurance est compromise par le fait qu'il soit obligé de m'aider à fermer la boucle de mon casque. Je rougis en sentant ses doigts m'effleurer le cou, mais j'espère que le casque me cache.

En avant, Anita ! je m'encourage en essayant de ne plus penser à ses mains si proches de mon visage.

C'est difficile d'assurer quand on roule dans une zone pavillonnaire.

J'ai toujours trouvé ces endroits effrayants. Celle de Skogahammar est située au sud de la ville. Côté chic. C'est là que vit la classe moyenne. Des maisons en bois jaunes, rouges ou bleues bordées de haies bien entretenues. Au-dessus de ces haies, on peut parfois apercevoir des cheveux gris qui se déplacent dans le jardin. Quand elles sont suffisamment basses, on peut même entrevoir un visage avec des yeux scrutateurs qui protègent le territoire.

Ce jour d'automne parfait, même le soleil est au rendez-vous. L'espace d'un instant, je me dis que c'est uniquement parce que nous nous trouvons de ce côté de la ville. Comme si les habitants du quartier ne pouvaient accepter une chose aussi médiocre que le mauvais temps.

— Les zones pavillonnaires m'effraient, je dis. Il y a tellement de folie cachée derrière ces haies si bien entretenues.

— C'est ici que j'ai grandi, me répond Lukas.

— L'exception qui confirme la règle, je rétorque. Tu penses que c'est vraiment une bonne idée de s'entraîner ici?

Il doit y avoir plein d'enfants. Et d'animaux domestiques. J'imagine déjà les murs du quartier se tapisser d'affiches *Quelqu'un aurait vu mon chat* après chacun de mes passages jusqu'à ce qu'un habitant fasse le lien avec moi et qu'ils me poursuivent tous avec leur fourche ou sa variante plus moderne. Une populace mena-çante et impitoyable assoiffée de sang!

Je roule très lentement. Lukas me signale que je peux passer en seconde. Lorsque nous nous arrêtons de nouveau, je lui explique ma peur des chats et du comité de vigilance du quartier. Il éclate de rire.

— Les gens ne sont pas aussi terribles que tu crois, me dit-il. Mais veille quand même à ne pas écraser trop de chats.

Les arbres qui bordent la route sont d'un rouge profond qui tire vers le brun. Durant les quelques minutes où nous sommes arrêtés, je vois des feuilles couleur vermillon virevolter avant de se poser par terre et sur les voitures garées. Nous nous remettons en route. Je souris sous mon casque. Quelque chose de mélancolique flotte dans l'air.

Si on ne tient pas compte du fait que je reste trop longtemps

281

en première, j'assure vraiment. Je n'oublie presque jamais le clignotant et je tourne avec précision à droite *et* à gauche.

À un croisement, deux voitures de l'auto-école surgissent sur deux des quatre voies. Nous nous immobilisons tous pendant plusieurs minutes pour essayer de nous rappeler la règle de la priorité à droite. Au bout d'un moment, Lukas m'ordonne de démarrer et de continuer mon chemin. À l'heure qu'il est, les autres doivent toujours être là-bas à hésiter.

Une seule fois, Lukas est sur le point d'exploser. Mais c'est plutôt de rire. Nous avons entamé le retour vers la moto-école et nous avons devant nous une ligne droite sur cinquante mètres sans ronds-points.

Je le sens dans son corps avant même qu'il me dise à l'oreille :

— Bon, là on se fait doubler par une mobylette.

Un ado maigrichon nous dépasse à fond de train en fendant l'air.

— L'humiliation suprême ! je déclare. Mais il a dû trafiquer le moteur, non ?

— Ça ne fait rien, me console-t-il en me donnant une petite tape sur la taille.

Je retiens mon souffle.

Assure, rien de plus ! je me répète de nouveau à moi-même.

Après le cours, je vais vite me changer puis je retrouve Ingeborg à la réception pour payer. Au moment où je m'apprête à ouvrir la porte, Lukas arrive. Je me dis qu'il se rend sans doute à son prochain cours mais il reste devant l'entrée.

— Dans quelques semaines, il y aura la première partie de l'examen obligatoire pour le permis, me dit-il. Le 18 octobre au soir. C'est une des étapes que tu devras passer, mais tu peux, bien sûr, le faire à une autre date. Nous avons plusieurs sessions par trimestre.

Le 18 c'est la semaine après la Journée de la Ville.

— Ça me semble bien, je réponds, puis je hoche la tête, ne trouvant rien d'autre à dire.

Il hésite.

— Ça te dirait de faire un nouvel essai ? Qu'on se voie sans mes sœurs cette fois ?

Je pense aux feuilles couleur vermillon qui tourbillonnaient autour de nous, au café de la station-service, aux motos, à la liberté. Puis je pense à l'extrême fatigue que j'ai ressentie dimanche, à ma difficulté à sourire, à discuter comme si tout allait bien. Je pense aussi à la compassion de Nesrin, au cynisme de Pia.

— Non merci, je réponds.

C'est la bonne décision, je le sais. Elle est raisonnable. Mais c'est tellement fatigant d'être aussi sage. J'aurais aimé qu'il ne me pose pas la question, ça m'aurait évité de l'être.

Il semble étonné. J'aurais peut-être dû enrober un peu ma réponse, mais je ne trouve rien de mieux à dire. J'aurais dû chercher des formules d'excuses sur Google, mais comment aurais-je pu savoir qu'il me poserait cette question ? Et de toute façon, maintenant c'est trop tard.

— J'ai... beaucoup de choses à faire en ce moment, je me justifie. Je suis très prise. Avec la Journée de la Ville, la grippe au boulot, ma mère et... bon, faut que j'y aille.

J'ai d'ailleurs décidé de passer voir ma mère avant de retrouver Pia au Réchaud à alcool. Appliquée. Responsable. Adulte. Voilà ce que je suis.

Je m'apprête à m'en aller quand Lukas m'appelle :

— Anita ?

Je me retourne.

— Aujourd'hui t'as assuré !

J'esquisse un sourire fatigué. Ça me demande un certain effort

283

de lever le coin des lèvres. Mais je sais qu'il veut bien faire et je peux quand même essayer de rendre ce petit moment agréable. Mon sourire devient un peu plus sincère.

— Malgré la mobylette? je réponds.

— Bah, ça aurait pu être pire. Ça aurait pu être un vélo.

30

Après avoir passé l'accueil de la maison de retraite, je m'arrête devant le couloir pour tendre l'oreille. Aujourd'hui je n'entends pas d'éclats de voix. L'infirmière à la réception m'a assuré que ma mère était dans un bon jour, mais je ne sais pas si ça signifie qu'elle est redevenue elle-même ou juste calme.

Je prends maintenant conscience qu'à chacune de mes visites ma mère est de moins en moins en prise avec la réalité. Il y a beaucoup de choses que je ne lui ai jamais demandées mais je n'ai aucune idée de ce que j'aimerais savoir. Des informations qui me permettent de la comprendre, je suppose. Comme la pièce d'un puzzle qui donnerait soudain du sens à ma vie, à la sienne, à l'existence humaine. Et son amant. J'aimerais en savoir davantage sur lui.

Chaque fois que nous nous voyons, j'ai l'impression qu'encore une partie d'elle a disparu. Aujourd'hui je dois l'aider à se redresser dans son lit. Elle est si légère que j'imagine que ce sont les soucis et le chagrin qui se sont envolés. J'espère que non. C'est ce qui l'a toujours ancrée dans l'existence.

Sur sa table de chevet est posé un gros bouquet de fleurs composé avec goût. J'attrape la petite carte blanche. *Les Fleurs d'Eva* dans une lettrine tarabiscotée. Aucun message. Sans doute n'est-ce pas nécessaire.

— Tu as eu une enfance heureuse ? je lui demande.

— Une enfance heureuse ? répète ma mère. On ne s'occupait pas de ce genre de choses à l'époque.

— Ah bon ?

— Non. Les enfants devaient être visibles mais il ne fallait pas les entendre. Heureuse ! Je crois ne jamais y avoir pensé. Pourquoi une enfance devrait-elle être heureuse ? On aidait, c'est tout. Parfois on passait de bons moments, parfois de moins bons.

Elle semble ragaillardie par ma visite et par la discussion. Je suis contente d'être venue mais ça me fait culpabiliser de ne pas l'avoir fait plus souvent.

Ma mère me regarde d'un air hésitant.

— On se connaît ?

J'acquiesce d'un mouvement de tête.

— Je suppose que tu aimerais une petite tasse de café ? me demande-t-elle, comme si elle s'apercevait soudain qu'elle a une invitée.

Je fais un nouveau signe de tête et je l'aide à sortir de son lit. Bien trop occupée à essayer de se rendre dans sa kitchenette, elle ne semble même pas s'en rendre compte.

— Alors moi aussi je vais en prendre un, déclare-t-elle tout en posant lentement un pied devant l'autre.

Elle commence la longue préparation du café. Nous ne disons rien avant d'avoir chacune une tasse devant nous.

— J'ai grandi ici, tu sais, dit soudain ma mère.

Je présume qu'elle parle de la ville et non de la maison de retraite. Elle poursuit :

— Papa travaillait aux chemins de fer. Et maman s'occupait de tout à la maison. Oui. Avec mon aide et celle de ma sœur, bien entendu. Avec elle, il y avait de la discipline.

Je veux bien le croire. Je souris et j'avale une gorgée de café. C'est curieux, ma mère ne se souvient plus de moi mais elle sait encore faire le café. Lorsqu'elle l'a préparé, ses mains tremblaient légèrement mais elle l'a réussi aussi bien qu'avant.

— Oui, c'était comme ça à cette époque.

— Pas de câlins ? je demande.

Ma mère me regarde de nouveau d'un air confus.

— On se connaît ?

Mais elle ne se soucie pas de la réponse. Elle repart aussitôt dans ses souvenirs d'enfance.

— Il y avait le grand ménage de printemps. Et aussi celui d'automne. Dans ces moments-là, c'était le branle-bas général dans toute la maison. Ça, je peux te le dire. Tout devait être sorti et dépoussiéré. Les couvertures devaient être aérées et l'armoire à lin rangée de haut en bas. Les draps étaient pliés d'une façon nette et précise. Rien ne devait dépasser. À cette époque, on savait faire ce genre de choses. Et l'été, il fallait s'occuper du travail de la terre. Ma sœur et moi coupions aussi du bois qu'il fallait ensuite empiler. Mais ça, c'était le domaine de papa. On faisait tout le travail mais on n'avait pas le droit de toucher à l'empilage qui devait être parfait. Papa était très ferme à ce sujet. Parfois, lorsque nous partions en promenade avec lui, il lui arrivait de s'arrêter devant une maison simplement parce qu'il avait vu un empilage particulièrement réussi. Et si un des voisins avait bâclé le travail, alors là, il savourait.

— Il savourait ?

— Oui. Parfois il nous montrait les exemples à ne pas suivre. « Regardez chez les Johannsen, les enfants, voilà le résultat quand on est négligent. » Sinon il ne nous parlait pas beaucoup.

Mon grand-père ne me parlait pas à moi non plus. En revanche, dès qu'il voyait un tas de bois, il le pointait du doigt. Quand j'étais petite, on passait tous nos étés chez mes grands-parents à la campagne. Je faisais exactement le même travail que ma mère petite. Je participais au ménage, je m'occupais du travail dans les champs : je fauchais, je coupais du bois, j'enlevais les nids de guêpes. À cette époque, ma grand-mère avait au moins quatre-vingts ans mais elle continuait à fabriquer les sept sortes de gâteaux pour les grands événements.

— Quand tu as été plus âgée, tu avais le temps pour des romances ? je demande.

Une fois, quand j'étais jeune, je lui ai demandé comment mon père et elle s'étaient rencontrés, et ma mère m'avait répondu :

— Nous sommes sortis une fois au bal ensemble, il m'a semblé être un homme soigné et poli.

Rien de plus.

Maintenant elle sourit tout en trempant un morceau de sucre dans son café qu'elle grignote ensuite avec délectation. Elle le trempe de nouveau. Grignote. Finalement elle dit :

— Oui, il y a bien eu quelques romances. Mais très chastes. Maman et papa gardaient toujours un œil sur moi.

J'espère qu'elle va me parler de son amant. Est-ce à cette époque-là qu'ils se sont rencontrés ? À l'un de ces bals ? Comment a-t-elle réussi à s'accorder un week-end à Falun malgré l'œil vigilant de ses parents ? Je ne peux pas croire qu'ils l'aient dispensée de travail durant deux jours.

— Et ensuite j'ai rencontré John.

— Ça a été le coup de foudre ? je demande.

— Comme tu y vas, s'offense ma mère. Le coup de foudre ! À la bonne heure ! Mais il était grand et élégant, c'est vrai. Et il en savait des choses, oui. En politique et sur ce qui se passait à l'étranger. Il aimait bien m'expliquer.

— Et il avait un travail ?

— Oh oui, répond ma mère. Sinon je ne serais jamais allée au bal avec lui.

Je ne sais absolument pas comment aborder le sujet qui m'intéresse.

— Tu es déjà allée à Falun ? je tente.

— À Falun ? répète ma mère. Pour quoi faire ? John, mon mari, y est allé, lui. Il a beaucoup voyagé. Mais moi, je n'avais absolument aucune raison de me déplacer comme ça.

Je la soupçonne d'avoir répondu un peu vite à la question.

Pia et Nesrin sont installées au Réchaud à alcool quand j'arrive. Tout comme les retraités avec leurs mots croisés et Gunnar devant sa machine à sous. La musique est toujours la même : des tubes ringards des années quatre-vingt-dix. La serveuse du samedi a été remplacée par notre serveuse habituelle qui m'apporte une bière avant même que je me sois assise.

— Ne dis rien, je lance à Nesrin. Médecin ?

Elle porte une sorte de manteau clair qui, avec un peu de bonne volonté, pourrait faire penser à une blouse.

— Tu parles comme mon père, fait-elle remarquer. Je ne supporte pas la vue du sang et je n'aime pas les gens malades. En même temps, je pourrais peut-être supporter d'être dentiste…

— Elle est plus sadique que je ne croyais, rétorque aussitôt Pia qui lui a apparemment posé la question. Je n'avais aucune idée qu'il se cachait une petite perverse derrière ton apparence sympathique.

Pia est encore plus maquillée que d'habitude. Si j'étais elle, je ferais remarquer que ça vieillit et que ça donne l'air fatigué mais, puisque je suis moi, je le dis avec délicatesse pour ne pas la heurter.

Pia n'envoie des piques qu'aux gens qu'elle apprécie. Par pudeur, elle cache son affection et sa loyauté derrière des moqueries sympathiques. « Sous ma surface dure se cache un cœur de pierre » est une de ses répliques favorites.

— Au fait, j'envisage de poser ma candidature au poste de responsable adjoint à Extra-Market, déclare-t-elle brusquement.

Elle hoche la tête de satisfaction quand elle entend le silence de mort qui s'abat sur nous. Elle a réussi à me choquer, ce qui est une prouesse.

— Tu imagines la tête de Petit-Roger! ajoute-t-elle.

— Peut-être qu'il ne te donnerait pas le boulot, lui signale Nesrin.

Mais Pia a déjà envisagé cette possibilité.

— Ce serait encore mieux. Je pourrais le poursuivre pour discrimination. Ce serait génial, non? Une rigolade assurée, quoi qu'il se passe. Et le pire c'est qu'il est fort probable que je gagne. C'est moi la plus ancienne. Et vous, vous pourriez témoigner de mes qualités de chef.

— Oui…, acquiesce Nesrin mal à l'aise.

— Et si tu obtenais le poste? je demande.

— Imaginez les beaux discours d'encouragement que je vous tiendrais!

Le regard dans le vide et en silence, Nesrin et moi passons en revue les différents types d'encouragement que Pia pourrait nous faire.

— Ça pourrait être amusant, j'admets.

Pia semble si inspirée que je la prends presque au sérieux.

— Tu as pensé à toutes ces réunions avec Petit-Roger auxquelles tu vas devoir participer? Et ce sera aussi à toi de faire tous les plannings. Magda est super exigeante sur ses jours de congé.

— Je sais, répond Pia.

Nesrin semble soulagée de ne pas avoir à faire un faux témoignage lors d'un procès pour discrimination. Elle reprend joyeusement sa discussion sur le métier de dentiste et Pia s'engage aussitôt dans le sujet. Je souris et je bois une gorgée de bière.

Emma avait une dizaine d'années quand Pia m'a prise sous son aile. Nous nous connaissons donc depuis presque dix ans. Je me souviens encore de cette incroyable sensation d'avoir une nouvelle amie. Quelqu'un d'aussi résolument cynique et qui était toujours de bonne humeur. Elle surgissait de temps en temps chez moi avec une bouteille de vin rouge à la main. Sans prévenir. Ce qui rendait la vie imprévisible et excitante. Je ne sais pas ce qu'elle retirait, elle, de notre amitié mais moi c'était ça. Je laissais derrière moi une vie de mère de famille où tout était planifié pour aller de surprise en surprise. Et sans devoir rester à côté de mon téléphone à attendre le coup de fil d'un homme. Je savais ce que c'était pour l'avoir déjà vécu. Pia était loyale, drôle et m'aidait à aller mieux. Elle m'aide d'ailleurs toujours à aller mieux. L'homme avec lequel j'avais essayé de me changer les idées lorsque Emma avait dans les trois ans me rendait malheureuse. Je me sentais encore plus seule avec lui que sans lui. Chose que je n'avais pas prévue. Après coup, cet épisode me paraît si pathétique. Alors qu'avec Pia j'avais l'impression d'appartenir à une équipe. C'était nous deux contre le monde. C'était nous deux avec distance et ironie mais c'était quand même nous deux.

Si je n'avais pas connu Pia, je me demande si j'aurais ressemblé davantage à ma mère. Quand j'étais plus jeune, lui ressembler était pour moi quelque chose d'inconcevable. Jamais je n'aurais pu penser un jour courir ce risque. Mais plus je vieillis, plus je m'aperçois que les ressemblances se sont immiscées en moi sans me prévenir. On se laisse aller l'espace d'une seconde et on se met à prononcer les mêmes paroles que nos parents, à porter le même genre de vêtements, à nettoyer compulsivement le plan de travail de la cuisine après le petit déjeuner.

31

Le vendredi, je travaille de neuf heures du matin à dix heures du soir. Au point où j'en suis, ma vie ne se compose plus que de mon travail et de la Journée de la Ville. À Extra-Market, j'ai l'impression d'être constamment en rendez-vous. Un nombre incalculable de gens passe me voir pour «vérifier quelque chose» avec moi.

J'ai mal aux pieds, mal aux lombaires. Quand je rentre enfin à la maison, je ne rêve que de m'allonger sur mon canapé pour ne plus le quitter. En tout cas, pas avant le lendemain matin où il faudra repartir au travail.

Je pose ma nuque contre le dossier et je ferme les yeux. Puis je compose le numéro d'Emma. Elle ne répond pas mais m'envoie un texto m'expliquant qu'elle a rendez-vous avec Fredrik et qu'elle m'appellera dès qu'elle rentrera. J'ai le fort sentiment que leur histoire commence à devenir sérieuse. Et ça me perturbe que tout se déroule dans une ville où je ne suis pas, avec un garçon que je ne connais pas et sur lequel je ne peux même pas me renseigner.

Je songe à lui envoyer un texto lui recommandant de se protéger mais je laisse tomber. Emma est plus intelligente que moi.

Lorsque mon téléphone sonne, je crois que c'est elle qui a changé d'avis. Raté. C'est Lukas.

Je ferme de nouveau les yeux.

— Je t'appelle juste pour savoir si tu as envie de faire une petite balade avec moi ?

Je croyais avoir réussi à clore ce chapitre, mais ce n'est apparemment pas le cas. Mon corps réagit à sa voix sans tenir compte de ce que j'essaie de lui dire.

— Quand ? je demande.

— Maintenant ? Je peux passer te chercher dans dix minutes.

Ce matin je n'ai pas eu le temps de me laver les cheveux car j'avais quelques coups de fil à passer avant d'aller au travail. De plus, je suis sur les rotules, j'ai des poches sous les yeux, on dirait des sacs-poubelle, et pour couronner le tout j'ai une peau blafarde due à trop de cigarettes et de café.

Sois raisonnable, je me dis.

— Plutôt dans trente minutes, je lui réponds.

— On va où ? je demande en ouvrant la portière.

Mais il secoue la tête en me souriant.

Il fait chaud dans la voiture. Je déboutonne mon manteau avant d'attacher ma ceinture de sécurité. À vingt-deux heures un soir d'automne bruineux, Skogahammar est vide et sinistre. Même les ados ont déserté le kebab. Un quart d'heure après être sortis de la ville, nous quittons la grand-route. Lukas se gare bientôt à côté d'une barrière sur un chemin de terre.

— La forêt ? je demande.

— Attends de voir, me répond-il avant de sortir de la voiture.

Je le suis en reboutonnant mon manteau et en remontant mon écharpe jusqu'au menton. Il ouvre le coffre et se penche pour attraper un panier.

C'est une soirée d'automne glaciale, pas franchement la période idéale pour faire un pique-nique. Mais je trouve ça amusant, voire libérateur de me trouver dehors par un temps pareil.

N'importe quoi pourvu que ça ne soit pas planifié, pas logique et que ça ne figure pas sur ma liste de choses à faire.

Le chemin est bordé de pins, de sapins, de bouleaux et sent l'automne suédois : les feuilles en décomposition, les aiguilles de conifères, les fougères et l'humidité.

Nous marchons l'un à côté de l'autre dans le silence. De temps en temps je le regarde du coin de l'œil, mais il continue à avancer droit devant lui, le visage totalement inexpressif. De temps en temps, il jette un œil vers moi et je lui souris pour lui montrer que je trouve notre petite escapade sympathique, même si je ne sais pas ce qu'il a derrière la tête.

Nous arrivons finalement en haut d'une petite colline. La vue s'ouvre soudain devant nous. Pas sur un lac pittoresque ou une aire de pique-nique, mais sur le parc industriel de Skogahammar : un rassemblement de bâtiments bas en tôle ondulée. Il n'y a que les gens de la commune qui utilisent sérieusement le mot «parc industriel». Nous autres l'appelons plutôt comme ça pour rire. Il y a une société de transport, un garage, un réparateur de frigos et de congélos, une société de conseil aux entreprises.

Et l'autoroute est située juste derrière.

— C'est magnifique, je dis.

Ce qui est vrai. Je sais qu'il n'y a que de l'asphalte et de la tôle ondulée devant nous, mais lorsqu'il fait nuit, le halo des réverbères donne l'impression que le parc industriel s'étend à l'infini : une surface interminable d'asphalte, de béton, de briques et de tôle. Et des routes partout : une rue déserte qui serpente autour de la zone industrielle, des petits chemins à peine perceptibles dans l'obscurité et, ici et là, des clôtures avec un interphone pour ceux qui se garent dans les parkings privés. Mais aussi l'entrée de l'autoroute. Une autoroute à plusieurs voies, éclairée par de nombreux réverbères et qui semble se poursuivre à l'infini. Même à cette heure de la soirée, les voitures continuent de circuler sans relâche.

Pour la construire, ils ont dû passer à travers la forêt en détruisant une partie de la colline sur laquelle nous nous trouvons. Là où nous sommes, nous avons une vue imprenable sur l'autoroute. Comme de mon balcon mais en cent fois mieux.

— T'emmener ici me paraissait nécessaire pour que tu veuilles bien me revoir après l'effet dissuasif de mes sœurs, déclare Lukas.

Il me sourit. Je le regarde, désemparée, tout en grommelant qu'elles étaient quand même sympas. Sans faire exprès, j'ai posé ma main sur son bras. En m'en rendant compte, je l'enlève aussitôt.

— Du café ou du chocolat chaud ? me demande-t-il.

— Tu as apporté les deux ?

— Je ne savais pas ce que tu voulais. Si on veut admirer la circulation routière, il faut avoir quelque chose de chaud à boire.

Il n'y a ni banc ni aire de pique-nique. Seulement des rochers froids et de l'herbe mouillée. Il ne doit pas y avoir beaucoup d'amoureux de la nature qui viennent s'installer ici pour contempler l'autoroute.

— On se met où ? je demande.

Mais Lukas a aussi pensé à apporter une couverture.

— Je commence à comprendre pourquoi tout le monde t'apprécie, je lui lance en essayant de m'installer le plus gracieusement possible.

Lui s'assied avec agilité dans un seul mouvement. Il paraît surpris par mon commentaire.

— Ce n'est pas vrai, tout le monde ne m'apprécie pas.

Ma jambe frôle la sienne. Je me demande s'il le sent aussi intensément que moi. Probablement pas.

— Mais la plupart, je rétorque en espérant qu'il ne me croie pas jalouse.

Pas seulement les filles, mais aussi Charlie, Niklas et Johan. Les gens l'écoutent toujours bien qu'il ne parle pas beaucoup. À moins que ce ne soit justement parce qu'il ne parle pas beaucoup. Même ses sœurs l'écoutaient l'autre jour alors que c'est lui le plus jeune et qu'elles ont passé la soirée à l'embêter.

— Ce n'est pas très difficile, consent-il finalement. Les gens aiment parler d'eux-mêmes, et ils apprécient les personnes qui le leur permettent. La seule chose qu'on a besoin de faire c'est de les écouter et de leur poser des questions.

— Et comment sais-tu quelles questions poser ?

— Ce n'est pas important, ça. Du café ou du chocolat ?

— Du chocolat, bien sûr.

Ça fait plusieurs années que je n'en ai pas bu. Lukas sort une thermos et deux tasses en porcelaine.

— Et ensuite ? je demande après avoir avalé une gorgée.

Le chocolat est chaud et sucré. Un vrai délice. Tout en bas, je vois passer une moto. Je la suis du regard. Son feu arrière rouge disparaît bientôt à l'horizon.

— Quand tu as posé tes questions ?

Un peu d'humour en rapport avec ce qu'ils ont dit. Réussir à les faire rire.

— Quelques conseils ?

— Se souvenir de choses qu'ils ont dites. Si on écoute, ce n'est pas très compliqué.

— Mais pourquoi tu fais ça ? Pourquoi tu leur poses des questions ? Pourquoi tu les écoutes ?

— Pourquoi je ne le ferais pas ?

Je n'arrive pas à comprendre qu'on ait envie de faire parler les gens d'eux-mêmes et en plus de les écouter.

— La plupart sont ennuyeux, j'affirme.

— Ils sont ennuyeux, qu'on les écoute ou non, répond-il.

Sa voix est étonnamment déterminée. C'est la première fois que je l'entends dire quelque chose d'aussi catégorique. Sans doute parce qu'il exprime son opinion et qu'il l'estime importante.

— Je crois, en fait, que les gens se montrent plus ennuyeux qu'ils ne le sont en réalité, poursuit-il. C'est ça que je trouve intéressant.

— À mon avis, ils sont aussi réellement ennuyeux, je réponds, sceptique.

Il rit et boit une gorgée de chocolat chaud.

— OK. Quelques-uns sont ennuyeux. Mais ils ont aussi un côté intéressant, quelque part, derrière leur façade lisse. Ce qui est étrange c'est que tout le monde s'évertue à ne montrer que son côté ennuyeux. Mon truc c'est de réussir à faire parler les gens de ce qui les anime, de ce qu'ils aiment, de choses qu'ils ont faites, peut-être aussi de choses qu'ils regrettent...

— De quelqu'un qu'ils ont aimé, j'ajoute en pensant à ma mère.

Si elle a eu un passé excitant, tout le monde est capable d'en avoir un.

— Poser des questions permet aussi de ne pas avoir besoin de parler de soi, continue Lukas. Toi aussi tu utilises cette tactique assez souvent. La plupart des gens oublient d'en poser en retour. Quand ils se retrouvent face à quelqu'un qui les écoute, ils n'arrivent plus à s'arrêter. Je n'ai rien contre. Moi, je me connais bien alors que les autres, je les connais très peu.

— Comment vont tes sœurs? Vous semblez être très proches, non?

Il rit tout en secouant la tête. Je commence à aimer sa manière de se moquer gentiment de moi. Il y a quelque chose d'amical et de chaleureux dans son attitude.

— J'aurais peut-être dû attendre quelques minutes avant de te poser cette question? je demande.

— Peut-être, oui.

Nous restons silencieux un moment. Les yeux tournés vers l'autoroute, nous l'admirons en sirotant notre chocolat. Lorsque le paysage ne me distrait plus, je pense à sa jambe qui effleure la mienne. Et pas seulement à sa jambe. J'ai l'impression que la chaleur de son corps s'immisce dans mon épaule, dans ma taille, dans mes hanches. Je change de position de manière que nos jambes ne se touchent plus mais je regrette aussitôt. Je m'approche de nouveau tout en le regardant du coin de l'œil pour voir s'il le remarque et s'il a quelque chose contre. En tout cas, il ne bouge pas.

L'air est saturé d'odeurs automnales. Ça sent la roche froide et l'herbe humide. Je termine mon chocolat et il remplit de nouveau ma tasse sans pour autant lâcher l'autoroute du regard.

— Lukas ? je dis au bout d'un moment.

— Mhm ?

— Il m'arrive aussi de parler de moi. Parfois. Avec quelques personnes.

— Avec qui ?

— Avec Emma, assez souvent.

— Mais pas de tout, si ?

— De pas mal de choses mais pas de tout, c'est vrai, je consens.

Je repense à ces longues soirées où je m'efforçais de faire un budget familial qui tienne la route, pour aussitôt réaliser qu'il n'y avait aucun moyen humain et logique de le respecter. À cette époque je n'avais même pas le temps de penser à moi.

En revanche, ces dernières années ont été géniales entre nous deux. Aujourd'hui il y a très peu de sujets dont je ne peux pas parler avec Emma. Mais je suppose qu'il doit quand même y en avoir quelques-uns.

— D'autres personnes ? demande Lukas.

— Pia arrive à me faire dire pas mal de choses.

Je finis mon chocolat avant de poursuivre.

— À toi maintenant. Raconte-moi quelque chose sur toi.

Il laisse échapper un rire tout en rassemblant les tasses et la thermos puis il se lève. Je lui tends ma main, qu'il saisit. Il m'aide à me lever et m'embrasse discrètement sur la joue avant de s'écarter.

— La prochaine fois, promet-il sans faire allusion à un nouveau rendez-vous.

Il ne propose rien durant tout le voyage du retour. Pas non plus quand il se gare devant ma porte d'entrée. Ni quand il attend que je sorte de la voiture.

— Merci pour cette soirée, je dis. La vue sur l'autoroute était magnifique.

— C'était pas grand-chose. C'est là que j'emmène toutes les femmes.

Je ris. Je me prépare à sortir mais je veux profiter encore un tout petit peu de ce moment.

— Rien n'est plus romantique qu'une vue imprenable sur la circulation routière.

— Attends de m'entendre t'expliquer la priorité à droite.

Pour moi ça ressemblerait à des préliminaires mais je réussis à m'empêcher de le dire tout haut. Je secoue la tête. À lui. À moi. À toute cette vie qui m'entoure. Puis je descends de la voiture.

Il se penche vers le siège du passager et me lance enfin :

— Ça te dirait un dîner ? Chez moi, demain soir ?

— Je travaille jusqu'à vingt et une heures.

— Alors dimanche ?

— Je…, je ris. Euh… OK. Avec plaisir.

32

Le dimanche matin, je me réveille en sursaut à six heures et demie. Je suis en nage et une pensée obsédante tourbillonne dans ma tête :

L'invitation à dîner chez lui signifie-t-elle que nous coucherons ensemble ?

Ou plutôt :

L'invitation à dîner chez lui signifie-t-elle qu'il y a une chance microscopique que nous couchions ensemble ?

Si c'est le cas, j'ai un problème.

Je n'ai pas eu de relations sexuelles depuis… Je compte dans ma tête mais je m'arrête à cinq ans.

Je me redresse dans mon lit pour attraper mon portable. Mais je change d'avis. Je ne peux pas parler de ça avec Pia. Elle me dirait que c'est comme le vélo, et elle exigerait ensuite des mises à jour permanentes par sms, genre comme un tchat en direct pendant un match de foot. Ou encore l'annonce des différents scores obtenus pendant l'acte, comme un jury de patinage artistique.

Je me demande quand Pia a couché pour la dernière fois avec un mec. Il y a des sujets qu'on n'aborde pas quand on est adulte, célibataire et qu'on dit être heureuse de sa situation. Et aussi quand on a été mariée pendant trente ans, je suppose.

Aujourd'hui c'est devenu si important d'avoir une vie sexuelle active qu'il est difficile d'avouer qu'on n'en a pas.

En même temps, je suis sûre que Pia n'aurait aucun problème à en parler. Elle pourrait même le faire en présence de Nesrin. Mais ce serait cruel de dévoiler à une jeune femme que le corps s'habitue aussi facilement à ne pas être touché.

Et si j'avais oublié comment on fait l'amour ? Lukas a quand même neuf ans de moins que moi. Imaginons que plein de nouvelles pratiques aient été trouvées depuis mon époque !

Je tape sur Google «pratiques sexuelles modernes». Les premiers résultats sont une annonce pour les Assurances modernes et la page Wikipédia sur le *Kama-sutra* qui rassemble des pratiques encore plus anciennes que les miennes. Le forum Flashback propose quelques pistes de réflexion sur des sujets proches («pratiques sexuelles, lubrifiants et stimulants», «Quel type de lit pour vos relations sexuelles ?») mais je suis trop lâche pour cliquer sur l'un d'eux.

Mon Dieu.

Surtout ne pas penser à ça.

J'ignore pourquoi je suis partie du principe que Lukas habite dans un appartement.

Peut-être parce qu'il semble bien trop jeune et insouciant pour accepter d'être écrasé par le poids de l'entretien d'une vieille maison comme celle devant laquelle je me trouve maintenant.

Elle est située en dehors de la ville, au-delà de la zone pavillonnaire et à mi-chemin de la forêt. Les voisins les plus proches sont à cinq minutes à pied. Lukas s'est proposé de venir me chercher mais j'avais besoin de marcher et je suis maintenant bien contente de ne pas avoir accepté.

Je peux donc m'arrêter un moment devant le chemin qui mène

à sa maison, au niveau d'une vieille boîte aux lettres usée dont le numéro est presque illisible.

Le peu de confiance en moi que j'ai réussi à rassembler durant la journée s'évanouit devant la maison de Lukas. Comme si tout ne tenait qu'au logement. Appartement = sexe. Maison = pas de sexe. Ce n'est quand même pas parce qu'une de mes idées préconçues est réfutée que je dois remettre en question tout le reste.

La maison est ancienne et visiblement construite selon des principes fonctionnels, sans aucun apparat. Probablement réalisée à une époque où on bâtissait soi-même sa maison. Je suppose que la personnalité de Lukas a encore renforcé cette idée. À l'époque, il devait quand même y avoir des rideaux aux fenêtres, des plantes vertes et quelques plates-bandes dans le jardin. Aujourd'hui, il n'y a aucune volonté d'ornementation. L'herbe devant la maison a été tondue et l'allée gravillonnée qui mène à la porte d'entrée est entretenue et désherbée. En revanche, un peu plus loin, le jardin est à l'état sauvage. L'herbe est haute et des feuilles mortes forment un tapis sous quelques pommiers noueux.

Lorsque je me présente devant la porte d'entrée, elle s'ouvre avant même que j'aie eu le temps de frapper.

— Je t'ai vue arriver, dit-il en m'embrassant sur la joue. J'ai eu l'impression que tu te demandais si tu n'allais pas faire demi-tour.

— L'idée m'a effleurée, j'avoue.

Il tient la porte d'une main et s'efface pour me laisser entrer. Bien qu'une dizaine de centimètres nous sépare, je sens la chaleur de son corps m'envahir en passant devant lui. J'enlève maladroitement mes chaussures puis je cherche un endroit où accrocher mon manteau. Lorsque je me retourne, je vois que je me trouve dans une grande cuisine.

La pièce contient une belle table carrée en bois patiné et un grand plan de travail devant lequel on peut circuler sans problème. La table peut accueillir au moins six personnes et semble avoir vécu des générations de dîners de famille. Le couvert est mis. Pour deux.

Lukas me propose de m'asseoir puis il sort une bouteille de vin blanc du frigo et nous verse deux verres. Je me décontracte un peu lorsqu'il prend le sien et va s'adosser au plan de travail. Je me rends compte que je me suis instinctivement tendue quand il s'est approché de moi pour me servir. Je bois une gorgée. Le vin est sec et bien frais.

— Je n'avais pas imaginé que tu habitais dans une maison, je dis.

— Tu pensais te retrouver dans l'appartement étriqué d'un homme célibataire meublé d'une télé et d'un canapé?

Il me fait un clin d'œil avant de se retourner vers la planche à découper où il y a déjà des lamelles de poivrons et d'oignons. À côté est posé un récipient avec des filets de poulet dans une sorte de marinade. Ça sent l'huile d'olive, le piment frais et le citron.

Contrairement à moi, il semble totalement détendu.

C'est le seul individu que je connaisse qui soit exactement le même au travail, avec ses amis et chez lui. Même ses sœurs n'ont pas réussi à l'énerver ni à le gêner. La seule personne à part Pia, bien sûr. Elle est aussi fondamentalement la même partout.

— J'ai hérité cette maison de ma grand-mère paternelle quand j'avais douze ans, m'explique-t-il par-dessus son épaule. Une vieille maison, c'est une chose insensée à laisser à un petit garçon.

— En même temps on peut avoir besoin de sa propre maison à cet âge, je dis.

La maison est peut-être vieille mais elle est suffisamment chauffée pour que Lukas se promène en jean et tee-shirt. Et son tee-shirt est assez fin pour que je voie ses épaules larges et les contours des muscles de son dos.

— Mon père trouvait que je devais la vendre, bien sûr, reprend-il. Et utiliser l'argent pour me payer une formation.

Il fait une pause et attrape son verre de vin.

— C'est pour cette raison qu'elle te l'a léguée? Parce qu'elle savait que ton père n'apprécierait pas? je demande.

— Non. C'est parce qu'elle savait que mon père était un idiot.

Je laisse échapper un rire nerveux.

— Mais elle ne l'a pas léguée à tes sœurs? Pourtant, ce ne sont pas des idiotes.

— Non, mais quand elle est tombée malade, mes sœurs étaient assez âgées pour partir. La maison ne vaut pas grand-chose. Elle est située au milieu de nulle part, aucune des trois n'en aurait eu l'utilité. Mais quand elles viennent nous rendre visite, c'est ici qu'elles habitent. Les réunions familiales sont plus harmonieuses si elles n'ont pas à passer un week-end entier chez nos parents.

Je les imagine assises autour de la table comme au Réchaud à alcool. Joyeuses et taquines les unes avec les autres. Un moment probablement plus agréable que le soir suivant au dîner familial.

— Elles n'avaient pas besoin d'une maison alors qu'un pré-ado, si?

— Ma grand-mère trouvait que je devrais en transformer une partie pour en faire un garage, sourit Lukas. Mais c'était aussi pour que mon père ait une crise cardiaque. Ça faisait quelques années qu'il essayait de la mettre dans une maison de retraite. Elle lui en voulait, bien sûr, et cherchait toujours une occasion de l'énerver.

Il remplit de nouveau mon verre, peut-être pour essayer de changer de sujet de discussion. Dès qu'il parle de sa grand-mère, sa voix s'adoucit, mais j'ai quand même l'impression qu'il s'efforce de maintenir en permanence une certaine légèreté dans la conversation. Qui était-elle, cette grand-mère qui méprisait tant son propre fils? Et qu'est-ce que ça fait d'élever un enfant avec lequel on n'a rien en commun?

Il pose une cocotte en fonte sur la cuisinière, verse de l'huile d'olive dans le fond et attend que ça chauffe. Puis il jette les légumes dedans et ajoute du lait de coco.

— Le garage, c'était parce que tu voulais être garagiste ?

Il me regarde d'un air étonné.

— J'avais oublié qu'on en avait déjà discuté ensemble, me répond-il. Oui, quand j'étais jeune je voulais être garagiste. J'en ai parlé à mon père qui m'a tout de suite conduit vers sa voiture. Pas celle dont il se servait tous les jours, mais la vieille américaine qu'il avait à cette époque-là. Et il m'a ordonné de changer le tuyau d'échappement. C'était avant qu'on ait la possibilité de faire des recherches sur son portable. J'ai donc passé quelques heures dans son garage.

— Combien ?

Il se tourne vers moi avec un sourire à la fois amusé et cynique.

— Sept heures. Mais j'y suis arrivé.

— Stupide, je dis.

— C'est vrai, j'aurais dû y arriver plus rapidement. Mais pour ma défense il faut que tu saches que je n'avais que huit ans.

Je ne sais pas ce qui me choque le plus. Que son père l'ait laissé seul dans ce garage, certain qu'il échoue, ou que Lukas ait été assez têtu pour ne pas échouer. Ma mère n'a jamais été méchante, en tout cas pas consciemment, mais si elle avait fait quelque chose de semblable, je ne serais jamais restée pour essayer de lui montrer qu'elle avait tort.

— Quand il a appris que ça t'intéressait, il aurait pu te montrer comment on fait, je dis sur un ton que j'essaie de rendre léger.

— Bien sûr. Mais tu sais, il existe des parents encore pires.

Un silence s'installe entre nous.

Ce n'est pas un silence embarrassé mais il n'est pas non plus confortable.

Le regard de Lukas s'adoucit lorsqu'il tombe sur moi. J'essaie d'interpréter l'expression de son visage et je me demande soudain ce qu'il peut lire dans le mien.

— Mais tu n'es pas devenu mécanicien ? je demande.

Dès que j'ai brisé le silence, je me demande si je n'ai pas raté quelque chose. Il me sourit.

— J'aimais les moteurs, mais je me suis rendu compte que j'aimais aussi les gens. J'aime enseigner. Essayer de trouver le moyen d'apprendre des choses aux gens nerveux, angoissés, trop sûrs d'eux…

— Et aux cas désespérés ?

— Aucun cas n'est désespéré, déclare-t-il sur un ton soudain ferme.

Il pose le riz et la cocotte sur la table puis il s'assied en face de moi. Pendant que nous mangeons, nous abordons des sujets solides tels que son travail, mon travail, la Journée de la Ville, Emma, les travaux qu'il prévoit dans la maison et le moment où il aura le temps de s'y mettre.

Je fais attention à ne pas poser de regards trop insistants sur lui. Mais mes yeux sont constamment attirés par le petit creux entre ses clavicules ou par les muscles de ses bras quand il bouge les mains. Lorsque je me lève pour aller chercher un verre d'eau, je suis presque certaine de voir son regard s'attarder sur mes jambes.

Cette soirée va rendre mon lendemain encore plus triste.

Cette pensée surgit au beau milieu du repas. C'est probablement encore un des traits de caractère que j'ai hérités de ma mère : voir quelque chose de beau et penser aussitôt au moment où il n'existera plus. Quand j'étais petite, ma mère détestait les nouveaux meubles. Un nouveau canapé dans le salon pouvait la déprimer et la troubler pendant des semaines, jusqu'à ce que je renverse quelque chose dessus. Une sorte de calme résigné l'envahissait alors. Le calme après la catastrophe tant attendue. Il m'arrivait même de faire exprès de renverser quelque chose pour détendre l'atmosphère. Du jus ou du thé très peu infusé ou d'autres liquides que je savais ne pas être indélébiles.

Ma catastrophe tant attendue se trouve toujours devant moi. Si jamais quelque chose se passait entre nous, bien sûr.

Mais comment le savoir ? Comment se mettre d'accord quand on est assis autour d'une table avec une assiette à moitié vide devant soi ? Excuse-moi, tu peux me passer le sel, et à propos de rien, est-ce qu'on *va* coucher ensemble ?

Quand nous avons terminé le repas, il se lève, débarrasse la table, me verse les dernières gouttes de vin et prépare le café. Je fais tout pour étirer au maximum ce moment, mais lorsque ma tasse est vide, je ne trouve plus de raison de m'attarder. Je lui propose de l'aider à faire la vaisselle mais il refuse.

Il m'accompagne dans l'entrée et nous restons un moment sans bouger. La tapisserie a de fines rayures bleu clair. Elle est rétro mais apparemment assez récente. Elle n'est absolument pas usée, sauf derrière l'étagère à chaussures. Je vois une paire de boots et deux paires de bottes de moto. Sur le portemanteau au-dessus sont accrochés un blouson de moto, une protection dorsale et mon manteau gris qui jure avec le reste.

Je n'essaie pas de l'attraper et il ne fait pas de tentative de me le donner.

La prochaine fois, je l'emballerai direct, comme ça ce sera fait, je me dis.

— Lukas, pourquoi tu m'as invitée ?

La question sort de ma bouche avant même que j'aie eu le temps de la formuler dans ma tête. Et la voilà maintenant suspendue entre nous. Lukas est nonchalamment adossé au mur. Moi, je suis debout face à la porte d'entrée.

Il lève les sourcils.

— Comment ça se fait que tu aies accepté ? me demande-t-il en guise de réponse.

Parce que je n'arrive pas à te dire non, je pense. Parce que j'espère chaque fois que tu vas m'embrasser à la fin de la soirée.

Je hausse les épaules, mais mes bras croisés bloquent le mouvement. Je vois quelque chose briller au fond de ses yeux, je n'arrive pas à savoir s'il rit de moi ou avec moi.

— Je trouvais ça sympa, je dis finalement après un long silence.

— Anita, je ne savais pas que tu étais si romantique.

Il croise les bras comme s'il m'imitait puis il ajoute :

— J'aime être avec toi. Tu es chaleureuse, loyale et courageuse, tu fais des maisons en pain d'épice pour ta fille en pleine nuit, tu discutes relations de couple avec un étranger et tu manges de la lasagne congelée pour lui faire plaisir, tu prends des cours de moto alors que ça t'angoisse. Tu as l'air si… libre.

J'ouvre la bouche pour protester mais je la referme aussitôt. Si une personne dans ce monde me trouve libre et courageuse, je ne vais quand même pas la persuader du contraire.

Il se redresse et s'avance vers moi. Suffisamment lentement pour que j'aie le temps de protester mais je ne fais qu'écarquiller les yeux.

— Tu n'aimes vraiment pas parler de tes sentiments, n'est-ce pas ?

Je déglutis. Il est maintenant si près de moi que je vois que ses yeux tirent vers le gris.

— Les sentiments sont souvent surestimés, je dis en essayant d'imiter Pia.

Cette fois-ci, c'est lui qui hausse les épaules. Mais il y arrive bien mieux que moi.

— Lukas…, je chuchote, mais je m'interromps parce que je ne trouve rien d'autre à dire.

Il pose sa main sur ma taille et fait encore un pas vers moi. Je suis maintenant prise en sandwich entre lui et le mur et je dois lever le visage pour le voir.

— Ces derniers temps, tu as pensé à moi, n'est-ce pas? me chuchote-t-il.

Je cligne des yeux.

— Oui. Tu as été dévastateur pour ma paix intérieure.

— Et tu ressens… quelque chose pour moi?

— Ouh là, je dis. C'est vraiment le bon moment pour parler de sentiments? OK, OK, j'ajoute quand il s'apprête à faire un pas en arrière. Je ressens… quelque chose pour toi. Voilà, t'es content?

Il secoue la tête et me fait un grand sourire puis il m'étreint plus fermement.

Mon corps me paraît soudain léger et totalement irresponsable. Sans vraiment réfléchir, je me penche vers lui et je l'embrasse. Je souris, ce qui rend mon baiser espiègle, mais quelque chose change lorsque son corps se colle contre le mien. Lorsque ses cuisses se frayent un passage entre mes jambes. Mon corps réagit comme s'il voulait enfin libérer ses désirs après des années de solitude.

Mauvaise idée, bonne idée, sans lendemain ou pas, ça n'a aucune importance. C'est de la folie pure mais je tiens à me souvenir de tout. Je mémorise les moindres détails de son corps : les courbes de son dos sous mes doigts, sa peau chaude sous son tee-shirt, ses muscles, son odeur. J'archive chaque instant afin de les conserver pour le futur.

— Lukas? je dis finalement, pour être bien claire avec lui. Tu sais très bien qu'on ne restera même pas deux ans ensemble?

— Tu me brises le cœur, Anita, me répond-il.

Puis il m'embrasse de nouveau. Et moi, je ferme les yeux et je m'abandonne à lui dans l'obscurité.

33

— T'as une tronche pas possible.

La chute libre après les plaisirs charnels. J'ai quand même passé une bonne demi-heure à essayer de camoufler mes cernes sous les yeux. Cette nuit, j'ai dormi moins de trois heures et je n'arrive pas à me décider si je suis morte de fatigue ou totalement exaltée par l'idée que moi, Anita Grankvist, j'ai préféré coucher avec un beau et jeune mec plutôt que d'être en forme pour le boulot.

Et quelle priorité ! J'ai l'impression que tout mon système nerveux se met à me chatouiller quand je pense à ce que je lui ai fait et à ce qu'il m'a fait.

Pia me regarde bizarrement. Elle n'a pas l'air très en forme, elle non plus. J'aimerais lui raconter tous les détails de ma nuit avec Lukas mais quelque chose m'en empêche. J'ai envie de garder ce moment pour moi, comme si j'avais peur de le voir avec les yeux pragmatiques de Pia.

— C'est à toi d'aller à la caisse, me lance-t-elle, et l'occasion s'évanouit.

Des fragments de la nuit se rejouent devant mes yeux pendant que j'essaie de me concentrer sur les produits qui défilent sur le tapis. Dès que je me détends, je vois son corps devant moi, je retrouve la sensation de sa peau contre la mienne…

— Excusez-moi. Pouvez-vous aussi me donner trois paquets de LM. Ça fait trois fois que je vous le demande.

Je. Dois. Me concentrer.

— Euh, bien sûr. Ce sera tout?

Mais dès que le client est parti, je me remets à penser à Lukas. C'est un vrai miracle que je n'en parle pas aux gens qui défilent devant moi. C'est si incroyable que j'aie subitement une vie sexuelle. «Ce sera tout? Ça vous fera cent quatre-vingt-dix-sept couronnes et d'ailleurs, j'ai fait l'amour toute la nuit!» Ou : «Deux sachets? Vous saviez que j'ai recommencé à faire l'amour?»

Quand Magda me remplace à la caisse, je vais retrouver Pia qui est à l'antithèse de ma soirée de vendredi et qui est en train de déballer des sachets de chips.

— Pia! je chuchote en regardant autour de moi pour être bien sûre que Petit-Roger n'est pas dans les parages. Faut que je te parle! Tu ne peux pas imaginer ce qui m'est arrivé.

Il est possible que ma voix monte dans les aigus et que j'aie l'air d'une folle, mais je ne crois pas qu'il soit possible de cacher ce genre de détails à sa meilleure amie.

— Ça a à voir avec la Journée de la Ville? me demande-t-elle, les bras chargés de sachets de chips.

— La Journée de la Ville? je lui siffle d'un air dédaigneux. Mais ça intéresse qui?

— Tu nous rebats les oreilles avec ça depuis des semaines. Et il n'en reste plus que deux avant le jour J. J'ai des raisons de penser que tu as encore plein de nouvelles croustillantes à me raconter.

— J'ai une réunion demain, j'aurai donc des trucs à te raconter après, je dis. Mais ce n'est pas de ça que je veux te parler.

Pia comprime les sachets sur l'étagère, ça craque de façon inquiétante.

— Ça devra attendre, me balance-t-elle. Petit-Roger est en route.

Une mère avec une poussette et deux enfants en bas âge surgit dans cette partie du magasin. Ce n'est plus le bon moment de raconter les détails de ma nuit passionnelle.

— On peut aller boire une bière demain soir ? je lui propose.

— Impossible. Mes gars rentrent.

— Ah bon, je réponds, déçue. Un autre jour, alors.

Pendant tout le reste de la journée, je ne peux pas m'empêcher d'espérer que Pia viendra quand même me poser des questions. Ça devrait pourtant se voir de loin, ce que je viens de vivre ! Tout mon être doit littéralement crier : *J'ai fait l'amour !*

Mais Pia ne s'aperçoit de rien, ne dit rien. Et lorsqu'elle a terminé de ranger les chips, elle rentre directement chez elle.

Quand j'étais plus jeune, je pensais qu'il était impossible de garder un secret dans cette ville. C'était une des raisons qui me faisaient dire qu'il fallait que je la quitte au plus vite. Que je parte quelque part où personne ne savait que j'avais un jour écrasé les fleurs de la plate-bande d'Agata Holm avec mon vélo ou que j'avais eu un petit ami à seize ans ou de mauvaises notes en allemand.

Mais plus je vieillis, plus je comprends que l'attitude des gens face aux secrets est bien plus complexe. Une femme constamment couverte de bleus et d'hématomes, un homme qui sent l'alcool… La vie de certains secrets se poursuit au vu et au su de tout le monde. Et si quelque chose de grave finit par se produire, nous sommes choqués par ce que nous savons en fait depuis toujours.

Je suppose que nous choisissons d'écarter certaines réalités. Habiter dans une petite ville implique forcément une promiscuité.

Les ragots, l'infidélité, la petite criminalité. Certains secrets sont découverts et étalés sur la place publique tandis que d'autres restent dans l'ombre. Il semblerait qu'il faille que quelqu'un soit intéressé par l'info, qu'il s'en soucie assez pour qu'elle remonte à la surface.

Je constate que personne n'est intéressé par le mystère du sourire niais de la vendeuse d'Extra-Market.

Chaque fois que je reçois un message sur mon portable, je me détourne pour cacher mon sourire. Mais personne ne réagit. Le mardi, Lukas m'envoie un sms pour me demander si j'ai envie de le voir le soir même. Je lui réponds que j'ai malheureusement une réunion. Mais aussitôt après, je lui renvoie un message proposant qu'on se retrouve chez lui tout de suite après.

Je jette ensuite un regard discret autour de moi pour vérifier si quelqu'un a vu mon air enjoué ou lu dans mes pensées honteuses. Mais Magda est occupée devant le rayon des bières, Pia a disparu dans une des allées et il n'y a personne à la caisse.

Franchement, il devrait quand même y avoir une personne intéressée par le fait que j'aie retrouvé une vie sexuelle, non ?

La réunion a lieu chez moi à dix-huit heures, mais dès dix-sept heures dix Ann-Britt frappe à la porte.

— Je viens plus tôt pour te donner un coup de main. J'ai apporté quelques petites choses, me dit-elle en me tendant un sac en plastique contenant des biscuits, du fromage, du beurre, des brioches à la cannelle et aussi un paquet de thé Lipton Forest Fruit et deux paquets de café. Nous sommes six.

Lukas m'envoie un sms me proposant de venir me chercher après la réunion mais je lui réponds que je préfère marcher. Je veux éviter qu'il croise le groupe de travail dans l'escalier. Je n'ai quand même pas envie de révéler ce que je vis à tout le monde.

— C'était Pia, j'explique à Ann-Britt qui ne fait aucun commentaire.

Elle est en train de préparer le café. Elle a aussi apporté des filtres au cas où.

— Ann-Britt, tu es mariée ? je lui demande.

— Je suis veuve, me sourit-elle d'un air mélancolique.

Je regrette aussitôt d'avoir posé la question.

— Depuis sept ans, ajoute-t-elle comme réponse à ma question non formulée.

— Il continue à te manquer ?

— Tous les jours. Gösta avait son caractère, c'est vrai, mais on ne s'ennuyait jamais avec lui. Parfois je me réveille encore en sursaut à cinq heures du matin en me demandant où il est et je dois ensuite m'obliger à rester couchée jusqu'à ce que le réveil sonne. Bah, me voilà encore en train de parler pour ne rien dire. J'aurais pu me rendre utile à la place.

— Tu as tout préparé, je n'ai plus rien à faire, je lui souris.

Vingt minutes avant l'heure, tout le monde est là. Niklas, Johan, Charlie, Jesper. Et Gunnar, qui est un peu gêné d'avoir accepté de venir. J'ai récupéré la chaise dans la chambre d'Emma, le tabouret dans la mienne, et nous sommes maintenant tous serrés les uns à côté des autres autour de la table de la cuisine à déguster les biscuits d'Ann-Britt et à boire du café ou du thé.

— Jesper vient de l'association Les Amis de Svartåbanan, j'explique. Et Charlie va nous aider à faire la programmation de la scène.

— J'aimerais être le responsable de la scène, dit Charlie. À la Gay Pride, on nous donne toujours tout un tas de titres.

— Pourquoi pas ? je ris. À partir de maintenant *tu es* le responsable de la scène. Niklas et Johan ont promis de faire un concert. Ann-Britt est la présidente de la Croix-Rouge de Skogahammar et a déjà beaucoup d'expérience. Et Gunnar... des Fleurs d'Eva, participera également à l'organisation. Pour des choses qui n'ont rien à voir avec les fleurs, j'ajoute rapidement quand Gunnar fait une grimace.

Je ne sais absolument pas comment on mène une réunion

mais je décide que je n'ai pas besoin de faire semblant devant ce groupe-ci.

— Je sais que j'ai les yeux plus gros que le ventre. Mais pas d'inquiétude, on va réussir à organiser la meilleure Journée de la Ville de tous les temps. Les gens danseront dans les rues. Mais pour ça je vais avoir besoin de votre aide.

— OK, répond Jesper.

Gunnar acquiesce avec enthousiasme.

— Que faut-il faire ? demande Ann-Britt. Je ne sais pas bien à quoi je pourrais contribuer…

— Qu'auriez-vous envie de faire ? je demande. Si vous alliez à la Journée de la Ville vous-même, vous aimeriez y voir quoi ? Le problème de ces dernières années c'est qu'il n'y avait pas assez d'activités. Uniquement des stands proposant de l'information sur la ville, une ou deux brochures qu'on pouvait prendre mais absolument aucune animation.

— J'aimerais trouver un modèle d'une rame automotrice du type littera X16 pour la Journée de la Ville, explique Jesper. Qu'on puisse l'exposer. Ça permettrait aux gens d'en savoir davantage sur l'histoire de la région.

— Un train, cool ! réplique Gunnar. Une année, on a organisé à l'improviste un tournoi de foot. C'est un des pères qui en avait eu l'idée.

— On pourrait faire ça sur la Grand-Place, je propose.

— Moi j'aimais bien le bal, déclare Ann-Britt. Quand Gösta était encore en vie. Chaque année, on avait l'habitude de danser le rock.

— Ça je veux bien le croire, répond Charlie en lui faisant un clin d'œil.

— C'est vraiment sympathique que vous organisiez un concert, sourit Ann-Britt à Niklas et Johan. Si Gösta était toujours en vie,

315

je suis certaine que nous aurions dansé aussi sur votre musique. Mais je viendrai quand même battre la cadence.

— Merci, dit Niklas du bout des lèvres.

— Ann-Britt, je lui lance. Je te promets que nous danserons le rock à la Journée de la Ville.

— Sur du black metal ? précise Johan.

— Sur du black metal, je réponds. Mais vous devrez peut-être aussi jouer des morceaux plus dansants.

— Comment ça, genre Metallica ?

— Pensez plutôt à… *Prise dans un ouragan.* Vous savez, la chanson gagnante de l'Eurovison en 91.

— J'adore cette chanson ! affirme Ann-Britt.

— Ne vous inquiétez pas, je dis calmement à Niklas et à Johan qui me regardent avec de grands yeux. On va trouver une solution. Un compromis.

Je crois. Enfin, j'espère.

34

J'ai parfois l'impression que ma vie est comme une pièce de théâtre à petit budget qui n'a pas les moyens d'avoir une scénographie assez importante pour créer des décors différents. Toutes les scènes se jouent soit dans mon appartement, soit à Extra-Market, soit au Réchaud à alcool.

Mais soudain sont venus s'ajouter la moto-école, les routes, le relais motards et, bien sûr, mon tout nouveau lieu : la chambre de Lukas.

Il est minuit et demi, le store n'est pas baissé et la lune éclaire faiblement la chambre. La clarté blanche amplifie le gris de la pièce : les draps gris foncé, les murs gris clair.

Nouvelle notion : un corps peut survivre pendant des années sans sexe, mais quand il s'y remet, il se révèle être affamé de contacts physiques. Je découvre que j'aime avoir un corps d'homme nu à côté de moi. Quand je me tourne sur le côté, Lukas se colle contre moi et pose son bras autour de ma taille. Et moi je me détends contre lui. Moi qui ai toujours dit qu'aucun être humain sensé ne pouvait aimer dormir collé à quelqu'un d'autre.

— Comment ça se fait que tu ne sois jamais partie de Skoga-hammar ? me demande Lukas.

— Je suis tombée enceinte, je réponds.

Il se redresse sur un coude et m'enlève une mèche de cheveux qui a glissé sur mes yeux.

— C'est impossible d'élever un enfant ailleurs ?

Moi, je ne pouvais pas. Quand on élève seule un enfant, on se retrouve souvent dans une grande solitude. Lorsque Emma était petite, j'attendais toujours qu'elle soit endormie pour monter un nouveau meuble Ikea, par exemple. Je pouvais alors m'énerver en silence et éviter qu'elle ne me voie fondre en larmes devant un plan de montage. La nuit était le moment où je payais les factures, où je faisais le ménage, la vaisselle. Le soir, je voulais passer le plus de temps possible avec elle. L'aider avec les devoirs, regarder un film bien installées sur le canapé. Une nuit, j'ai même essayé de faire des brioches à la cannelle pour une fête à son école, mais c'était une très mauvaise idée. Aucun enfant ne peut dormir avec l'odeur de la brioche chaude lui chatouillant les narines.

— On se croit libre et indépendant mais, tôt ou tard, on a besoin de quelque chose et là on est forcé de réaliser qu'on appartient à un lieu.

— De quoi avais-tu besoin ?

— Bah, des choses habituelles. Un appartement, un travail, une baby-sitter, de conseils pratiques quand Emma se mettait à tousser ou avait une poussée de fièvre.

— Je soupçonne les gens d'avoir toujours plein de conseils à donner, dit-il sèchement. Ils attendaient quoi en retour ?

Je souris faiblement.

— On ne peut pas comprendre quand on ne s'est pas retrouvé seul avec un nourrisson de trois mois qui a des coliques. Ils n'exigeaient rien en retour mais ils passaient chez moi comme s'ils étaient chez eux. Comme ma mère ou ma voisine qui habitait deux étages au-dessus. Ma mère se plaignait continuellement de mon ménage, la voisine me regardait d'un œil sceptique, me faisant bien sentir que je ne correspondais pas aux normes des gens d'ici. Pour moi c'était dur à vivre. Jusqu'au jour où j'ai vraiment eu besoin d'aide et que ma voisine m'a épaulée en me racontant que ses enfants avaient eu des coliques bien pires et en m'expliquant comment les soulager. Soudain je n'étais plus seule et Emma allait mieux. Et pendant ce temps-là ma mère avait réussi à passer l'aspirateur en cachette.

— Et après, on reste ?

— Oui. Peut-être que j'étais lâche ou que je trouvais ça confortable. Depuis le jour où Emma est tombée malade pour la première fois, je ne me voyais plus vivre seule dans une grande ville.

Je fais une pause avant de poursuivre :

— Je ne pouvais pas imaginer que la pauvre Emma n'ait que moi.

— Je suis sûr qu'il y a des choses bien pires.

— C'est parce que tu n'as jamais eu de coliques en étant dépendant de moi.

— Je promets de ne pas t'appeler si j'en ai, rit-il.

— Alors, tu vois, je conclus d'un ton léger. Je ne suis pas particulièrement courageuse.

— Quand l'homme marié est-il entré en scène ?

Je me dégage de son étreinte et me redresse pour examiner l'expression de son visage. Puis je me détourne. Ma relation avec l'homme marié n'est pas une histoire dont je suis particulièrement fière. Elle a été courte et sordide. Et elle en dit plus long sur moi que je n'ai envie d'en dévoiler.

Mais l'ambiance que crée le clair de lune fait que je me mets à parler. La nuit, le silence fonctionne comme une protection. Plus rien ne semble réel. Un moment où on se confie facilement.

— Emma avait trois ans. C'était pour moi un miracle de l'avoir, mais je crois que j'avais commencé à m'habituer à elle. J'étais encore assez jeune pour attendre quelque chose de la vie et ne pas passer mon temps à travailler, m'occuper d'elle, faire le ménage, la vaisselle. Mais je dois dire que c'est une prouesse d'avoir une liaison avec un homme marié quand on est la mère célibataire d'une enfant de trois ans.

Le mot «prouesse» n'est peut-être pas le bon. Lukas hausse les sourcils d'un air interrogateur sans cependant faire de commentaire.

— Il ne pouvait me voir qu'à l'improviste alors que moi, je ne pouvais sortir que si j'avais tout planifié à l'avance avec une baby-sitter.

— Comment vous avez résolu ça?

— Ma mère venait souvent. Je crois qu'elle savait exactement ce qui se passait quand je disparaissais pendant ces quelques heures mais elle ne m'a jamais fait aucune remarque. Peut-être pensait-elle que je le paierais un jour où l'autre. Peut-être pensait-elle à son propre amant, qu'est-ce que j'en sais?

— Que tu le paierais un jour ou l'autre?

— Oui, je souris. Au bout d'à peine un mois je pleurais comme une madeleine devant le téléphone en attendant qu'il m'appelle. Au bout de trois mois j'ai compris que cette histoire était une très mauvaise idée. Et au bout de six mois c'était terminé entre nous.

Il ne dit rien mais dans ses yeux je vois une pointe de… jugement? de compassion? Je n'arrive pas à trancher.

— Ça n'a pas été pas un très grand traumatisme. Dès que ma décision a été prise, j'ai tourné la page. Le plus étonnant c'est que je n'avais rien contre le fait de pleurer devant mon téléphone comme une idiote — à cause d'un idiot — dès qu'Emma s'était endormie. Je crois que j'avais désespérément envie de ressentir de nouveau quelque chose. Quelque chose qui n'ait rien à voir avec elle.

Cette dernière phrase fait écho dans ma tête. C'est très bizarre de l'entendre.

Emma est ce qui m'est arrivé de mieux. Je n'ai jamais regretté d'être tombée enceinte, pas même d'avoir eu un enfant si tôt. C'est presque une trahison d'insinuer qu'il y a quand même eu des moments où j'ai eu envie d'avoir quelqu'un d'autre qu'elle. Mais c'est aussi assez libérateur.

— Parfois je me dis que je n'ai pris qu'une seule vraie décision dans ma vie, déclare Lukas. Comme si ça suffisait de choisir le métier de moniteur plutôt que celui de médecin.

— Deux décisions, je rectifie.

Il me regarde avec de grands yeux. Je poursuis :

— Tu as décidé de ne pas devenir comme ton père.

— OK, deux décisions, alors. Mais tu ne t'es jamais dit que la vie méritait mieux ?

— Depuis qu'Emma a déménagé, c'est la seule chose à laquelle je pense.

— Je crois que c'est pour cette raison que j'ai quitté Sofia. Je voulais faire mes propres choix. Mes sœurs ont raison quand elles disent que je me retrouve malgré moi dans des relations amoureuses. Ça ne me semblait pas honnête envers elle de continuer alors que je n'étais même pas sûr de ce que je voulais. Soudain, j'ai eu l'impression qu'un beau jour on serait mariés avec deux enfants, exactement comme mes parents. Être coincé dans une relation par simple habitude.

Tu veux des enfants ? est une question que je ne pose pas. C'est ça le problème quand on parle de sentiments. On apprend toujours des choses qu'on ne veut pas savoir.

Il me fait un sourire gêné.

— Ça va te paraître stupide mais je commençais à me dire qu'il y avait plus de chances que mon père apprécie Sofia que ma grand-mère ne le fasse. J'ai pris ça comme un mauvais signe.

Je n'ai jamais été avec un homme que ma mère aurait apprécié. Je comprends donc ce qu'il veut dire.

— Sofia l'a pris comment ? Quand tu l'as quittée ?

— Très bien. Honnêtement, je crois qu'elle pense que je traverse seulement une mauvaise passe.

— Mais…, je dis malgré moi.

— Pas d'inquiétude. C'est vraiment terminé entre elle et moi, me sourit-il.

Il me prend dans ses bras et me serre contre lui pour me le prouver.

— Heureusement, je réponds. Sinon ta situation aurait été critique.

Les gens ne s'intéressent peut-être pas au mystérieux sourire de la vendeuse de chez Extra-Market, mais plus je fréquente Lukas, plus mon sourire niais se transforme en un rire bouillonnant à tout moment prêt à exploser. Parfois je ris sans raison, parfois j'arrive à me contenir, mais je suis certaine qu'il y a quand même des étoiles dans mes yeux.

Être continuellement de bonne humeur paraît suspect dans une petite ville. Je sens les regards inquiets des clients quand je les salue avec trop d'enthousiasme. «La Journée de la Ville approche», je leur donne comme explication. «Tout avance bien. Ça va être génial.»

Je ne parle pas de Lukas à Pia. Je ne suis pas prête à nous exposer à son regard cynique. Je veux rester encore un moment dans mon petit monde à moi. Seule, absente, dans mes rêveries, isolée des gens de mon entourage parce que j'ai un super secret et pas eux.

Même Eva ne m'effraie pas. Lorsque je rends visite à ma mère, nous arrivons pile en même temps et restons un moment à hésiter et à nous faire des politesses devant l'entrée. «Je t'en prie, passe. Non, non, vas-y toi, je te tiens la porte.»

J'éclate de rire et Eva me dévisage d'un air méfiant. Elle semble même sur le point de faire demi-tour mais finalement elle m'accompagne à contrecœur dans la chambre. Sur le seuil, elle me double et va s'asseoir sur le bord du lit de ma mère.

— Bonjour Inger, lui dit-elle d'une voix toute douce en se penchant vers elle pour arranger sa couette bien que ce ne soit pas nécessaire.

— Salut maman ! je dis joyeusement en me postant juste derrière Eva.

Ma mère nous fait un petit sourire amical, l'air de ne pas savoir ce que nous faisons là mais contente d'avoir de la visite.

Eva se tourne vers moi.

— Il serait sans doute préférable que tu viennes un autre jour, me lance-t-elle.

J'ignore son commentaire.

— Vous savez, déclare ma mère, je ne savais pas que le sexe pouvait être aussi agréable.

Eva me lance un regard noir, l'air de dire que c'est ma faute.

— Mon mari n'était pas un virtuose en la matière. En toute confidence. Mais je vous parle d'un temps où on n'évoquait pas encore le plaisir féminin. Du clitoris, par exemple. Mon mari n'a jamais compris comment tout ça fonctionnait. Il n'a jamais compris les nouvelles techniques, en règle générale.

Je ris puis je regarde Eva d'un air coupable. La situation ne semble pas du tout l'amuser.

— Pardon, je m'excuse.

Ma mère poursuit joyeusement :

— S'il n'a jamais réussi à s'adapter aux nouvelles machines à écrire sur lesquelles on pouvait faire des corrections, c'était peut-être trop lui demander de comprendre l'orgasme féminin.

— Elle n'est pas elle-même, me chuchote Eva par-dessus son épaule. Mais elle a l'air contente de te voir.

— Elle est quand même en train de critiquer les prestations sexuelles de mon père, je réplique. Bon, restons concentrées sur son changement de personnalité.

— Tu ne prends pas au sérieux ce qu'elle dit, j'espère, me chuchote Eva furieuse.

— Tu peux admettre que c'est assez difficile. Les machines à écrire ! Je me souviens tellement bien de mon père s'énervant devant sa machine chaque fois qu'il devait écrire une lettre. Et comme il déplorait le fait que les magasins ne vendent plus de rubans encreurs.

— C'est étrange, continue ma mère. Beaucoup de gens ont encore dans leur grenier des machines à écrire qui pourraient être utilisées.

Eva semble soulagée de l'entendre s'attarder sur les machines. Mais ce n'est qu'une pause.

— Je n'ai jamais regretté ma liaison avec Lars, reprend-elle aussitôt. Ce n'était pas bien, je le sais, mais mon Dieu, sur le plan sexuel !

Aha ! je me dis. Elle a été infidèle. Eva me pousse littéralement hors de la chambre.

— Vous partez déjà ? nous demande joyeusement ma mère.

Elle a donc eu un amant.

Lorsque mon père vivait encore, elle a vécu une double vie pendant une période. Elle a peut-être aussi été obligée de transformer ses rires en toussotements et de détourner le regard pour ne pas montrer les étoiles dans ses yeux.

J'ai presque plus de mal à imaginer ma mère en train de rire qu'en compagnie de son amant.

Eva marche à côté de moi, droite comme un I. Finalement elle dit tout bas :

— Elle aurait détesté ça.

— Oui, je reconnais.

Mais je ne peux pas m'empêcher d'ajouter :

— Mais elle est heureuse.

— Elle n'est pas elle-même.

— Je me demande si on ne surestime pas l'idée de ne pas être soi-même.

— Elle ne voulait pas être heureuse, rétorque Eva avec fermeté.

— C'est vrai, je soupire. Elle ne le voulait pas.

Une feuille tombe devant moi en tourbillonnant. Je tends la main pour l'attraper. Un souffle de vent la repousse de quelques mètres et je dois lutter contre l'impulsion de courir après. Voilà cette excitation qui recommence. Et aussi ce rire… J'ai subitement envie de faire de grands pas, de sauter, de hurler.

Mais je ralentis. Pour Eva. Elle ne fait aucun commentaire.

— Tu sais qui c'est ? je lui demande finalement.

— C'est à toi de résoudre le problème ! fulmine-t-elle soudain.

— À moi ?

— Tu es sa fille ! Fais quelque chose ! Parles-en aux médecins !

Bien sûr, je me dis. Aucun problème. Je vais aller voir les médecins et leur demander de faire quelque chose pour que ma mère retrouve sa déprime.

Eva a raison. Ma mère n'aurait pas apprécié d'être heureuse. Mais je n'arrive pas à m'en attrister. D'une certaine manière, je me sens plus proche d'elle aujourd'hui que jamais auparavant. La démence sénile n'est peut-être pas la meilleure base pour accéder au bonheur, mais il faut bien prendre ce que la vie nous offre.

Et elle a eu un amant.

— Il faut que j'arrive à découvrir qui était l'amant de ma mère, je déclare à Pia le jour suivant.

Nesrin et elle sont en train de se changer dans le petit vestiaire improvisé. En réalité, c'est plutôt un débarras pourvu de quelques placards et d'un banc. Mais avec de la bonne volonté, on peut y tenir à trois. Moi, je suis prête.

— Je n'arrive toujours pas à imaginer qu'elle ait été infidèle, je dis en m'adossant à la porte pour leur laisser un peu de place.

— Ça la rend plus intéressante, reconnaît Pia.

— Mais elle refuse de donner des détails. Concernant son identité, je veux dire. En revanche, elle n'a aucun problème à parler de leur vie sexuelle. La seule chose que je sais c'est qu'il s'appelait Lars et...

Je m'interromps soudain.

— Nesrin, qu'est-ce qui est arrivé à tes cheveux?

Sa chevelure noire est striée de mèches violettes.

— Et... ces vêtements orange? j'ajoute.

— Quand on n'est pas pro, c'est difficile de trouver de bons produits, se défend-elle.

— Mais pour faire quoi?

— J'essaie d'être coiffeuse. Je n'ai pas réussi à trouver les habits appropriés.

On frappe violemment à la porte.

— Le magasin ouvre dans deux minutes! hurle Petit-Roger de l'autre côté.

Pia enfile son tee-shirt pendant que Nesrin inspecte une dernière fois ses mèches dans le miroir.

— Il a d'abord fallu que je les décolore pour que la couleur se voie bien, explique-t-elle.

— Vous êtes bientôt prêtes? s'inquiète Petit-Roger.

Pia se faufile entre nous deux et ouvre. Avant de sortir elle me lance :

— Si tu veux vraiment en savoir plus sur l'amant de ta mère, tu devrais faire semblant d'être coiffeuse. Les gens racontent toujours tout à leur coiffeuse.

35

— Tu es sûre que c'est une bonne idée?

Nous ne sommes pas encore arrivées devant la maison de retraite que Nesrin commence déjà à douter. Ça m'a demandé une journée entière d'argumentations et un gros pot-de-vin pour qu'elle accepte de venir. Et voilà qu'elle remet tout en question.

— Je croyais que tu voulais tester le métier de coiffeuse, je lui signale en la traînant vers l'entrée.

Berit ne travaille pas aujourd'hui et a été remplacée par une femme bourrue dans la soixantaine. Elle a les cheveux fins permanentés et un regard dur qui prévient des conséquences terribles qui menacent celui qui oserait s'opposer à elle.

Elle nous conduit jusqu'à la chambre de ma mère sans dire un mot. Elle laisse régulièrement glisser son regard vers les blouses que je tiens dans mes bras et qui frottent contre mes jambes au rythme de mes pas. Son autodiscipline ne la trahit pas. Elle ne pose aucune question, ni sur les blouses ni sur la sacoche de Nesrin — la panoplie de l'experte en beauté, selon elle.

Lorsque nous arrivons devant la chambre, la femme s'attarde sur le seuil tandis que ma mère nous regarde d'un air étonné.

— Bonjour, je lui dis d'une voix alerte et professionnelle. Je m'appelle…, je m'interromps ne sachant pas comment continuer.

J'aurais dû me préparer un peu mieux.

Par chance, Nesrin a la présence d'esprit de venir à mon secours. Elle me lance un regard arrogant, se faufile devant moi et s'avance vers ma mère la main tendue.

— Elle s'appelle Lena et moi c'est Nesrin. Nous venons de La Beauté sur roulettes : les coiffeurs, maquilleurs et stylistes mobiles. Un concept idéal pour toutes les occasions. Nous avons entendu dire que vous aviez un rendez-vous galant ce soir.

Nesrin m'épate.

— Avec Lars, j'ajoute inspirée par son culot. Cette semaine, nous avons une offre spéciale et proposons un relooking gratuit à quelques personnes sélectionnées.

— Lars ? dit ma mère. C'est ce soir ?

— Ici à Falun, je poursuis de façon totalement immorale.

Je lorgne la femme bourrue qui se tient toujours sur le seuil. Même au repos, son visage dégage quelque chose d'antipathique, mais elle n'essaie pas d'intervenir.

— Dans ce cas, peut-être juste les pointes, indique ma mère. Habituellement je me fais coiffer chez Ann-Sofie, je ne veux pas la blesser en allant chez quelqu'un d'autre. Rien qui se remarque trop, vous comprenez ?

Ann-Sofie était également ma coiffeuse. À l'époque, elle avait un petit salon dans un immeuble où nous habitions. Le genre de coiffeuse qui s'était spécialisée dans les permanentes et les colorations dans les années cinquante et qui n'avait pas actualisé son répertoire depuis. Ce qui ne posait pas de problème vu que sa clientèle ne l'avait pas fait non plus. Elle était moins chère que les coiffeurs du centre-ville. Ce qui fait qu'on allait toutes chez elle.

Jusqu'à ce que j'aie quinze ans et qu'elle rate complètement ma décoloration.

Aujourd'hui je suis à peu près certaine qu'elle ne travaille plus. Nesrin guide ma mère gentiment mais d'un geste décidé jusqu'au petit bureau à côté de la fenêtre et commence à sortir notre matériel. Nous avons toutes les deux vidé notre stock respectif de maquillage et avons apporté tous les accessoires de coiffure que nous avons trouvés.

Ma contribution : des ciseaux, un peigne, un spray spécial plantes pour humidifier les cheveux, une serviette blanche, du mascara, de la poudre discrète et du fard à paupières dans des teintes naturelles.

La contribution de Nesrin : des ciseaux, deux sortes de peignes, une brosse, deux mascaras, seize nuances d'ombre à paupières, du fond de teint, de la poudre, un correcteur, deux eye-liners, un spray pour façonner les cheveux, de l'huile, trois miroirs de taille différente.

Sans mes échantillons de parfum, ma contribution aurait été nulle. Un peu plus tôt dans la journée, j'ai pris le car pour Örebro afin de me rendre au grand magasin Åhlens. Là-bas, j'ai demandé à la jeune caissière de m'aider. C'est fascinant comme la franchise peut porter ses fruits. « Ma mère souffre de démence sénile et a eu un amant. J'ai l'intention d'essayer de découvrir son identité en me faisant passer pour une styliste. J'ai besoin d'échantillons de parfum qui me rendent crédible. » Elle m'a alors donné tous les échantillons qu'elle avait dans son tiroir.

Nesrin prépare les cheveux de ma mère en les humidifiant puis elle me tend les ciseaux. Le résultat est assez inégal mais ce n'est pas visible dans le petit miroir. J'ai coupé les cheveux d'Emma jusqu'à ses treize ans, j'ai donc acquis une certaine expérience.

Nous nous amusons ensuite à essayer tous les parfums. Sa chambre finit par sentir comme le rayon parfumerie des grands magasins. L'ambiance est joyeuse et nous exubérantes. Peut-être est-ce dû aux effluves.

— C'est très agréable, vous savez, de prendre soin de soi comme ça, me confie ma mère.

Même la dame de fer qui n'a pas quitté son poste devant la porte esquisse un petit sourire. Puis elle traverse la chambre et ouvre la fenêtre, sans doute pour des questions d'allergie.

— Vous avez donc un rendez-vous important ce soir ? je me lance.

Ma mère me fait un sourire mais il n'est pas pleinement heureux.

— On verra bien, me répond-elle seulement.

Puis elle me demande :

— Et vous, vous êtes avec quelqu'un ? Lena, c'est bien comme ça que vous vous appelez ?

— Je…

J'ai soudain envie de parler de Lukas à ma mère mais je tourne la tête vers Nesrin et je dis :

— Non.

— Ah bon ?

— Et vous ? je demande.

Je crois avoir réussi à garder une voix assez nonchalante pour donner l'impression que ce n'est qu'une conversation banale entre deux étrangères, bien qu'à ce stade je n'aie qu'une envie, c'est de lui demander clairement :

1. Papa et moi n'étions rien pour toi ?

C'est une réaction absurde et totalement émotionnelle, je sais. Mais je suis tout à fait consciente que ma mère n'avait pas de grandes raisons d'aimer mon père. Ou, quand j'y pense, de m'aimer moi.

2. Pourquoi ne nous as-tu pas abandonnés pour miser sur ton grand amour ?

3. *Qui était-il ?*

J'arrive à combiner ces deux réflexions dans ma tête.

Je reprends la conversation :

— Vous croyez que ça va fonctionner entre lui et vous ?

C'est étrange de discuter d'une relation dont on connaît déjà la fin. Je sais qu'elle ne nous a pas quittés, mon père et moi. Aucun Lars n'est venu lui rendre visite ici, elle ne vivait donc probablement pas non plus une double vie.

— Non, répond ma mère. Ça ne fonctionnera pas.

Elle le dit sans aucune émotion, comme une simple constatation.

Un visage tout fripé apparaît soudain derrière la dame de fer. Il est petit et gracieux et me fait penser à une très vieille souris.

— Que se passe-t-il ici ? demande la vieille femme en souriant.

Ce n'est qu'à ce moment-là que la dame de fer remarque sa présence. Elle se tourne brusquement vers la vieille femme qui ne recule pas et qui est à deux doigts de se prendre son coude dans le visage. Mais elle n'est pas découragée pour autant. Elle en profite pour se glisser sous le bras de la dame de fer et entrer dans la chambre. Elle est vêtue d'une robe en coton trois fois trop grande pour elle. Ses bras et ses jambes ne sont pas plus épais que des allumettes.

— Je suis en train d'être *relookée*, lui explique ma mère. Par ces trois femmes fort sympathiques de La Beauté sur roulettes. Elles font une campagne publicitaire.

Une flamme s'allume dans les yeux de la vieille femme.

— Ah, c'est ça ? dit-elle en nous lorgnant avec insistance, Nesrin et moi. Et je vois que l'une de vous deux est libre.

Ma mère soupire.

— Je suis sûre qu'elles pourraient s'occuper de toi aussi, Esther.

Rapide comme une flèche, Esther s'assied sur la chaise libre.

— Une permanente, dit-elle. Je veux une permanente.

— Une permanente ? s'exclame un vieil homme qui est apparu dans l'embrasure de la porte. Juste un petit rafraîchissement pour moi.

Ses cheveux tombent en mèches raides et ternes sur ses épaules.

Il va chercher une chaise et revient accompagné de trois autres vieux. La dame de fer semble un peu déroutée. Nesrin et moi échangeons des regards paniqués.

— Peut-être aussi une couleur, dit Esther après une petite réflexion.

36

Je n'en sais pas plus qu'auparavant sur l'amant de ma mère, excepté le petit commentaire qu'elle a fait sur l'impossibilité de leur histoire. Maintenant je dois malheureusement me concentrer sur autre chose.

J'invite la fille du club de foot et le garçon des scouts au salon de thé Doux Rêves où j'improvise une réunion.

Tous les deux sont assis en face de moi. La fille boit un thé et mange une brioche à la cannelle tout en souriant aux gens autour d'elle. Même quand elle ne bouge pas, elle rayonne d'énergie. À tout moment, elle pourrait bondir de sa chaise et faire le tour d'un terrain de foot en courant. Le garçon, lui, est poli et aimable. Il semble ingénieux et doit être capable de faire toutes sortes de nœuds, d'allumer un feu de camp et d'escalader une montagne.

— Comme vous le savez peut-être, nous sommes en pleine préparation de la Journée de la Ville, je leur explique. Nous essayons de retrouver l'ambiance d'autrefois, de mettre en place des activités pour tous les âges.

J'ai commandé un café que je sirote tout en essayant de rassembler mes esprits. Le seul moyen de convaincre ces deux jeunes gens de l'importance de la Journée de la Ville est de leur parler de moi. Mais ça ne m'enchante pas. Je me demande même si je ne vais pas ressortir mon bon vieux discours habituel sur les activités adaptées à toute la famille.

Puis je pense à Lukas, à tout ce que je lui ai raconté, au fait qu'il m'ait écoutée sans me juger, et je dis :

— Je suis une mère célibataire. Ma fille, Emma, a grandi en n'ayant personne d'autre que moi. Jusqu'à ce qu'elle ait l'âge d'avoir des activités en plein air, de faire du handball, du basket. Pas de scoutisme ni de foot, malheureusement, mais je suis persuadée qu'elle aurait adoré en faire si elle avait su que ça existait. Ces activités lui donnaient la possibilité de côtoyer d'autres personnes que moi. D'autres enfants qui s'amusaient avec elle pendant les entraînements mais aussi d'autres adultes qui s'occupaient d'elle quand je ne pouvais pas être là. Quand elle avait décidé de s'inscrire quelque part, je l'aidais autant que je pouvais. Mais puisque je travaillais beaucoup, je n'étais pas au courant de tout ce que la ville proposait. Elle était donc obligée de trouver les activités elle-même. Elle suivait ses copains dont les parents étaient plus disponibles que moi et trouvait ainsi des occupations passionnantes.

Aussi bien la fille que le garçon hochent la tête. Mon histoire semble les toucher bien qu'ils soient trop jeunes pour avoir des enfants.

— En revanche, beaucoup de ses camarades de classe avaient des parents qui ne pouvaient pas les conduire aux entraînements de foot ou qui n'étaient pas au courant des dates d'inscription, ou même qui ne se souciaient pas de savoir comment leurs enfants occupaient leur temps libre. Beaucoup n'ont jamais eu la chance d'essayer de nouvelles activités. J'aimerais que ces enfants-là aient aujourd'hui la possibilité de découvrir vos associations, d'apprendre des choses, de s'amuser, de progresser. Ce ne serait pas formidable d'organiser un événement ensemble sur la Grand-Place ?

— Mais deux semaines c'est peut-être un peu…, hésite le garçon. Il faut avoir le temps de composer un groupe qui puisse concevoir et offrir des activités intéressantes…

— Je suis bien consciente du manque de temps, j'admets. Mais ce que nous proposerons n'aura pas besoin d'être très compliqué. Quelques petites activités rigolotes de scoutisme et peut-être un tournoi improvisé de foot seraient déjà bien. Si vous me dites ce dont vous avez besoin, je peux trouver des gens pour vous aider.

Pia et Nesrin, par exemple, je me dis. Qui ne sont au courant de rien, bien sûr.

— Je trouve que c'est une super idée, déclare la fille. Il n'y a pas grand-chose à préparer pour mettre en place un tournoi de foot, si vous avez besoin d'aide demandez-nous, poursuit-elle en se tournant vers le garçon. Pendant toute mon enfance, j'ai été scout mais j'ai dû arrêter quand le foot m'a pris trop de temps. Ce serait trop bien d'avoir ces deux activités l'une à côté de l'autre.

— OK, je vais en parler aux autres chefs, dit le garçon.

— Toute la Grand-Place est à vous ! je déclare.

— À Skogahammar il y a l'association du Border Collie, me signale Ann-Britt lorsqu'elle vient me rendre visite à Extra-Market. Ils ne sont plus très actifs mais j'ai eu la présidente au téléphone et elle m'a promis d'essayer d'organiser une démonstration canine. Ça pourrait être amusant, non ?

— Formidable, je dis en toute sincérité. Dorénavant tu seras la chef des associations.

Le visage d'Ann-Britt s'illumine.

— Merci ! Quelle confiance. Je n'ai jamais eu le titre de chef.

— Ann-Britt, enfin, tu es la présidente de la Croix-Rouge depuis des décennies.

— Ce n'est pas la même chose. C'est juste qu'il n'y avait pas d'autres candidats.

Un peu plus tard, Niklas et Johan viennent me rendre visite pour discuter de leur concert.

— Est-ce qu'on aura un endroit où se changer ? demandent-ils. On pourra vous donner un coup de main pendant la journée mais on aura besoin d'un endroit où poser nos vêtements de scène et notre faux.

— Votre faux ? Non, en fait, je ne veux pas savoir.

Je me baisse pour ranger encore quelques briques de crème liquide tout en essayant de trouver une solution à leur problème : mon appartement ? la maison de Pia ? chez Nesrin ?

— Vous pouvez installer votre loge ici ! je déclare soudain.

Puis je me retourne pour vérifier que Petit-Roger n'est pas à proximité.

— Dans la salle du personnel. Je… vais en parler à Petit-Roger.

Petit-Roger ne va pas apprécier, c'est sûr. Je sens un rire commencer à bouillonner en moi.

Puis c'est au tour de Jesper de me rendre visite. Mais lui n'a rien à me demander, il veut juste proposer son aide. Et aussi me parler de trains.

— Nous envisageons de faire une collecte pendant la Journée de la Ville pour pouvoir remettre en état la vieille guérite de la gare. Ça fait des années qu'on demande à la commune de s'en occuper. Elle date des années vingt. Il y en a une semblable à Östra Tysslinge et eux ont obtenu des subventions pour la rénover.

Je continue mon rangement des produits sans lactose en promotion dans le bac des surgelés.

— Mais, en fait, je suis venu voir si tu avais besoin d'aide.

— Je ne sais pas bien, je réponds. Il faudrait réaliser un plan pour décider de l'emplacement de chacun, mais je ne sais pas du tout comment on fait ça.

— Je peux t'aider. Je sais dessiner des cartes.

— J'ai une vue générale, je réponds. Mais il faut choisir les emplacements exacts des stands et des tentes. Le coin des enfants a sa place attitrée. Ils reviennent chaque année et s'installent apparemment toujours au même endroit.

C'est Hans qui me l'a expliqué avec fierté. C'est la première fois que j'entendais parler d'un coin pour les enfants.

— Mais comment sait-on quelles sont les meilleures places ? À quel endroit il y a le plus de monde ?

Je souris pour lui signifier que je ne m'attends pas à ce qu'il réponde à mes questions, mais il se penche vers moi avec enthousiasme.

— Je peux vérifier ça. Il faut juste se poster là où sont les gens et observer ?

— Merci, je lui réponds, étonnée.

— Et au sujet du modèle, poursuit-il. De la rame automotrice ! ajoute-t-il en voyant mes yeux ronds. J'ai pensé à une chose…

Lukas et moi ne nous parlons pas de ce que nous vivons ensemble, ce qui me convient tout à fait. Je ne veux pas mettre de mots sur notre relation ou devoir penser à l'avenir. Je veux simplement profiter de l'instant présent qui est soudain devenu si excitant.

Toute la journée au travail, nous nous envoyons des sms. Des messages sans intérêt. Mais chaque fois que mon portable vibre dans ma poche, je souris en jetant rapidement un œil autour de moi pour m'assurer que Pia n'est pas dans le coin.

Je ne veux pas réfléchir à notre relation. Je me sens plus libre et courageuse maintenant que je suis avec lui. C'est suffisant. Plus que suffisant. Cette fois-ci, je ne compte pas m'inquiéter à l'avance de ce qui pourrait arriver. Je ne veux pas prédire la catastrophe ou avoir constamment en tête l'idée qu'à un moment ou à un autre ça va mal tourner.

Même mon corps me semble différent maintenant qu'il vit, lui aussi, une relation. Je me tiens plus droite, je suis plus rapide. Je me déplace avec plus d'assurance.

À la fin de la journée, Lukas m'envoie un texto pour me demander si on peut se voir le soir même mais je dois malheureusement refuser. Ma liste de choses à faire mesure au moins un kilomètre de long et Hans vient de m'appeler pour ajouter encore des points. De son côté, il a réussi à faire venir toutes les entreprises qui étaient déjà présentes l'année dernière, ce dont il est très fier. Il admet à contrecœur que le groupe de travail est une bonne initiative lorsque je lui explique ce que nous avons mis en place.

Au lieu d'aller chez Lukas, je rentre donc chez moi, dans mon appartement vide. Je grimpe les escaliers, j'ouvre la porte et je m'affale sur le canapé sans même enlever mon manteau et mes chaussures. Je me demande ce qu'Emma est en train de faire. Je lui envoie aussitôt un sms. Elle me répond qu'elle travaille ses cours. J'évite donc de l'appeler. À la place, je ferme les yeux en essayant de ne pas penser au mal de crâne que le coup de fil de Hans a déclenché. Mais, même là, je souris dès que je pense à Lukas.

Je suis morte de fatigue et je n'arrive pas à me détendre. Au bout d'à peine cinq minutes, je me relève et je commence à faire les cent pas dans le couloir. Finalement je décide de sortir toutes mes listes et mes notes sur la table de la cuisine. Visiblement je suis trop énervée pour rester assise et trop fatiguée pour entreprendre quoi que ce soit. Je devrais tout mettre au propre, tout regrouper sur une même feuille, mais je n'en ai tout simplement pas le courage.

J'hésite un moment à me faire à manger, mais je n'ai pas non plus la force. À la place, je me prépare un café.

La sonnerie de la porte m'interrompt. J'ouvre. Lukas est là avec deux boîtes de pizza dans les bras. Il a l'air tout gêné.

— Aïe, je dis sans le vouloir.

— On n'a pas besoin de les manger ensemble, me précise-t-il rapidement.

Personne n'est jamais venu chez moi avec des pizzas. J'en ai commandé pour Emma et moi, bien sûr, quand elle était en période d'examens ou quand on avait quelque chose à fêter. L'idée que quelqu'un m'en apporte, sans aucune autre raison que celle de me faire plaisir, m'émeut terriblement. Je regarde les cartons, les larmes aux yeux.

— Je ne savais pas ce que tu aimes, j'ai donc opté pour une Vesuvio et une Capricciosa. Les classiques. Je sais que tu dois travailler mais je me disais que tu n'aurais sans doute pas le courage de faire la cuisine.

Puis il me regarde l'air interrogateur car je n'ai toujours pas ouvert la bouche et reste plantée devant la porte. Je m'écarte pour le laisser passer.

— Je crois que c'est le plus beau cadeau qu'on m'ait jamais fait, je dis, et ce n'est qu'à moitié une blague.

Il me tend les cartons de pizza.

— Reste, je lui demande en le caressant maladroitement de ma main libre. Tiens-moi compagnie le temps que je termine et après on mange ensemble.

Et c'est ce qu'il fait. Je nous verse deux verres de vin blanc et nous nous installons tous les deux sur le canapé. Je coche des points sur ma liste puis je passe en revue ce qui reste à faire. Lukas semble content d'être là à siroter son verre de vin. De temps en temps il tend ses jambes, sans doute pour les dégourdir après une journée passée à moto.

Je suis presque certaine d'avoir tout sous contrôle. Enfin, tout ce qu'il est possible de maîtriser quand on gère quelque chose d'aussi fou que la Journée de la Ville. Ça suffit pour aujourd'hui. Au lieu de passer les coups de fil que j'avais prévus, je range ma liste et je mange ma pizza à même le carton, avec Lukas dans mon salon, comme s'il faisait déjà partie intégrante de ma vie. C'est si bon.

Je le regarde du coin de l'œil.

— Je pourrais m'habituer à ça, je lui dis.

Ce qui, je le sens, est à deux doigts de se produire. Mais je me dis aussi que je n'ai pas besoin d'y penser maintenant. Laissons d'abord la Journée de la Ville avoir lieu.

La veille, je me mets de nouveau nue devant mon miroir.

Juste pour voir si j'y arrive.

Et oui, j'y arrive. Cette fois, je reste bien plus d'une minute. Je laisse glisser mon regard sur mon corps. Mes joues se sont légèrement colorées. Je contemple la rondeur de mes seins blancs, je les vois bouger au gré de mes inspirations. Détendue, le dos bien droit, les bras le long du corps. Je pense à la manière dont Lukas me touche et dont je le touche. Je pense à la Journée de la Ville et au moment formidable que nous allons passer. Je pense à l'amant de ma mère, caché quelque part au fond de son cerveau.

Jill Johnson chante en fond sonore. J'improvise même quelques pas de danse dans l'entrée avant d'aller chercher mes vêtements.

Ils sont toujours étalés par terre, là où je les ai jetés.

37

Nous commençons les installations à neuf heures. Les associations et les boutiques qui ont demandé un emplacement doivent aller chercher elles-mêmes une tente, une table pliante et une chaise devant la maison communale. Si elles veulent des chaises ou des tables supplémentaires, elles devront payer. La plupart se contentent donc de la base. L'équipe du coin des enfants se charge seule de son installation. Et l'entreprise à qui nous avons loué la scène s'occupe du montage de celle-ci.

La seule chose dont nous devons nous inquiéter est la coexistence éventuelle des tentes et du vent : lorsque le vent se lève, Centrumgatan se transforme en une vraie soufflerie. Gunnar, qui a été nommé chef du montage, lorgne maintenant le ciel d'un air contrarié.

— Il n'y a pas un poil de vent, déclare-t-il avec amertume.

Il est entouré de poids et de cordes et semble déçu de ne pas pouvoir les utiliser. Mais il retrouve sa bonne humeur après avoir fixé au sol plusieurs tables «au cas où».

— De mon côté tout va bien, me sourit Ann-Britt, hors d'haleine lorsqu'elle surgit à côté de moi.

Les activités sont dispersées dans la moitié de la ville. Nous avons tous l'impression de passer plus de temps à courir d'un point à un autre que de travailler.

— Il commence à y avoir du monde sur la Grand-Place et dans Centrumvägen, ajoute-t-elle. Et ça se passe très bien avec les associations!

Ann-Britt est formidable avec elles. Elle discute, blague, connaît le nom de chaque personne, est au courant de leur activité. Elle a même réussi à convaincre les associations culturelles de planifier leurs activités de façon décalée et à différents moments de la journée.

Lorsque je tombe sur Anna Maria un peu plus tard dans la matinée, elle est enchantée de ce qu'elle voit.

— Tu as géré ça d'une main de maître, me complimente-t-elle, un grand sourire aux lèvres.

Nous sommes à la lisière de la Grand-Place et avons une vue d'ensemble sur presque toute la Journée de la Ville.

Au fond, du côté des arrêts de bus et de la maison communale, se trouve le coin des enfants. Pendant que nous portions quelques tables pliantes et deux ou trois tentes, l'équipe a eu le temps de monter deux manèges et trois stands de jeu de loterie. L'endroit est encore désert excepté un petit enfant qui tourne sur un des manèges avec sa maman qui le regarde. Même à cette distance je peux voir que l'enfant pleure chaque fois qu'il passe devant sa mère.

La décoration d'un des stands de loterie (des femmes à moitié nues sur une plage) est en totale opposition avec l'esprit «enfants» du lieu. Ces femmes en bikini détonnent aussi dans l'ambiance générale, vu qu'on est en octobre et que tous les visiteurs sont emmitouflés dans de gros blousons avec écharpes et gants. À part quelques enfants plus âgés en sweat à capuche qui se réchauffent en courant.

Sur la Grand-Place, les scouts et les footballeurs sont en train de s'affronter. Ils sont tous arrivés à sept heures du matin pour installer leurs différentes activités et depuis une bonne demi-heure ils sont en pleine compétition. Les entraîneurs de foot ont défié les chefs scouts et se mesurent dans leurs activités réciproques. Leur combat attire un nombre important d'enfants et d'ados.

Sur la gauche, les activités continuent le long de Centrumvägen : les boutiques sont ouvertes et des tables ont été placées sur le trottoir. C'est aussi là que la Croix-Rouge a installé son marché aux puces.

Anna Maria me quitte pour aller saluer ses sujets. Et moi, je profite d'un moment de calme pour m'acheter un café à emporter chez Doux Rêves et faire comme si je jouais dans *Gilmore Girls*. Tout est là : le foulard coloré et la belle journée d'automne.

C'est une sensation étrange d'avoir organisé une manifestation dans les moindres détails et de voir maintenant les gens s'en emparer. Je suppose que c'est un peu comme de travailler dans les coulisses d'un théâtre. Les visiteurs voient des tentes, une Grand-Place remplie d'activités en tous genres et même une scène temporaire — pour l'instant vide — dans un coin. Alors que moi qui ai suivi le travail depuis le début, je vois les chaises qui ont été portées, les tentes qui ont été montées et les activités planifiées.

Il y a quelque chose de libérateur dans ce côté éphémère. Nous avons construit un événement dans le seul but de le faire exister le temps d'une journée et de le démonter le lendemain. Les tentes, la scène, les manèges et les stands resurgiront dans un autre lieu. Tout sera monté, utilisé, démonté puis emporté ailleurs.

Lukas surgit soudain derrière moi. Il me débarrasse de mon gobelet presque vide, me tire vers lui et m'enlace.

J'inspire son odeur et me détends dans ses bras.

Puis je me fige et je regarde autour de moi, l'impression d'être fautive. Nous sommes au beau milieu d'un lieu public, entourés d'à peu près tous les habitants de Skogahammar.

Ma première réaction est de me dégager de son étreinte et de faire comme si nous nous connaissions à peine mais je réussis à me maîtriser. À la place, je jette un œil rapide autour de moi et, quand je suis certaine que personne ne nous voit, je l'attire dans la rue adjacente qui est déserte. Ce n'est que là que je me détends vraiment et que je lui souris enfin.

— Alors ? je lui demande. Tout se passe bien ?

— C'est la meillleure Journée de la Ville que j'aie jamais vécue, me répond-il avant de m'enlacer de nouveau et de m'embrasser.

Bien qu'il n'y ait personne, je ne peux m'empêcher de jeter de nouveau un œil autour de moi.

— À combien de Journées de la Ville as-tu assisté ? je demande.

— Je suis là tous les ans.

— Du patriotisme de clocher ?

— Exactement !

Je suis presque certaine qu'il ne blague pas.

Je pose ma main sur sa poitrine, juste sous sa clavicule, puis je me mets sur la pointe des pieds pour l'embrasser. Tout ça de ma propre initiative.

C'est une journée resplendissante : froide et claire, avec un beau soleil et de l'excitation dans l'air.

— Salut maman !

Je sursaute et fais instinctivement un pas en arrière. J'essaie de m'éloigner autant que possible de Lukas. Ce n'est pas chose facile vu qu'il refuse d'enlever son bras autour de ma taille.

— Regarde qui j'ai trouvé, me lance Pia.

— Regarde qui maman a trouvé, lui lance Emma.

— Emma ! je m'exclame, surprise et peut-être un peu coupable.

Ma fille laisse son regard errer entre Lukas et moi. Nesrin, derrière elle, a l'air de trouver la situation plutôt amusante.

Je ferme les yeux, totalement désarçonnée. Mais j'arrive quand même à voir le sourire que Lukas adresse à Emma. Comme si son bras autour de ma taille était la chose la plus naturelle au monde.

Il finit par me lâcher pour lui tendre la main.

— Lukas, se présente-t-il.

Emma hausse les sourcils puis me lance un long regard sous-entendant qu'elle ne comprend rien à ce qui se passe. Je me rends alors compte que je lui ai bien parlé de mon rendez-vous avec un homme de ce nom mais que je n'ai pas protesté quand elle a insinué qu'il devait avoir la quarantaine et un gros ventre à bière.

Elle réévalue son idée de Lukas, me lance un nouveau regard et attrape sa main.

Puis le bras de Lukas reprend sa place autour de ma taille.

— Un ventre à bière, un blouson de cuir et une moustache? me souffle-t-elle.

Oh non! Elle a pris sa voix des *reproches*. Celle que prennent les ados quand ils sont en désaccord profond avec le comportement de leurs parents : Assez d'enfantillages comme ça! Un peu de tenue, voyons!

Personne ne condamne aussi durement qu'un ado.

Et spécialement un ado qui sait qu'il a raison.

— Je peux tout t'expliquer, je lui dis.

C'est maintenant au tour de Lukas de hausser les sourcils. Les deux me regardent avec des yeux ronds. Et Lukas me lâche enfin la taille. Ouf!

— Je ne peux pas t'expliquer, je rectifie.

Nesrin murmure un «Mon Dieu» pour la troisième fois depuis le début de cette conversation mais personne ne fait attention à elle.

Je me tourne vers Emma.

— Attends, je lui dis. Tu es rentrée. Mais pourquoi tu es rentrée?

— Ça doit effectivement être la question que tout le monde se pose en ce moment, dit-elle.

— Pourquoi tu ne m'as pas appelée avant ?

— Je sais, j'aurais dû te prévenir. J'ai la forte sensation que je tombe mal.

— Ne sois pas bête.

Puis je réalise que Lukas est toujours à côté de moi.

— Excuse-moi, je lui dis. Je peux t'appeler plus tard ?

À un autre moment, quand Emma ne sera pas là à nous écouter, je pense mais je ne le dis pas.

Il hausse les épaules puis se penche vers moi pour m'embrasser sur la bouche mais je tourne la tête et ses lèvres effleurent ma joue.

— Tu ne m'aides pas vraiment, je lui siffle.

— Pourquoi tu ne m'as pas appelée ? je demande à Emma quand Lukas s'est éloigné et que je peux enfin me concentrer sur elle.

— Parce que je n'y ai pas pensé, répond-elle. Maman, je trouve que tu devrais aller parler à ton jeune amant. Il avait l'air assez vexé.

— Il ne l'était pas du tout, je réponds sur un ton expéditif.

Nous le voyons s'éloigner à grands pas. C'est vrai que, vu de dos, il semble assez vexé.

— Vexé, déclare Pia.

— Oh oui ! acquiesce Nesrin.

Mon Dieu, je pense.

— Attends-moi ici ! j'ordonne à Emma. Ne t'en va surtout pas.

— Salue-le pour nous, me lance Pia.

J'arrive à le rattraper à quelques rues de la Grand-Place. Il a l'air tendu et son visage est fermé. Mais il s'est quand même arrêté quand je l'ai appelé.

— C'était donc ta fille ? me lance-t-il. Tu voulais me dire quelque chose ? Je te croyais occupée à lui faire subir un interrogatoire.

Je n'ai pas du tout l'intention de lui faire subir un interrogatoire mais une mère a le devoir de poser des questions : Comment ça se passe à l'école ? Où en es-tu avec Fredrik ? Tu te nourris bien ? Pourquoi es-tu rentrée sans prévenir ? Ce genre de choses.

— Te dire quelque chose ? je répète en ignorant son commentaire sur l'interrogatoire.

— Oui, vu que tu me courais après ?

Dans sa bouche, on dirait que je le poursuis. Mais puisque j'ai dû courir pour le rattraper et que j'étais tout essoufflée quand je l'ai pris par le bras, c'est malheureusement très près de la vérité.

— Je voulais seulement m'assurer que tout allait bien, je dis.

— Pourquoi ça n'irait pas ?

— Je ne savais pas qu'Emma avait décidé de rentrer aujourd'hui.

— Ça, j'avais cru le comprendre, répond-il sur un ton sec. Sinon je suppose que tu m'aurais prévenu en me demandant de rester caché ?

— Exactement !

Je suis contente qu'il ait compris. Mais il secoue la tête et je me rends compte qu'il était ironique.

— On n'en est pas encore arrivés au stade « présentation à la famille », si ?

— Tu as bien rencontré mes sœurs.

Sans faire exprès, je me dis. En voyant la petite lueur amusée dans ses yeux je suppose qu'il arrive à lire dans mes pensées.

— Il faut que j'y retourne, je déclare.

— Anita, dit-il en posant sa main sur mon bras pour me retenir.

Il y a une pointe d'hésitation dans sa voix.

— Oui ?

Il semble débattre avec lui-même avant de continuer.

— Elle est adulte. Tu es sûre que tu es obligée de tout lâcher dès qu'elle arrive ?

Je pousse sa main en lui sifflant :

— C'est ma fille !

— Oui, mais…

— À mes yeux elle ne sera pas adulte avant que ses petits-enfants aient fait leur première communion. Et c'est la première fois qu'elle rentre depuis des semaines.

— Je sais, je ne voulais pas dire que…

— Toi, je peux te voir à n'importe quel moment. Alors qu'elle, je ne peux la voir que maintenant.

Lukas enfonce ses mains dans les poches de son jean en haussant les épaules.

— C'est ça, grommelle-t-il.

— Je te rappellerai quand Emma sera retournée à Karlskrona, je dis en conclusion.

Elles ne sont plus là où je les ai laissées mais elles ne sont pas allées bien loin. Pia, Nesrin et Emma se sont installées à la terrasse du Réchaud à alcool. Bien qu'entourées d'une foule de gens, elles sont impossibles à louper.

Emma est radieuse. Elle salue les amis et les connaissances qui passent dans la rue. Un garçon avec qui elle était à l'école s'assoit sur la chaise à côté d'elle. Il la fait rire aux éclats avant d'aller au bar pour passer sa commande. Je regarde les belles boucles indisciplinées de ma fille. Je n'arrive toujours pas à comprendre qu'elle soit là.

Subitement. De nouveau parmi nous.

La nuit va bientôt tomber. Une journée d'automne absolument parfaite se termine pour laisser la place à une soirée qui le sera certainement tout autant. Ce genre de journée qui se transforme en nuit progressivement et de façon imperceptible. Les gens flânent dans les rues et les enfants courent au gré de leurs envies. Un sentiment de liberté flotte dans l'air. Emma semble détendue, calme et heureuse d'être là.

Le Réchaud à alcool a misé sur une énorme terrasse. Toutes les tables sont tournées vers la place. Pour une fois, les lampadaires chauffants fonctionnent et on a sorti les vieux coussins vert menthe.

J'ai envie de rester là à admirer Emma. Une heure, deux heures, peut-être toute la nuit. Mais les filles m'ont déjà vue. Nesrin me fait un signe joyeux de la main et Emma me désigne une bière pleine.

C'est fou ce qu'ils grandissent vite, je me dis. À peine ont-ils appris à marcher qu'ils achètent de la bière à leur mère.

Je me fraie un passage jusqu'à elles et je m'assois sur la chaise que l'ami d'Emma vient de quitter. Je bois une gorgée de bière et je trinque avec elle.

— Bienvenue chez toi, je lui souris.

Elle ne s'oppose pas à ce que je considère Skogahammar comme étant chez elle.

Une belle soirée.

— Désolée de ne pas t'avoir appelée, me dit Emma. Je me suis décidée au dernier moment. Soudain l'idée m'est venue : la Journée de la Ville ! Comme quand j'étais petite. Je me vois encore courir dans les rues ce jour-là.

— Tu aurais dû arriver hier. On ne va pas avoir beaucoup de temps ensemble.

— J'ai l'intention de rester quelques jours. Peut-être jusqu'à lundi. Ou même mardi, je verrai.

— Mais... tu n'as pas école ?

— Maman, j'ai dix-neuf ans. Je vais à la fac. Je peux rater quelques jours de cours si j'en ai envie.

— Bien sûr que tu peux, mais...

— Pia, dit Emma en se tournant vers elle, depuis combien de

temps ma mère couche-t-elle avec ce Lukas ? Elle m'a parlé d'un rancard qui n'en était pas un, puis plus rien…

— Ne me demande pas, rétorque Pia. Je n'étais pas non plus au courant.

— Tu étais tout le temps occupée ! je m'offusque.

— Un amant plus jeune, dit Pia. Ce n'est pas un peu trop 2010 ?

— Moi je trouve ça cool les bonnes femmes qui draguent les petits jeunes ! déclare Nesrin.

— Pourvu que je n'aie pas à l'appeler papa ! renchérit Emma.

Je comprends que la situation les amuse mais je n'arrive pas à me joindre à leurs rires et à leurs plaisanteries.

— Comment ça se passe avec Fredrik ? je demande à la place.

— On n'est plus ensemble.

Je me raidis. La dernière fois qu'elle m'a parlé de lui, ils avaient rendez-vous et elle nageait dans le bonheur. Mais ça remonte à un moment. Ces derniers temps, je n'ai pas eu besoin de rationner mes coups de fil ni de cacher mon portable dans l'arrière-cuisine puisque je… n'ai tout simplement pas pensé à l'appeler. Nous nous sommes parlé plusieurs fois mais rapidement. Manifestement je suis une très mauvaise mère.

— Qu'est-ce qui s'est passé ? je lui chuchote à l'oreille, au cas où elle ne voudrait pas en parler devant Pia et Nesrin.

— Rien, répond-elle d'une voix normale.

— Pourquoi tu ne m'as rien dit ?

— De toute évidence, tu étais occupée par autre chose. Je rigole, maman, ajoute-t-elle rapidement en voyant ma mine effarée. On a cassé il y a genre deux semaines. Rien de dramatique, mais je me suis rendu compte que c'était un con.

— C'est toujours risqué de mieux connaître les gens, signale Pia. Ils se révèlent souvent être des cons.

— Mais…, je commence.

Emma a toujours su qu'elle pouvait me parler. Je n'ai tout de même pas pu être focalisée sur Lukas à ce point. C'est impossible, c'est…

— Laisse tomber, maman, me dit Emma.

Je quitte le sujet à contrecœur sans pour autant me séparer de ma mauvaise conscience.

Emma se tourne vers Pia.

— Pourquoi est-ce que les gens qui sont en couple veulent toujours que les autres le soient aussi ?

— C'est un mystère, admet Pia. Ils devraient pourtant savoir mieux que les autres ce que c'est. Mais je suppose que pour pouvoir vivre avec quelqu'un, il faut se mentir à soi-même. On aimerait que les autres souffrent du même aveuglement. C'est insensé, bien sûr. Nous naissons seuls, nous mourons seuls et entre les deux — et avec un peu de malchance — nous sommes seuls dans une relation de couple.

Pia et Emma me regardent, un grand sourire aux lèvres. Ce n'est qu'à ce moment-là que je comprends que c'est de moi qu'elles parlent.

— On n'est pas un couple ! je proteste.

— Je parie que vous en êtes toujours à la première phase illusoire où chacun fait des efforts sans encore connaître l'autre. Des dîners dans des restos sympas, des conversations polies. Avant que tout dégénère en petites querelles du quotidien avec des survêtements assortis.

— On est juste allés ensemble au Réchaud à alcool, j'essaie. Et je te rappelle que c'est toi et moi qui avons le même survêt.

— Deux pour le prix d'un, explique Pia devant les regards interrogateurs d'Emma et Nesrin.

Je m'apprête à intervenir quand Lukas apparaît dans mon champ visuel.

Bien que je lui aie dit il y a moins d'une heure que je n'étais pas disponible jusqu'au départ d'Emma, je suis troublée de le voir ici en compagnie d'autres personnes. Sofia le suit de quelques mètres et passe à côté de moi en faisant semblant de ne pas me connaître.

Je tourne la tête vers leur table tout en ayant une conscience aiguë de la présence de Pia et Emma. Il est évident qu'elles n'ont pas remarqué Lukas, sinon elles n'auraient pas continué à discuter des avantages et des inconvénients des survêts et auraient, bien sûr, commencé à me chambrer.

Lukas jette un œil rapide vers nous. Si je n'étais pas si concentrée sur lui, je n'aurais sans doute pas remarqué son regard. Il ne viendra pas nous voir. Je le sais. Pas tant que Sofia est avec lui. Et définitivement pas après ce que je lui ai dit. C'est donc idiot d'attendre qu'il le fasse. Mais si Pia et Emma trouvent tellement amusant que je sois devenue une partie d'un couple, c'est absurde que je sois là seule pendant qu'il s'affiche avec Sofia.

Toutes ces pensées me passent par la tête en moins de temps qu'il ne faut à Lukas pour s'asseoir. Malgré lui, il me jette un nouveau regard. Ses yeux sont inexpressifs, en total contraste avec les regards complices que nous nous échangions il y a à peine une heure. Je ne les ai pas vus aussi vides depuis mon premier cours de moto.

Je lui fais un sourire timide et son visage s'éclaire vaguement. J'ai presque l'impression qu'il va s'approcher de nous. Mais Emma me dit soudain quelque chose et je dois tourner la tête vers elle.

Je le fais à contrecœur, bien que ce soit *Emma* qui me parle. Lorsque je me tourne de nouveau dans la direction de Lukas, je constate sans surprise qu'il a disparu.

La serveuse vient à notre table et se penche vers moi. C'est la même que le soir de mon non-rancard et, de toute évidence, elle se souvient de moi.

— Je t'apporte une bière ou tu préfères venir la chercher au bar ? me demande-t-elle avec un clin d'œil.

Elle est toujours aussi maquillée mais semble plus en forme aujourd'hui. Comme si la foule de clients inattendue lui donnait de l'énergie.

— Pourquoi voudrait-elle commander au bar ? demande Pia tout en suivant le regard de la serveuse pour tomber sur Lukas. Elle préférerait que tu lui apportes la bière ici ! ajoute-t-elle.

Puis elle me fixe droit dans les yeux.

— Anita, reprends-toi. Tu ne peux pas le regarder avec des yeux de merlan frit quand je suis avec toi. Les gens pourraient penser que je ne t'ai pas élevée correctement.

— Je ne le regarde pas…, je commence mais je m'interromps.

— Comment se passent tes projets d'avenir ? Tu n'as toujours pas décidé ce que tu voulais faire ? demande Emma à Nesrin.

— En tout cas pas coiffeuse, ça c'est certain, répond Nesrin.

Toutes les deux se lancent dans une discussion sur les différentes formations et métiers. Je les écoute vaguement en faisant bien attention à ne pas tourner la tête vers Lukas de manière trop visible. Malgré tout, je suis consciente de tous ses faits et gestes. Comme si je voyais clairement la scène devant moi bien que je lui tourne le dos. Je l'imagine sourire à quelque chose que dit Sofia. Rire, même, tout en secouant la tête de sa manière habituelle. Je me mets à rire moi aussi, comme pour lui montrer qu'on s'amuse également à ma table.

Nous sommes interrompues par Charlie qui est accompagné de Jesper, de Gunnar et, mon Dieu, d'Ann-Britt !

— Les tables et les chaises sont rassemblées, les tentes sont démontées et tout est vérifié, m'annonce Gunnar. J'ai même eu le temps de les voir installer la scène.

— Vous auriez dû m'appeler, je proteste.

353

— Ce n'était rien du tout, m'assure Ann-Britt. Nous ne voulions pas te déranger, pas maintenant qu'Emma est rentrée.

Elle me fait un grand sourire puis regarde autour d'elle d'un air enthousiaste. Elle semble ravie d'être dehors un samedi soir, entourée de jeunes hommes.

Un sentiment que je peux comprendre.

Je me lève et lui propose ma chaise. Puis Charlie et moi rapprochons la table voisine et ils s'installent tous avec nous. Nous formons ainsi la tablée la plus importante du Réchaud à alcool. Gunnar raconte à Jesper des histoires qu'il a entendues autour de montages/démontages de scènes. Charlie entretient Nesrin d'anecdotes sur la Gay Pride et s'amuse bien en écoutant son récit de La Beauté sur roulettes à la maison de retraite. Ann-Britt sirote un verre de vin rouge, rayonnante de bonheur. Ses joues sont légèrement empourprées par la fraîcheur de la soirée mais aussi par l'alcool.

Et moi, je suis là à côté d'Emma et de Pia qui rient et qui blaguent en m'efforçant de ne pas tourner la tête de manière trop visible.

L'année prochaine je participerai de nouveau à l'organisation de la Journée de la Ville, je pense instinctivement. À condition qu'Ann-Britt soit partante, elle aussi. Nous avons réussi à monter cette manifestation en seulement quelques semaines, si nous disposons d'une année entière, rien ne nous résistera! Je me sens fatiguée mais gonflée d'énergie. Je suis touchée par notre revanche des *nerds*, heureuse de voir Emma et… S'il m'arrive de jeter un œil derrière moi, c'est absolument involontaire. Je ne veux pas être ailleurs que là où je suis, à cette table et avec ces gens. Je souris pour montrer à tout le monde, et à moi-même, à quel point je suis bien et indifférente à ce qui se passe ailleurs. À d'autres tables.

Puis je tourne discrètement la tête pour lorgner Lukas.

— Quand avais-tu l'intention de me parler de lui? me chuchote Pia sur un ton étonnamment sérieux.

— Dès que j'aurais su quoi te raconter.

Mais mes paroles sont noyées par un énorme BOUM! provenant de la scène dont Niklas et Johan viennent de prendre possession.

Feu et Mort a fait son entrée à Skogahammar.

Je n'arrive pas à déterminer ce qu'ils chantent et quelles notes ils utilisent mais je suis à peu près certaine que la majeure partie des habitants de Skogahammar n'a jamais rien entendu de pareil. Est-ce de la musique? On dirait plutôt un long cri rauque bien trop strident pour qu'on puisse distinguer les mots. Le rythme est tel que la plupart des gens en terrasse ont cessé de parler et se sont tournés vers la scène avec des yeux effrayés.

Mais je constate que Niklas et Johan ont un public : des adolescents aux cheveux hirsutes et tout de noir vêtus dansent sauvagement. De là où je suis, je n'arrive pas à distinguer les détails sur la scène. Je devine juste une masse noire en mouvement. De temps en temps je vois étinceler au soleil couchant un avant-bras clouté et quelque chose qui ressemble à… mon Dieu, ce n'était pas une blague… une faux!

Le premier morceau est suivi d'un long silence. Le groupe semble satisfait et attend une réaction. Puis le public devant la scène se met à pousser des hurlements d'encouragement. Nous autres, en terrasse, sommes abasourdis.

— Cool! dit Nesrin.

Même Pia n'arrive pas à trouver de commentaire cynique à faire.

Je reluque le bar. La serveuse est tout sourire. Les retraités ont mis de côté leurs mots croisés. Sans doute plus sous le choc que par goût pour la musique. Sofia affiche une mine clairement mécontente. Quand mon regard croise celui de Lukas, il me sourit et secoue la tête tout en levant sa bière pour porter un toast improvisé. Mon cœur se met à cogner dans ma poitrine et je lui réponds en levant mon verre moi aussi. J'évite de regarder du côté de Pia.

Puis commence le deuxième morceau, et les discussions reprennent progressivement autour de nous, bien qu'il faille maintenant crier pour se faire entendre.

— C'est moi qui les ai programmés, plaisante Charlie en faisant un clin d'œil à Nesrin.

Je ne saisis toujours pas bien ce qui se chante sur la scène mais je suis presque certaine d'entendre le mot Antéchrist. Je vois Hans et Anna Maria de l'autre côté de la Grand-Place. Ils ne se sont pas précipités derrière la scène pour couper le courant. Ils n'ont pas non plus l'air de s'attendre à ce que j'aille moi-même mettre un terme à ce vacarme.

Niklas et Johan jouent leurs quatre morceaux puis, comme convenu, ils passent à une musique plus grand public. Si le choc était total quand ils ont commencé, ce n'est rien comparé à la réaction des gens lorsqu'ils entament la chanson de l'Eurovision *Prise dans un ouragan*.

Charlie se lève et s'incline devant Ann-Britt.

— M'accordez-vous cette danse, mademoiselle?

Ann-Britt rougit de bonheur.

— On y va aussi? je propose au reste de la table.

Et c'est ce que nous faisons. Gunnar nous suit d'un pas hésitant.

D'autres nous rejoignent sur la piste. Et lorsque *Euphoria* commence, la moitié de la Grand-Place est remplie de retraités, d'enfants et d'habitués du Réchaud à alcool.

Certains d'entre eux ont l'air de ne pas avoir fait un pas de danse depuis des décennies. Leur style est démodé et improvisé mais ils dansent! Un couple se lance dans un fox-trot. Il me faut quelques secondes pour réaliser qu'il s'agit de Hans et Anna Maria.

La Journée de la Ville est un franc succès.

Mais Lukas est toujours assis à la terrasse du Réchaud à alcool à discuter avec Sofia.

38

Je ne sais pas si je trouve déprimant ou inspirant de ne pas être comblée bien que j'aie exactement tout ce dont j'ai toujours rêvé. Déprimant parce que ce n'est pas naturel de ne pas être heureuse ; inspirant parce que ça indique un caractère indomptable, un besoin permanent d'en vouloir toujours plus.

Emma reste deux jours. Puisque j'avais prévu d'être en congé après la Journée de la Ville, nous passons ces deux jours ensemble. Je lui pose des questions sur Fredrik mais elle n'est apparemment pas encore disposée à en parler. Tôt ou tard elle me racontera, si je ne détruis pas, bien sûr, sa confiance en continuant de la bombarder de questions.

À la place, elle me demande de lui parler de Lukas. C'est très énervant quand votre propre fille prend le dessus et vous fait la morale.

J'ai tellement attendu le retour d'Emma que je suis déroutée par le fait de passer la majeure partie de son séjour à penser à Lukas. C'est effrayant. Environ sept fois par heure, j'attrape mon portable pour lui envoyer un sms, et chaque fois je réalise que je n'ai rien à lui dire. Je remets le portable dans ma poche le plus discrètement possible.

Le lundi soir, j'accompagne Emma au car et nous nous serrons longuement l'une contre l'autre.

Le chauffeur l'aide à mettre son sac dans la soute. Il y a quelques retardataires et Emma en profite pour passer encore un petit moment avec moi. On dirait qu'elle essaie de retarder la séparation au maximum.

— Maman, me dit-elle finalement. Si je te montre quelque chose, tu me jures de ne pas réagir trop violemment?

— Me montrer quoi? je demande.

— Jure-moi avant!

— Je te le jure mais je ne garantis rien.

Elle semble d'accord avec le compromis vu qu'elle me tend *Les Nouvelles de Skogahammar* du jour.

Je n'ai même pas remarqué qu'on n'avait pas reçu le journal à la maison. Ces derniers jours, j'ai été tellement focalisée sur Emma et déconcentrée par Lukas que je n'ai pas pensé à regarder les choses magnifiques qui avaient dû être écrites sur cette formidable manifestation.

Elle a ouvert le journal à la page centrale, entièrement dédiée à la Journée de la Ville.

«La Journée de la Ville s'enflamme quand Anita Grankvist en prend la direction» est le gros titre.

Je regarde Emma avec des yeux ronds. Hans ne me le pardonnera jamais.

— Plus bas, m'indique-t-elle.

Il y a une brève présentation de la prestation black metal de Feu et Mort. Mon regard descend plus bas jusqu'à ce qu'il arrive sur trois photos au-dessus d'un entrefilet.

Le titre est : «Ambiance amoureuse à la Journée de la Ville». L'article est illustré par trois photos. Je m'aperçois que je figure sur deux d'entre elles. Et que chaque fois je suis en compagnie d'un homme plus jeune. Une photo où Lukas me serre dans ses bras (comment Ingemar Grahn a-t-il réussi à la prendre?). Une autre où ma main est posée sur l'épaule de Gunnar, d'une manière totalement innocente, mais qui semble ici très intime. Sur la dernière photo, Charlie danse le rock avec Ann-Britt. L'image est très réussie.

— Pas de chatons, maman, me supplie Emma.

La dernière valise a été chargée, le chauffeur est installé derrière le volant et Emma se tient maintenant sur la marche, son billet à la main.

— Jure-le-moi!

Je pense à la belle photo de Charlie et Ann-Britt. Je pense aussi à l'article qui, malgré tout, est très positif.

— Pas de chatons, je promets.

Emma semble soulagée.

— Je t'appelle quand j'arrive, me lance-t-elle au moment où le car démarre.

Dès que ma fille est hors de ma vue, j'envoie un sms à Lukas. Mon autodiscipline n'est pas plus forte que ça.

Il ne répond pas.

Le mardi, je suis de retour à ma caisse, mentalement préparée à ce que tout le monde ait lu *Les Nouvelles de Skogahammar*. Mais, bizarrement, ce n'est pas la première chose que les gens commentent. Anna Maria surgit dans le magasin à l'heure du déjeuner et reste un bon moment à discuter de l'énorme succès de la journée, sans même mentionner ma vie amoureuse.

— Je savais que tu redynamiserais cet événement, dit-elle pendant que la queue s'allonge derrière elle. Bon, le choix musical était peut-être un peu trop original mais à la fin c'était formidable. Je n'ai pas vu autant de gens danser à Skogahammar depuis le concert de Lasse Berghagen* en 2002.

* Chanteur-compositeur très populaire en Suède.

360

Petit-Roger passe devant la caisse pour essayer de comprendre la raison de cette longue queue mais, lorsqu'il aperçoit Anna Maria, il fait aussitôt demi-tour. Magda arrive quelques minutes plus tard pour ouvrir une deuxième caisse.

— Je me demande bien ce que tu vas réussir à inventer maintenant que tu as une année entière devant toi pour tout organiser, dit-elle.

Le seul signe qui indique qu'elle a lu l'article est le clin d'œil très appuyé qu'elle me fait avant de partir. Sans doute sa façon de me rappeler les avantages de s'être engagée dans la Journée de la Ville.

Tout le monde n'est malheureusement pas aussi discret. Quelques personnes se font un malin plaisir de commenter mon faible pour les hommes jeunes.

— Elle fréquente le petit moniteur de la moto-école, chuchote une dame dans la queue, suffisamment fort pour que tous l'entendent.

Le client qui est en train de payer fait de son mieux pour ne pas pouffer de rire.

— Ce sera tout ? je lui demande avec le plus de dignité possible.

— Si seulement j'avais dix ans de moins…, regrette une autre dame qui doit en avoir au moins soixante-dix.

— C'est elle qui devrait avoir dix ans de moins, lance la première dame.

Le client devant la caisse ramasse vite ses sacs et fonce vers la sortie pour ne pas éclater de rire sous mon nez.

— Oui, peut-être, consent l'autre. Deux jeunes hommes, c'est quand même un peu exagéré, non ?

Quelques heures plus tard, c'est la Dame du Théâtre qui se pointe. Elle est d'excellente humeur et se montre pour une fois moins hargneuse avec ses deux adversaires.

— Dommage qu'il y ait eu si peu de monde à l'exposition

d'art, dit-elle. Mais c'est vrai que le théâtre est une activité bien plus populaire parmi les jeunes. J'ai vu que tu t'étais bien amusée, poursuit-elle. Oh, ne crois pas que je te juge. Au contraire! Je me souviens de ma propre jeunesse. Ce n'est sans doute pas la même chose dans le monde de la littérature mais dans celui du théâtre nous avons l'habitude de ce genre d'expériences. J'ai tant de beaux souvenirs!

Elle lève les yeux au ciel de façon théâtrale, comme si elle était soudain submergée par les souvenirs de tous ses amants passés.

— Mais je n'ai jamais eu deux jeunes amants en même temps. Deux en même temps, ça oui, mais pas deux *jeunes*!

Nesrin, Pia et moi avons rendez-vous au Réchaud à alcool après le travail pour prendre une bière. J'ai hâte de les retrouver pour leur parler de Lukas. Qui n'a d'ailleurs toujours pas répondu à mon sms.

J'espère vraiment qu'il n'a pas été choqué par l'article. Si c'est le cas, c'est un con et ce serait déprimant d'avoir été attirée par un con.

Dès que je passe le seuil de la porte, la serveuse quitte le comptoir pour me sauter au cou.

— C'était vraiment génial! s'écrie-t-elle.

— Tu trouves? Qu'est-ce qui… était génial?

Sa réaction me paraît un peu excessive pour quelques clients de plus et un concert de black metal.

Pia et Nesrin sont déjà installées à notre table et Gunnar est assis plus loin, à la machine à sous. Tout est si normal que je ne pense plus à la photo. Puis je réalise que je devrais quand même aller voir Gunnar pour lui en toucher deux mots.

— Une femme d'âge mûr qui fréquente plein de mecs! précise la serveuse. J'avais renoncé à l'idée de trouver quelqu'un, puis j'ai vu l'article sur toi dans *Les Nouvelles de Skogahammar* et je me suis dit : si elle peut en trouver deux, je devrais quand même pouvoir en trouver un. Je me suis donc inscrite sur un site de rencontre ! J'ai mon premier rendez-vous samedi, c'est pour ça que je travaille aujourd'hui. Samedi c'est à moi qu'on servira une bière et pas l'inverse.

Elle se penche vers moi. Je recule d'un pas. Elle poursuit :

— Par contre… je ne sais pas si tu as vu, mais ton mec — le premier des deux — a beaucoup discuté avec cette fille blonde avec qui il était samedi. Elle, c'est le genre de fille qui ne regarde pas les gens dans les yeux quand elle passe une commande. Par contre, Lukas est toujours très sympa. Je suis persuadée que c'est toi qu'il choisira. Je voulais juste que tu le saches. Je ne les ai pas vus partir, peut-être qu'il est rentré avec toi ?

— Non, je réponds sèchement.

— Au fait, je m'appelle Felicia. Une bière comme d'habitude ?

— Oui, merci Felicia.

Je me prépare mentalement avant de m'avancer vers Gunnar.

— Salut Anita ! me dit-il en me faisant un grand sourire.

— Gunnar, je voulais juste m'assurer que tout va bien… Euh, après l'article et tout.

— C'est génial, me répond-il. Depuis, trois filles sont venues me parler. Je crois que ça leur plaisait bien que je fréquente des femmes plus âgées. Finalement, je vais peut-être m'y mettre.

Mon Dieu.

— Je veux juste qu'il n'y ait pas de malentendu entre nous, je clarifie. Vu qu'on ne se fréquente pas.

— Absolument, rétorque-t-il avant de se tourner vers sa machine à sous.

Apparemment, les femmes d'âge mûr peuvent envisager cette soirée avec confiance.

Je retourne à la table de Pia et Nesrin.

— Vous pensez que Lukas a mal pris l'article d'hier? je leur demande dès que Felicia m'a apporté ma bière.

— Putain, faut toujours qu'on parle de ce Lukas? me balance Pia.

Je m'apprête à lui assurer qu'il n'y a pas d'obligation, que ce n'est pas important, que je peux très bien y réfléchir toute seule mais Nesrin me devance.

— Oui, il le faut. Il t'a dit quoi quand tu lui as parlé de l'article?

Je lorgne Pia en me sentant un peu déloyale mais je ne peux pas m'empêcher de répondre :

— Je lui ai envoyé un sms et il ne m'a pas répondu. Il a sûrement compris que cet article est juste une blague.

— En tout cas il devrait, rétorque Nesrin. C'est quand même mauvais signe qu'il ne t'ait pas répondu. Qu'est-ce qu'il t'a dit quand tu lui as couru après samedi? Après que tu l'as largué comme une vieille chaussette pour nous?

Pia continue de me bouder. Elle semble plus usée que d'habitude. Je me demande si elle n'a pas bu sans moi. Rien que d'y penser je me sens offensée.

— Je lui ai demandé si ça allait. Il m'a répondu : «Pourquoi ça n'irait pas?»

Nesrin me regarde comme si elle attendait la suite.

— Et ça signifie…? me souffle-t-elle.

— Qu'il n'y a aucune raison pour que ça n'aille pas! je réponds.

— T'es vraiment à côté de la plaque, me siffle Nesrin.

Pia confirme d'un signe de tête.

— Comment ça? S'il dit qu'il n'y a pas de problème, pourquoi je partirais du principe qu'il ment?

— Parce que vous *flirtez*. Vous sortez ensemble. Vous baisez. Je ne sais pas comment t'expliquer ça mieux. On arrête d'être sincère après avoir couché ensemble.

— Et même avant, grommelle Pia.

Je regarde Nesrin sans comprendre.

— Donc, d'après toi quand il a dit « Pourquoi ça n'irait pas ? » il ne voulait pas dire que ça allait, ce qui est la seule interprétation plausible, mais… ?

À ce stade de la discussion, Pia est revenue parmi nous.

— C'était une manière polie de te dire : Anita, t'es vraiment trop conne ! me lance-t-elle.

Je me sens tout d'un coup très fatiguée.

— Je suppose que je vais tout simplement devoir lui parler et lui expliquer ce que je ressens, je soupire.

Le problème c'est que j'aimerais réellement savoir ce que je ressens pour lui. Toutes mes pensées se bousculent dans ma tête. Comment lui dire ce genre de choses ? Voilà, on se fréquente depuis quelques semaines mais j'ai déjà l'impression que tu fais partie de ma vie. J'ai envie de tout te raconter, je préfère discuter avec toi plutôt qu'avec ma meilleure amie, qui me connaît pourtant depuis des d'années.

Nesrin prend un air terrifié. C'est exactement comme ça que je me sens. Terrifiée.

— Raconter ce que tu ressens ? Depuis combien de temps vous sortez ensemble ?

— Environ deux semaines, mais j'ai l'impression que ça fait plus longtemps.

— Mon Dieu, les vieilles personnes ne devraient pas avoir le droit de vivre ce genre d'expérience. C'est comme pour les accidents de voiture. Je ne peux pas détourner le regard bien que je n'aie pas envie de voir.

Je ne comprends pas où elle veut en venir.

— Tu ne peux pas juste lui raconter ce que tu ressens pour lui, poursuit-elle. Il faut d'abord que tu te renseignes sur ce qu'il ressent pour toi. Tu dois demander à tes amies de t'aider.

D'analyser ce qu'il a dit, de tourner ses paroles dans tous les sens jusqu'à ce que tu trouves une réponse. Sans tenir compte de ce qu'il te dit, lui.

— Je ne réussirai jamais à mettre en pratique cette stratégie.

— Attends un peu, me dit Pia. Attends. Prends. Ton. Temps. Quand tu dis « ressentir », tu veux dire quoi par là ?

— Je ne sais pas, je réponds en toute sincérité.

Mais je sais que ce qu'on vit, c'est plus qu'une petite amourette.

Demain j'irai passer la première partie de l'examen obligatoire pour le permis. J'en profiterai pour lui parler. Même s'il ne me donne pas de nouvelles avant. Je ne vais pas commencer à analyser les choses, à me cacher derrière mes murs de défense. Si ce que je ressens est complètement fou et illogique, je le saurai bien assez tôt.

— Je croyais que ce n'était qu'une histoire de cul, me dit Pia. Tu es en train de tomber amoureuse, non ?

— Non, je… en fait je ne sais pas vraiment.

— Anita, écoute-moi. Pour moi, il n'y a que deux règles dans la vie.

Nesrin et moi levons les yeux au ciel. Deux règles ?! Pia en a bien plus que ça.

— La première : si quelque chose semble trop beau pour être vrai, c'est que ça l'est.

Je n'ai même pas besoin de lui demander ce qu'elle veut dire par là.

— La deuxième ?

— Si les gens sont tous d'accord c'est qu'ils ont probablement tort.

— Tes deux règles ne se contredisent pas un peu ? je demande. Je pensais justement que tout le monde trouve que « si quelque chose semble trop beau pour être vrai, c'est que ça l'est » ?

— Ils le disent peut-être mais, inconsciemment, ils font une exception quand il s'agit d'eux-mêmes. Les gens ne gagnent pas au Loto (mais ça pourrait m'arriver à moi). Si un homme dit qu'il doit faire des heures sup, c'est qu'il est infidèle (sauf mon mari à moi). Si un homme ne donne pas de nouvelles, c'est qu'il n'est pas intéressé (sauf dans mon cas, il a juste perdu son portable, a été kidnappé, est dans le coma à l'hôpital). Les gens beaux ne tombent pas amoureux des gens ordinaires (sauf de moi).

— Ah…, je fais, ne sachant pas quoi répondre.

Nesrin me regarde avec des yeux pleins de compassion. Un beau moniteur de moto ne peut pas tomber amoureux d'une vendeuse ordinaire de chez Extra-Market, c'est ce que Pia essaie de me faire comprendre de sa manière un peu brutale.

Elle ne me veut pas de mal, elle essaie juste de me protéger, je le sais, mais ça rend les choses encore plus terribles. Je n'ai pas envie qu'on veuille me protéger. Je bois une gorgée de bière en espérant réussir à camoufler mes sentiments.

— Quelques-uns gagnent quand même au Loto, me sourit Nesrin pour m'encourager.

— Donc, je ne veux pas être pessimiste, dit Pia. Attends, oublie ce que je viens de dire. Je *veux* être pessimiste. Pourquoi faut-il toujours être optimiste ? Le monde ne fonctionne pas comme ça. Vise les étoiles, tu atteindras au moins la cime des arbres, dit-on. Mais moi, je ne veux pas que tu t'écrases contre un sapin.

— Non, ce serait douloureux, je rétorque.

C'est un commentaire pathétique, mais j'ai l'impression que mon cerveau et ma bouche n'arrivent plus à communiquer. Ou plutôt, mon cerveau et mon corps dans sa totalité. Je suis assise à cette table, un verre de bière devant moi, et pourtant je ne suis pas là.

— Est-ce que cette histoire a un rapport avec tes projets de te trouver une vie, de faire de la moto et de recommencer à rêver ? demande Pia.

Qu'est-ce qu'elle me chante, là ?

— Mais enfin, Pia, c'est toi qui m'as mis ça dans la tête.

— Mon Dieu, Anita, je rigolais. Toi qui me connais si bien, tu devrais savoir que je suis bien trop cynique pour ce genre de rêves. Spécialement des rêves de couple. Quand j'ai déménagé, j'ai retrouvé tout un tas de vieilles photos. Un nombre incalculable de photos de mariage de l'époque où nos amis se mariaient. Quand j'ai divorcé, presque tous l'avaient déjà fait. J'ai tout foutu dans la poubelle.

— Je ne suis pas en train de dire que je vais me marier avec lui, je proteste.

— Quand je pense à ces idées à la con : « je vais changer », « j'ai de nouveaux rêves », « j'ai besoin de me réaliser »… Non. Les gens ne changent pas. Je ne sais pas combien de fois j'ai pardonné à mon mari, mais ça ne l'a pas empêché de refaire les mêmes conneries. Il a fallu qu'il fasse de la fraude fiscale en mon nom pour que je me réveille.

Pia continue son monologue sans nous laisser la possibilité d'en placer une. Elle est fermement décidée à vider son sac.

— On nous matraque de messages nous disant qu'on doit changer de coiffure, de poids, de style vestimentaire, et cetera, mais je peux te garantir que ça ne nous rend pas plus heureux. Quand on tente de changer, de deux choses l'une : soit on essaie et on échoue, ce qui nous rend encore plus amers. Soit on réussit à perdre du poids ou à changer de look, et on s'aperçoit qu'on est toujours la même personne et qu'on est toujours aussi malheureux. On peut, bien sûr, faire semblant de ne pas s'en rendre compte. Mais on peut aussi tout simplement accepter ce qu'on est. Vivre la situation le mieux possible, reprendre une bière, fumer une clope. Quoi qu'on fasse, on finira par mourir, non ? Parfois il faut juste serrer les dents et essayer d'en rire. On est plus heureux si on accepte le pessimisme.

Nesrin semble se trouver dans une situation qu'elle n'arrive absolument pas à gérer. Je ne sais pas si je comprends moi-même ce qui se passe.

— Voilà, j'ai terminé, déclare Pia.

Elle s'adosse à sa chaise, vide sa bière puis se lève. Avant de partir, elle nous lance :

— Maintenant il ne vous reste plus qu'à parler de moi derrière mon dos.

Et elle s'en va.

— Tu crois que… qu'elle était bourrée ? me demande Nesrin, choquée.

— Je l'espère presque.

Tout d'un coup, je me sens déloyale envers elle. Voilà que je la critique, exactement comme elle l'avait prévu.

— Tu as l'intention de parler à Lukas ? me demande Nesrin.

— Je ne sais pas.

Au fond de moi, ma décision est pourtant prise. Même si ça doit se terminer un jour, comme pour les couples sur les photos de mariage de Pia, ça peut quand même être sympa le temps que ça durera. Lukas et moi ne porterons peut-être jamais de survêtements assortis, mais nous pouvons déjà nous commander des pizzas un soir de semaine maussade ou boire un chocolat chaud en contemplant un paysage urbain. Ce sont des choses que je n'ai jamais vécues auparavant.

On peut changer. Moi j'y crois.

39

Je n'ai pas l'intention de lui déclarer ma flamme en lui promettant un amour pour la vie.

Je n'ai quand même pas totalement perdu pied.

Il n'a toujours pas donné de ses nouvelles, mais quoi qu'il se passe entre nous, je veux savoir où nous en sommes. Plus que tout, j'aimerais que les choses redeviennent comme avant la Journée de la Ville. Je veux que ses yeux pétillent en me regardant, je veux l'entendre rire, je veux l'entendre se moquer gentiment de moi. Je veux pouvoir le toucher, juste comme ça, parce que j'en ai envie et parce que mon corps en a besoin. Et je veux aussi sentir la chaleur de son corps contre le mien quand il dort.

Je suis là une demi-heure avant le début de l'examen. Je m'accorde une dernière cigarette devant la moto-école tout en essayant de dominer les battements de mon cœur.

«Bonjour Lukas», je lui dirai et après : «Je peux te parler cinq minutes?» Le plus naturellement du monde. Mais quelque chose que je n'arrive pas à maîtriser vit sa propre vie dans ma poitrine. Lorsque j'ai enfin rassemblé suffisamment de courage pour pousser la porte de la moto-école, je suis presque sûre d'être rouge comme une tomate.

Le local est encore plus chaleureux le soir. L'odeur du café et l'écho d'une conversation m'accueillent. Je reconnais aussitôt le rire de Lukas.

Une réceptionniste que je ne connais pas est assise à l'accueil. Elle est jeune et jolie. Et elle est justement en train de discuter avec Lukas. J'inspire profondément. L'attraction, la nervosité et l'adrénaline rivalisent dans mon corps pendant que je m'efforce de paraître calme et décontractée.

— Bonjour, tu viens passer l'examen? me demande la jeune femme quand elle s'aperçoit de ma présence.

Je suis toujours sur le seuil.

— Bonjour Anita, dit Lukas comme s'il ne me découvrait que maintenant lui aussi.

— Anita Grankvist, donc? reprend la réceptionniste en cochant mon nom sur la liste. Tu pourrais nous aider à trancher à propos de quelque chose dont on est en train de discuter?

N'ayant pas confiance en ma voix je décide d'acquiescer d'un signe de tête.

— Je viens de me couper la frange. Lukas prétend que ça me va à merveille et que ça met mes yeux en valeur, mais il est toujours tellement gentil que je n'ai pas confiance. Qu'est-ce que tu en penses?

Sa frange est irrégulière et un peu trop courte.

— À merveille, je répète comme une idiote.

Elle me fait un sourire rayonnant.

— Tu es ma nouvelle meilleure amie, me dit-elle.

— Ah bon? je réponds avant d'ajouter un «merci» plus adapté à la situation.

— Lukas, je dis ensuite. Je pourrais te parler? Dehors peut-être?

Le regard de la réceptionniste fait des allers-retours entre Lukas et moi comme si elle venait de comprendre.

— Mon Dieu! C'est toi? Je t'aime encore plus, s'exclame-t-elle.

— Lukas?

L'espace d'un instant, j'ai l'impression qu'il va dire non, mais il hausse finalement les épaules et m'accompagne dehors. La réceptionniste se penche au-dessus de son comptoir pour pouvoir nous suivre du regard.

Lukas se tient devant moi, silencieux, à attendre que je commence.

— Tu n'as pas répondu à mes sms? je dis. Tu ne m'as pas non plus rappelée?

— Je ne savais pas si Emma était toujours là. Je suppose qu'elle est rentrée chez elle maintenant?

— Repartie, je corrige. Repartie là-bas. Oui, c'est ça.

— En même temps, j'aurais dû le deviner quand tu m'as envoyé ton message.

Je croise les bras sur ma poitrine. Un homme de la quarantaine passe devant nous pour entrer dans la moto-école, probablement pour passer l'examen. J'attends qu'il ait refermé la porte derrière lui pour continuer.

— J'espère que tu n'as pas cru l'article dans *Les Nouvelles de Skogahammar*? Ingemar Grahn a une dent contre moi depuis l'époque où j'ai créé un blog sur les chatons en son nom.

— Tu crois que c'est de ça qu'il est question?

— Ce n'est pas de ça?

— Non.

— Alors il est question de quoi?

— Tu ne sais pas de *quoi* il est question?

Nous sommes face à face, les bras croisés, à nous fusiller du regard. Je n'ai pas besoin du coaching de Nesrin pour comprendre qu'il y a effectivement un problème.

— Quand aurais-tu parlé de nous à Emma si elle n'était pas rentrée à l'improviste? me demande-t-il. Tes amies ne semblaient pas non plus être au courant.

— Je ne sais pas, je réponds en toute sincérité. On couche

372

ensemble depuis seulement quelques semaines. Je n'avais pas pensé mettre une annonce dans *Les Nouvelles de Skogahammar*.

Ma plaisanterie n'est pas une réussite.

— Non, répond-il. C'est juste que… j'aime la loyauté, Anita.

— Je suis loyale ! je proteste. Je le suis, non ?

Je ne suis ni belle, ni intelligente, ni intéressante et définitivement pas courageuse, mais si je ne suis même pas loyale à ses yeux, alors…

— Bien sûr que tu l'es, me répond-il. Je le sais. Et je le respecte. Je n'exigerais jamais que tu me fasses passer avant ta fille. Qui demanderait d'ailleurs une chose pareille ?

— La plupart des hommes.

— Je suis probablement un imbécile, commence-t-il en jetant un regard rapide vers la porte de la moto-école. Mais samedi, quand j'ai compris qu'aucune de tes amies ne connaissait mon existence, j'ai… Je voulais juste que tu sois loyale avec moi. Et pas seulement avec elles.

Je ne sais pas quoi répondre.

Je ne savais pas que je ne l'étais pas. Je ne savais pas qu'il voulait que je le sois. Mais, étrangement, je me sens regonflée, parce que je sais que je suis qualifiée en loyauté. C'est un des côtés positifs d'avoir toujours eu à me battre dans la vie. J'ai appris à reconnaître ceux qui seront toujours à mes côtés en cas de problèmes.

Comme Pia.

Pourtant je suis perplexe. Je veux bien croire que je suis une personne loyale, mais je ne sais pas l'être dans une situation d'urgence. Et je ne peux pas croire qu'il soit prêt à attendre dix ans que je me positionne. La loyauté n'est-elle pas en réalité une question de priorité et de choix ? À quoi ça sert d'être loyal si on ne choisit pas une chose par rapport à une autre ? Si on ne privilégie pas certaines personnes par rapport à d'autres ?

Nous savons tous les deux que je choisirais Pia et Emma avant lui. Je ne sais même pas comment on fait pour donner à une relation romantique une valeur telle qu'elle devienne la chose la plus importante de la vie.

— Tu n'as pas parlé de nous à Sofia, n'est-ce pas?

— Tu veux que je le fasse?

— Non! C'est juste que... C'est quoi notre relation, en fait? Qu'est-ce qu'on est en train de faire, Lukas?

Il me regarde avec de la tristesse dans les yeux.

— Je ne savais pas qu'il fallait qu'on décide de ça maintenant.

— J'ai besoin de me raccrocher à quelque chose. Est-ce que tu vas me quitter ce soir pour Sofia, ou est-ce qu'on va rester ensemble deux ans jusqu'à ce que tu réalises que tu veux 1,5 enfant et une relation normale?

Je regrette immédiatement mes paroles.

— Deux ans, ça me paraît complètement improbable te concernant, dit Lukas. Un mois me semble plus plausible, jusqu'à ce que tu te rendes compte que tu voulais seulement ressentir quelque chose de fort parce que Emma avait déménagé.

Je le regarde, effarée. Puis je prends une profonde inspiration pour essayer de comprendre pourquoi ses propos me blessent autant. Je ne peux même pas dire qu'il ait tort.

— Qui sait? je hausse les épaules. Je suppose que les gens ne changent pas, tout simplement. Peut-être est-ce aussi bien de l'accepter. Ne pas viser les étoiles pour ne pas se crasher contre un sapin. Continuer comme on l'a toujours fait et se contenter de ça.

Ces mots ne sonnent pas mieux dans ma bouche que dans celle de Pia, mais pour la première fois j'aurais aimé pouvoir y croire. Ça démontre peut-être l'avantage d'adopter une attitude pessimiste, comme le préconise Pia. Il aurait sans doute été plus simple de se faire à cette idée dès le début.

— Il vaut mieux que tu y ailles, me dit Lukas d'une voix lasse. L'examen va bientôt commencer.

Je fais ce qu'il me dit. J'entre dans le local et je vais m'asseoir sur une chaise libre à l'avant-dernier rang. Puis je réfléchis à ce qui vient de se passer.

— C'est pour conduire légalement, dit tranquillement le gars assis tout au fond. J'ai fait le tour de l'Europe sans permis, mais aujourd'hui j'aimerais pouvoir faire ça en toute légalité.

Cet examen est la première partie de la formation théorique obligatoire sur les comportements à risque. On va parler de l'alcool, de la fatigue, des drogues, de tout ce qui est incompatible avec la conduite. Nous sommes une quinzaine de personnes installées dans la salle de formation qui se trouve à gauche de la réception.

Parmi les candidats, il y a un adolescent dégingandé qui a l'air d'avoir à peine dix-huit ans, l'homme qui est passé tout à l'heure devant Lukas et moi, quelques types qui ont des têtes d'artisans, un garçon d'environ vingt-cinq ans, Robin avec son parcours lent et l'homme tout au fond âgé d'une trentaine d'années. Il a les pommettes saillantes, les cheveux bruns et une peau jaunâtre. Et puis encore quelques-uns. Exclusivement des hommes.

— Merci, dit Mats, le directeur de la moto-école.

Mats a toutes les qualifications qu'on peut imaginer et probablement encore plus. Il le formule même en disant qu'il collectionne les combinaisons de lettres sur son permis. Il avoue être un passionné de mobylette. Selon lui, c'est au moins aussi drôle que de piloter une moto. Il y a quelque chose de charmant dans le fait d'avoir une telle confiance en soi qu'on puisse dire ce genre de choses sans paraître ridicule. Mais peut-être est-ce plus facile quand on est aussi détenteur d'un permis poids lourd.

Les autres candidats discutent des différents types de motos, mais je les écoute à peine. Je suis trop occupée à repasser en boucle la discussion avec Lukas. *À peine deux ans avec toi. Au bout de seulement un mois. Juste pour pouvoir ressentir quelque chose.*

Je suis amie avec Pia depuis au moins sept ans et la première fois qu'elle m'a blessée c'est avant-hier soir. Lukas, lui, a réussi à le faire au bout de seulement deux semaines.

Mon corps se souvient encore de l'effet légèrement paralysant que les paroles de Pia ont eu sur moi. Elle a littéralement démonté toutes mes chances avec Lukas. Mais je ne doute pas qu'on réussira à passer outre, elle et moi, qu'on finira par rire de tout ça et retrouver notre relation d'avant.

En revanche, avec Lukas… Je ne sais même pas quand j'arriverai à lui parler de nouveau. Comment peut-on être aussi proches un jour pour le lendemain être des étrangers l'un pour l'autre?

Une plaquette de freins usée fait le tour des participants. Je la regarde un instant avant de la passer au gars à côté de moi. Qu'est-ce que je dois faire maintenant? Abandonner? Continuer? Accepter que la vie puisse contenir des soirées pizzas charmantes un jour et une distance glaciale un autre?

C'est pour cette raison qu'il faut miser sur les amis et non sur les relations amoureuses. Mais aussitôt après je me dis que je n'ai pas hâte d'avouer à Pia qu'elle avait raison. La prochaine fois que j'aurai envie d'un peu d'excitation dans ma vie, j'achèterai un billet de loto.

Nous parlons aussi de stupéfiants. Le gars tout au fond a été silencieux pendant un bon moment mais, lorsque nous abordons la question des drogues, il reprend la parole.

— Quand on en a été dépendant, il est parfois plus dangereux de conduire si on est en période de sevrage.

— Hmm, fait Mats.

— J'ai eu l'occasion de faire de la moto en étant bourré et en ayant pris de la drogue et je pilotais bien mieux. Je l'ai d'ailleurs dit au juge : je suis sûr à mille pour cent que je me serais rétamé si je n'avais pas été défoncé.

— Il a accepté ton argument ?

— Non.

Mats nous donne l'exemple d'un conducteur ivre qui est passé à toute vitesse au rouge, un vendredi à trois heures de l'après-midi, exactement à l'heure de la sortie de l'école. Cette histoire illustre l'idiotie de la conduite en état d'ébriété et montre qu'en tant que motocycliste (et enfant, je suppose) il est important d'être vigilant et de ne pas partir du principe que tout le monde s'arrête au feu rouge.

Le gars au fond s'anime de nouveau.

— Je suis déjà passé au rouge, déclare-t-il.

À ce stade, aucun de nous n'est surpris par son témoignage.

Il poursuit :

— Faut dire que j'étais poursuivi par des flics. J'étais obligé de le griller.

— Tu as été blessé ?

— Non.

— Tant mieux.

— Par contre, j'ai eu autre chose.

— Ah bon ?

— Cinq ans.

Lorsque la formation est terminée, tout le monde reste dans la salle à boire un café et à manger quelques gâteaux secs offerts par la moto-école. Je cherche Lukas du regard mais il a dû rentrer. Je rallume mon portable. Aucun sms, bien sûr.

Je suppose que c'est terminé entre nous, mais je n'arrive pas à l'accepter. J'aimerais remonter le temps. Ou réussir à comprendre comment j'ai pu en arriver là. Comment avons-nous pu être si proches pour devenir aujourd'hui des étrangers ? Et avant cela, comment sommes-nous passés d'étrangers à une telle proximité? Après coup, les deux transformations me paraissent trop rapides.

Pendant que le groupe discute *sets d'oreille ou non* pour le casque de moto, j'attrape mon manteau et je me précipite dehors sans même l'avoir enfilé. Je lutte contre une voix inquiétante qui vient de surgir dans ma tête.

Et si Lukas avait raison?

40

Pia n'est au travail ni le jeudi ni le vendredi. Je n'ai donc pas besoin de lui expliquer qu'elle avait raison au sujet de Lukas. C'est ma seule consolation.

Le samedi, je rends visite à ma mère, poussée par l'envie de parler avec elle. De son amant, de sa décision de le quitter, de ce qu'elle a ressenti en le faisant.

Toute ma vie je me suis servie de ma mère comme d'une sorte de GPS inversé. Si elle me disait de tourner à gauche, je tournais à droite. Elle réagissait alors comme un vrai GPS et répétait le même message vingt fois de suite. Me voilà maintenant devant elle à lui demander conseil. Ou peut-être est-ce juste pour tenter de me reconnaître en elle, je ne sais pas bien. Ces possibilités sont aussi tirées par les cheveux l'une que l'autre.

Peu importe. Ma mère est si confuse qu'elle me prépare un café beaucoup trop léger. Ça m'inquiète bien plus que je ne veux l'admettre. La radio locale marche, comme d'habitude, en fond sonore et la voix trop enjouée du présentateur, Nisse Karlsson, donne à la pièce une sorte de normalité déformée. Ma mère l'écoute tout en buvant un café couleur thé sans se plaindre. Exactement comme d'habitude et en même temps tout à fait différemment.

Dans ma tête, la même accusation contre moi tourne en boucle depuis ma discussion avec Lukas. Si ça avait été un vrai procès, voilà ce que ça aurait donné :

Assignation en justice. Anita Grankvist est assignée à comparaître devant le juge pour la raison suivante : Idiotie émotionnelle selon l'article 3 du chapitre 5 du code pénal suédois. Preuve numéro un : Emma a déménagé et Anita a soudain eu besoin d'une vie. Quelques semaines plus tard, elle s'est inscrite dans une auto-moto-école et, avant même que le moniteur l'ait saluée, ait échangé deux mots avec elle, lui ait demandé de rouler moins vite, elle avait commencé à flirter avec lui. L'inculpée a été soutenue par Pia et Nesrin qui, néanmoins, ne peuvent être considérées comme parties prenantes d'un quelconque acte criminel. Preuve numéro deux : Anita a jeté son dévolu sur Lukas avant même de le connaître. Preuve numéro trois : Ses amies sont convaincues qu'elle était à la recherche de plaisirs charnels et elles sont bien placées pour le savoir, connaissant très bien l'inculpée. Pour sa défense, l'inculpée se déclare persuadée qu'il existait autre chose qu'une simple attraction physique entre Lukas et elle-même. Ce que ses amies étaient dans l'impossibilité de savoir, n'étant pas présentes aux divers rendez-vous des deux amants. Selon Anita, leur déclaration aurait été différente si elles avaient assisté à leurs conversations. Le procureur conteste cette affirmation en faisant valoir la preuve numéro quatre : Même Lukas pense qu'elle n'a pas été honnête concernant ses sentiments envers lui. Son seul but étant d'éprouver des sensations fortes. Selon le procureur, Lukas est le mieux placé pour le savoir étant donné qu'il était présent à chacune de leurs rencontres et qu'il est définitivement plus qualifié qu'elle en matière de sentiments et de relations amoureuses.

Je me lève et m'approche de la fenêtre, comme pour mettre une distance physique entre mes pensées et moi. Les feuilles des arbres se sont colorées d'un beau rouge orangé automnal et bougent au gré du vent. Ma mère n'a toujours pas la moindre réaction.

J'ignore pourquoi ces accusations me blessent autant. Même si elles sont justes, je ne vais quand même pas en faire tout un plat ! J'ai eu la possibilité d'éprouver des émotions fortes. Ça a été très agréable le temps que ça a duré. À présent, je peux de nouveau me concentrer sur Emma. Et sur ma mère. Et aussi sur le travail.

Mais tout ça me paraît tellement triste. Suis-je réellement ainsi ? Sans cœur ? Égoïste ? Si centrée sur mes propres besoins que je suis incapable de me concentrer sur quelqu'un d'autre, même quand j'imagine être amoureuse ? En tout cas, pas suffisamment pour duper mes amies ou l'homme avec qui j'ai flirté. En fait, la seule personne que j'arrive à duper c'est moi-même. Une pensée qui n'a pas la vertu de me donner la pêche. Tout le monde sait que l'ignorance n'est pas une défense.

Je me tourne vers ma mère.

— Tu m'as aimée ? je lui demande.

— Toi ?

— Anita. Ta fille.

— J'ai une fille qui s'appelle Anita, répond ma mère.

— Ah bon ? je murmure.

— Elle était si gentille quand elle était petite.

Je suppose que c'est une réponse.

J'ai juste eu le temps d'enlever mon manteau et de me préparer un café quand j'entends mon portable sonner. Lorsque je vois que ce n'est pas Lukas mais Nesrin, je songe à ne pas répondre. Mais pour finir je cède, bien sûr.

— Tu as parlé avec Pia ces derniers jours ?

— Pas depuis mercredi.

Nous n'évoquons pas la fameuse soirée.

— Elle n'est pas venue travailler, dit Nesrin.

— Elle a quelques jours de repos vu qu'elle travaille ce week-end, non ?

— Elle n'est pas venue aujourd'hui. Elle n'est pas inscrite sur le planning de demain non plus. J'ai posé la question à Petit-Roger qui m'a expliqué qu'elle avait pris ses derniers jours de congé et qu'elle sera de retour lundi.

C'est un peu étrange, mais pas franchement inquiétant. Elle avait sans doute besoin d'un peu de repos. Je suppose qu'elle avait des choses à faire, probablement avec ses fils. Si nous n'avions pas eu notre dispute mercredi, j'aurais sans doute été étonnée qu'elle ne m'en parle pas, mais Pia réagit souvent avec un temps de retard. Tout finit toujours par s'arranger si on lui laisse quelques jours pour digérer. En réalité, ce n'est pas un mauvais principe. Laisser passer sa colère comme un mauvais rhume.

— Ah bon ? je rétorque puisque Nesrin ne semble pas vouloir raccrocher.

— J'ai essayé de l'appeler, poursuit-elle. Je lui ai laissé plusieurs messages mais elle ne m'a pas donné de nouvelles.

Je suis plus surprise par l'appel de Nesrin à Pia que par le fait que celle-ci ne l'ait pas rappelée.

— Pourquoi tu as cherché à la joindre ? je demande.

Je coince mon portable entre ma joue et mon épaule pour me servir un café. J'ai besoin d'effacer de ma mémoire le jus de chaussette de ma mère.

— Je voulais lui proposer d'aller boire une bière et de dire du mal de toi.

Je me fige avec ma tasse à la main.

— Tu lui as dit ça sur son répondeur ?

— Oui ! Tu comprends maintenant pourquoi je suis inquiète ?

Oui, maintenant je comprends. Même si elle a pris quelques jours de congé pour aider ses fils, elle n'aurait jamais refusé de boire une bière et de dire du mal de quelqu'un. Surtout pas de moi. Et définitivement pas de Lukas et moi. Elle profiterait de l'occasion pour tenir ses discours cyniques. Mais en même temps elle semblait si fatiguée de ce sujet de conversation qu'elle a peut-être tout simplement décidé d'ignorer la proposition ?

— Tu sais si elle est chez elle ? je demande. Peut-être qu'elle est partie chez un de ses fils et qu'elle n'a pas eu le temps d'écouter ses messages ?

C'est une façon diplomate de dire que si elle est partie, c'est qu'elle savait qu'elle ne pourrait pas accepter la proposition et qu'elle ne s'est pas donné la peine de répondre.

Mais pourquoi partirait-elle sans me prévenir ? Même après ce qui s'est passé mercredi.

— Je ne sais pas, répond Nesrin.

— Bon, il n'y a qu'une chose à faire, je déclare en vidant ma tasse. Il faut aller chez elle. On se retrouve dans un quart d'heure devant sa maison.

Nesrin est là avant moi. Elle sautille sur place pour se réchauffer bien qu'elle soit emmitouflée dans une énorme écharpe et qu'elle porte des gants de laine assortis.

— Il y a de la lumière dans la cuisine, m'indique-t-elle. Et je crois l'avoir vue bouger derrière la fenêtre, mais elle n'ouvre pas. J'ai frappé et même sonné.

Je m'avance vers la porte et je cogne plusieurs fois.

— Ouvre, merde ! je crie en amie attentionnée que je suis. On est inquiètes pour toi. Je ne bougerai pas tant que tu n'auras pas ouvert.

Nesrin me regarde d'un air hésitant et jette ensuite un œil autour de nous. Je suis presque certaine de voir des mouvements derrière le rideau de sa fenêtre. Je suis presque certaine aussi de voir des mouvements derrière le rideau de la fenêtre des voisins.

— Ou plutôt tant que les voisins n'auront pas appelé les flics, j'ajoute.

La police. Ça me donne une idée. Au bout de cinq minutes, je suis sûre que Pia n'ouvrira pas et je décide d'agir.

— Attends-moi ici, je dis à Nesrin, puis je contourne la maison.

J'abaisse la poignée de la porte à l'arrière. Fermée à clé.

Ça ne me dissuade pas. La fenêtre de la chambre de Pia se trouve sur l'autre façade et je sais qu'elle reste toujours ouverte. Été comme hiver.

C'est bien le cas ce soir aussi. Elle est d'ailleurs grande ouverte, poussée par le vent. Je n'aurai aucun problème à m'introduire par là.

Sans tenir compte du fait qu'elle est située à un mètre et demi du sol et que je suis totalement dénuée de muscles aux bras. Je ne me laisse pas décourager par ce genre de détails. Deux fois je rate mon coup et me retrouve en bas dans les buissons avant de réussir à passer ma jambe dans l'encadrement de la fenêtre.

— Pia ! je m'écrie en me rétamant sur le parquet de sa chambre.

Dans ma chute, j'emporte la carafe posée sur sa table de chevet. Heureusement en plastique et incassable.

Lorsque Pia ouvre la porte, elle me découvre à quatre pattes dans une flaque d'eau.

— Ah ! je fais. Je savais que tu étais chez toi, tu fais moins la maligne !

— Tu n'as pas l'air très maligne toi non plus, rétorque-t-elle.

Je vois qu'elle se retient de ne pas éclater de rire. Je me relève pour la regarder.

Elle a une mine affreuse. Son visage est blafard, elle a de gros cernes sous les yeux et ses cheveux platine ont au moins deux centimètres de racines noires.

— Tu es trempée, constate-t-elle.

— Quelle idée de poser une carafe d'eau ici. Elle risque d'être renversée.

— Personne n'a jamais pris la peine d'entrer dans ma chambre par là.

— D'habitude ta porte est toujours ouverte. Tu as l'intention de me laisser comme ça ou tu vas m'offrir un café et me prêter un pantalon sec ?

Elle éclate de rire. De son vrai rire enroué.

— Je crois qu'on a besoin d'alcool, déclare-t-elle.

— On ferait mieux de faire entrer Nesrin aussi, je dis. Il y a du vent dehors.

Pia attend que nous soyons toutes les deux installées dans sa cuisine pour annoncer :

— J'ai un cancer.

Nous avons chacune une clope entre les doigts. Je regarde aussitôt la mienne.

— T'inquiètes, c'est un cancer du sein.

Nesrin écarquille les yeux et me jette un regard paniqué.

Faute de savoir quoi dire, je vide mon verre de vin rouge.

— Depuis combien de temps tu le sais ? je demande finalement.

— Quelques semaines.

— Pourquoi t'as rien dit ?

C'était manifestement la mauvaise question à poser. Pia se fige.

— Ce sont mes oignons, me siffle-t-elle. De toute façon, tu m'aurais dit d'arrêter de fumer.

L'injustice de son commentaire me fait réagir aussi sec.

— C'est pas vrai ! Je t'aurais dit de te bourrer la gueule !

— Ce conseil, je me le suis déjà donné à moi-même, rit-elle.

Elle fait une pause avant d'ajouter :

— Je n'avais pas envie d'en parler, c'est tout. J'ai commis l'erreur de le dire à une voisine, et subitement c'est devenu son unique sujet de conversation. « Comment se passe ton traitement ?

Comment tu te sens ? Qu'a dit le médecin ? » Et même quand elle n'en parle pas, elle ne pense qu'à ça. Je le vois dans ses yeux. Chaque fois qu'elle me regarde, elle pense : Cancer. Cancer. Cancer.

— Fuck le cancer, s'exclame Nesrin.

Pia esquisse un sourire.

— Elle aurait dû t'emmener chez le coiffeur à la place, je dis. T'as une tête pas possible.

Pia a l'air de préférer les insultes à la compassion. Je mise donc là-dessus.

— Putain, c'est vrai, répond-elle.

Elle semble soulagée de nous l'avoir annoncé et nous verse encore un verre. Je m'oblige à ne pas lui poser de questions sur son traitement, sur son état moral et sur les retours de son médecin.

— Tu as envie de me demander comment je vais, n'est-ce pas ?

— Pas du tout, je mens. J'essaie juste de ne pas regarder tes seins.

Nesrin avale son vin de travers.

— Ils sont toujours là. En tout cas, pour l'instant, répond Pia d'une voix sombre.

— Moi je veux savoir ce que disent les médecins, signale Nesrin.

Je lui lance un regard noir mais elle hausse les épaules.

— Quoi ? ajoute-t-elle. Juste parce qu'elle a un cancer, elle aurait le droit de se comporter n'importe comment ? C'est ça que tu veux dire ? Je vais trop m'inquiéter, moi, si je n'en sais pas plus. Elle fait la star et nous, il faudrait qu'on la ferme ?

Je jette un œil angoissé vers Pia. Mais elle éclate de nouveau de rire.

— Ils ne savent pas bien, mais le pronostic est bon. Le cancer a été découvert très tôt.

Tant mieux, je suis soulagée.

— Putain, un cancer du sein, répète Pia comme pour elle-même. Si je dois partager des messages pathétiques sur Facebook concernant la couleur de mes dessous, je me tire une belle dans la tête avant même d'avoir commencé les traitements. Je ne les ai jamais trouvés très marrants, mes soutifs, mais je n'ai jamais rien eu contre non plus. Et puis hier j'en ai attrapé un dans ma commode et j'ai eu envie de le foutre à la poubelle.

— Et tu l'as fait ? je demande.

— J'ai réussi à me maîtriser.

— Mon Dieu, s'exclame Nesrin.

— T'es complètement malade, je dis.

Pia me donne une tape sur l'épaule.

— À qui d'autre en as-tu parlé ? je demande, profitant de sa bonne humeur sans doute passagère.

— À qui d'autre ? répète Pia. Après la réaction désastreuse de la voisine ? Pourquoi j'en parlerais ?

— En plus de tes enfants, je veux dire ?

Elle détourne la tête.

— Pia, ne me dis pas que tu ne leur en as pas parlé ?

41

Ça fait dix-neuf ans que je suis mère, si bien que je m'y connais en catastrophes. Sur le chemin du retour de chez Pia, je me prépare mentalement à en affronter de nouvelles.

L'état d'urgence est déclaré. Ma concentration est optimale sur les choses à faire. Je suis prête à apporter à Pia tout le soutien pratique et affectif nécessaire.

Une partie de moi est fascinée par la fluidité avec laquelle le changement s'opère en moi. Avec les années, je craignais de m'être un peu rouillée puisque les différentes épreuves que j'ai vécues avec Emma — examens oubliés, filles malveillantes dans sa classe, devoirs perdus, consommation trop importante d'alcool à une fête — sont devenues plus rares depuis quelques années.

Mais je sens que je suis toujours prête au moindre imprévu. Je suppose que la plupart des parents le sont.

On ne peut pas avoir d'enfants, petits ou grands, sans avoir développé, presque inconsciemment, une aptitude au combat. Sinon on serait comme un hockeyeur insouciant qui glisse sur la glace en oubliant d'être vigilant. Tôt ou tard, il se fera avoir et sera rappelé à l'ordre par la brutalité de ses adversaires. Autant être préparé.

Si la défense militaire suédoise était dirigée par des parents, elle n'aurait pas eu besoin d'excuses comme «On est désolés mais ça s'est passé en dehors des heures de bureau» quand les avions russes sont entrés dans l'espace aérien suédois. Elle se serait réveillée en sursaut au beau milieu de la nuit en se disant : «Il y a un problème» et elle aurait aussitôt réagi.

Pia n'a bien sûr aucune envie d'un soutien moral, et elle est aussi plutôt sceptique quant à un soutien pratique.

Le lendemain, lorsque je passe la voir, elle me regarde d'un air las.

— Dorénavant ça sera comme ça tous les jours? Tu comptes venir vérifier que je mange bien et que je prends mes médicaments? Il faudra peut-être que je les avale devant toi, c'est ça? Tu vas les cacher dans ma glace ou dans mon yaourt pour que ça passe plus facilement?

— Arrête, Pia! Toi aussi tu es mère. J'ai besoin d'être active, il va falloir que tu l'acceptes.

C'est un argument qu'elle tolère. Elle me laisse même réorganiser le planning à Extra-Market afin que Nesrin et moi la soulagions en travaillant quelquefois à sa place.

— Mais je ne veux pas que tu m'apportes à manger, compris? me notifie-t-elle.

— Non non, je réponds avec un regard rapide sur le sac de courses que je tiens à la main. Ces pizzas surgelées sont pour moi. Je n'avais même pas pensé à t'en apporter.

— Parfait. Aujourd'hui je fais des lasagnes. Je t'en mettrai une part de côté.

— Tu as l'intention de devenir une vraie femme de Stepford et de te distraire uniquement en faisant la cuisine?

— Ah! Pourquoi pas? Je suis déjà aussi belle qu'elles.

Dubitative, je regarde ses cheveux.

— Je ne crois pas que Stepford accepte les racines noires.

Chaque fois que je rentre chez moi après une visite à Pia, je suis morte de fatigue. Je n'ai qu'une envie c'est de m'affaler sur le canapé. Mes conversations téléphoniques avec Emma sont brèves. Je concentre toute mon attention sur Pia. Je cherche sur Google tout ce que je peux trouver sur le cancer du sein : des informations médicales pédagogiques sur les causes, les symptômes et les traitements, des blogs courageux sous forme de journaux intimes avec des témoignages touchants, différents forums de discussion, ce qu'implique exactement un traitement cytostatique.

J'agis comme si la maladie de Pia était un examen scolaire où tout s'arrangerait si j'obtenais la meilleure note grâce à mes connaissances.

Pia refuse que je l'accompagne chez le médecin. Je lui pose la question quand je passe la voir après le travail le lundi soir, mais elle est d'une humeur exécrable. Si elle l'est, c'est parce qu'elle m'a découverte un quart d'heure plus tôt dans sa buanderie en train de charger une machine pour elle en cachette. Elle n'a pas du tout aimé que je lui dise que quand on a un cancer, on ne va pas en plus s'embêter à trier des chaussettes.

Mais elle accepte d'aller chez le coiffeur.

— Si j'y vais c'est parce que tes cheveux sont dans un sale état, me signifie-t-elle. Je t'accompagne par solidarité pour tes pointes fourchues.

Je suis émue par son courage et ses efforts pour garder le moral.

Nous sommes les seules clientes du Salon de coiffure pour hommes et femmes de Skogahammar. Ils ne se sont vraiment pas foulés pour le nom. Sur la devanture sont indiqués les tarifs des coupes, des couleurs et des permanentes.

D'après ce qu'on m'a dit, plusieurs coiffeurs partagent ce local mais aujourd'hui il n'y a qu'une jeune femme qui travaille. Elle nous prend aussitôt et s'occupe de nos deux têtes en même temps.

Pendant que Pia se fait faire les racines, je feuillette un magazine avec des coupes du début des années deux mille.

Tandis que la décoloration pénètre dans les cheveux de Pia, la coiffeuse s'attaque à ma tignasse. J'ai choisi une coupe « naturelle sur cheveux mi-longs » ainsi que du « volume ». Elle termine par un brushing. Mes cheveux tombent délicatement et avec élégance sur mes épaules.

— On dirait une vraie coiffure! je dis enthousiaste en tournant la tête dans tous les sens.

— Il était temps, grommelle Pia.

Nous payons et restons ensuite un moment devant le salon à fumer une clope. Nous respirons l'air froid et sec du milieu de journée et savourons le fait de ne pas être au travail.

— Pourquoi est-ce que je t'ai écoutée alors que je vais perdre mes cheveux? me lance Pia.

— Le médecin a bien dit que les effets secondaires des rayons pouvaient varier d'une personne à une autre, et qu'il ne pensait pas que tu aurais besoin d'une chimio!

— En tout cas, je n'échapperai pas aux nausées.

— Et alors? Si tu dois t'accroupir devant la cuvette des chiottes, autant le faire dignement avec une belle coiffure, non?

Je me tourne vers elle, je pose mes mains sur ses épaules et je dis en la regardant droit dans les yeux :

— Pia, je veux que tu saches que si tu perds tes cheveux et que tu deviens chauve… je ne te suivrai pas. Jamais je ne sacrifierai ma nouvelle coiffure. Même pas pour toi.

Pia pouffe de rire.

— Tu pourrais au moins les teindre en rose vif pour qu'ils soient assortis à la perruque que j'ai l'intention de m'acheter?

— Je vais y songer, je promets.

Puis nous nous mettons en route, fières de nos nouvelles coiffures.

Je la regarde du coin de l'œil. Il faut quand même que j'essaie.

— Pia, je dis au bout d'un moment. Si l'un de tes fils tombait malade et ne t'en parlait pas, comment tu le prendrais?

Je regarde droit devant moi pour ne pas la mettre mal à l'aise. Elle ne change pas de sujet de conversation mais reste silencieuse un moment. Je sais qu'elle réfléchit. Je l'entends à son silence et au rythme de ses pas.

— Imagine qu'ils s'en foutent, dit-elle finalement.

Sa voix est blanche. Comme si elle risquait de se briser à tout moment. Je ne peux pas m'empêcher de tourner la tête vers Pia. Lorsqu'elle allume une cigarette, je vois que ses mains tremblent.

— Bien sûr qu'ils ne s'en foutront pas, je dis.

— C'est des mecs. Imagine qu'ils se contentent de hausser les épaules avant de disparaître dans leur chambre sans faire le moindre commentaire! Imagine qu'ils se demandent juste comment ils vont faire avec leur linge!

— Dis-leur que j'ai proposé de m'en charger au cas où il t'arriverait quelque chose.

Elle émet un rire forcé qui se transforme en un sanglot étouffé. Elle doit sentir ce que je pense puisqu'elle fait un pas sur le côté pour m'empêcher de la prendre dans mes bras. Pour que je ne cède pas à mon envie de l'enlacer et de lui promettre que tout va bien se passer, même si je dois coacher ses trois gars.

Quand j'allume une clope, je remarque que moi aussi j'ai les mains qui tremblent.

— Ne sois pas trop gentille avec moi, Anita, me dit-elle. Sinon je vais craquer.

Elle refoule ses larmes et je dois cligner plusieurs fois des yeux pour ne pas avoir la vue brouillée.

— Imagine que ça ne les mette même pas en colère! Imagine qu'ils trouvent tellement pénible d'avoir à en parler qu'ils ne viennent plus me voir! Je crois que j'arriverais à tout supporter à condition qu'ils soient bouleversés et qu'ils se mettent à casser des choses.

Je ne sais pas quoi dire. Bien sûr qu'ils vont être secoués par la nouvelle. Pia est leur mère ! Ils sont ses enfants. Les enfants se soucient de leurs parents.

— Tu devrais leur en parler, je dis de nouveau.

Elle secoue la tête presque imperceptiblement. Comme si elle n'avait plus la force de poursuivre la discussion. Un long silence s'installe entre nous.

— Ça se passe comment avec ton amant ? dit-elle finalement pour bien marquer que le sujet sur ses fils est clos. Tu lui as parlé de tes sentiments pour lui ?

— Non.

Elle semble soulagée.

Avant de nous séparer, elle me fait promettre de ne rien dire à ses fils. J'essaie de me débiner et de ne pas répondre mais je finis par capituler.

— Tu me le promets ? me répète-t-elle.

— OK, je te le promets. T'es contente maintenant ? je déclare en levant la main en signe de capitulation.

— Tu me le promets sur ta future moto et sur tous tes prochains jeunes amants ?

— Oui.

C'est une promesse facile à faire. L'hiver va bientôt arriver et il va être temps de ranger les motos. Et mon jeune amant n'est visiblement plus intéressé par moi.

J'ai d'ailleurs décommandé ma dernière leçon pour aller chez le coiffeur avec Pia. Lorsque Ingeborg m'a annoncé que la saison n'allait pas tarder à se terminer et qu'il ferait bientôt trop froid pour prendre des cours, je n'ai même pas protesté. J'ai autre chose à faire, je me suis dit en essayant de me persuader que c'était vrai.

Je suis soudain prise par une envie irrésistible d'appeler Lukas.

393

Un coup de fil rapide pour prendre de ses nouvelles. Comme ça, par politesse. Il ne m'a pas appelée mais, d'un autre côté, je n'ai pas non plus essayé de le contacter. J'aimerais juste discuter un peu. Mais pour lui dire quoi ? *Ma meilleure amie a un cancer, au fait, ça te dirait qu'on se voie et qu'on couche ensemble ?*

Ressaisis-toi, Anita, je m'ordonne à moi-même sur le chemin du retour. La catastrophe tant attendue… Non merci !

Lorsque mon portable sonne, je pense instinctivement à Lukas.

Ce n'est pas lui, ce n'est pas lui, je me répète tout en cherchant mon portable dans mon sac et en espérant ainsi conjurer le sort. C'est à peu près comme ça que fonctionne mon cerveau perturbé. C'est insensé de penser encore au corps de Lukas alors que Pia est malade. C'est toi qui es malade, je me siffle à moi-même en m'obligeant à attraper mon portable.

Ce n'est pas Lukas, bien sûr. C'est Berit, de la maison de retraite de ma mère.

— Pourrais-tu venir ? Maintenant ?

Sa voix est tendue. Pour une fois, elle a laissé de côté son ton professionnellement positif.

— Il s'est passé quelque chose ? je demande.

— On en parlera dès que tu seras là.

42

— Elle s'est éteinte dans son sommeil.

Je regarde Berit dans les yeux. Même cette fois-ci elle a choisi de s'asseoir sur une des chaises des visiteurs alors que j'aurais préféré qu'elle reste derrière son bureau. Nous sommes bien trop près l'une de l'autre. Je crains qu'elle ne se penche vers moi et me caresse la main ou le genou. Je suis sur mes gardes et me contracte à chacun de ses mouvements.

— Je ne comprends pas, je dis. Il y avait un problème ? Je suis venue samedi et je n'ai rien remarqué.

— Parfois ça se passe comme ça, tout simplement, m'explique Berit.

Elle a probablement été témoin de ce genre de situation des centaines de fois. Je me demande ce que ça fait d'avoir un métier où la mort fait partie du quotidien.

— Elle n'a pas souffert, si ça peut être une consolation.

Je secoue la tête pour essayer d'y voir plus clair.

— Je...

Je commence mais je ne sais pas comment poursuivre.

Il doit y avoir des tonnes de choses à organiser, des tonnes de questions à poser. Mais ma tête est totalement vide.

— L'enterrement ? je demande finalement.

— Ne pense pas à ça pour l'instant. Je sais que ta mère avait réglé pas mal de choses avec les pompes funèbres. Nous allons les contacter. Puis ils te contacteront. Il y a quelqu'un que tu peux appeler ? Quelqu'un qui peut rester avec toi ? Ou un pasteur, peut-être, avec qui tu es en contact ?

Je fais le tour de sa chambre une dernière fois. Ils n'ont pas encore commencé à enlever ses affaires, ce que je prends comme une marque de respect. Ce n'est sans doute qu'une question d'heures mais ça me fait du bien de pouvoir me promener parmi ses objets une dernière fois. Comme si ma mère pouvait se réveiller à tout moment et se mettre à me parler de son amant. Son gilet rose clair est soigneusement plié sur la chaise devant son bureau.

Les rideaux sont fermés.

Je m'approche lentement de la fenêtre et je les ouvre. Le temps est gris et venteux. Les fines branches des arbres sont secouées par des bourrasques. De temps en temps, des gouttes de pluie frappent les carreaux. Il y a juste une heure, la seule chose à laquelle je pensais était ma nouvelle coiffure.

Ce n'est que maintenant que je me tourne vers le lit où est allongée ma mère. Je lance un regard mal assuré à Berit comme si je m'attendais à ce qu'elle m'explique ce que je dois faire. Je m'approche de ma mère et je lui effleure la main du bout des doigts. Sans doute pour lui dire adieu une dernière fois.

Elle n'est plus là, je me dis. C'est seulement son corps. Mais dans la mort elle est étrangement la même. La démence sénile lui avait déjà dérobé une grande partie de sa personnalité. La mort n'avait donc plus grand-chose à lui prendre.

Je me tourne de nouveau vers Berit.

— Tu pourrais appeler Eva Hansson des Fleurs d'Eva et refaire toute la procédure avec elle ? je demande. Le coup de fil, la discussion dans ton bureau, la visite de sa chambre ? Comme si elle aussi était sa fille ?

Berit me lance un regard surpris puis elle a un sourire compatissant et me promet de s'en charger. Elle quitte ensuite la pièce pour me laisser me recueillir seule.

Eva détesterait que ce soit moi qui lui apprenne la nouvelle. J'en suis persuadée. Je passe ma main sur le petit bureau. Je regarde le lit où ma mère a passé le plus clair de son temps mais j'évite de m'attarder sur son visage paisible et vide. Le mécontentement n'y a plus sa place. Je repense à l'époque où j'avais sept ans et où j'étais désespérée parce que je n'arrivais pas à faire du vélo. Je la vois encore devant moi, les traits sévères et l'exaspération inscrite sur son visage. Je vois aussi mon père, silencieux et distant. Et l'appartement sombre de Skogahammar.

Peut-être est-ce aussi bien qu'elle ait pu passer ici ces dernières années. Entourée de murs blancs, de meubles clairs et fonctionnels.

J'attrape son gilet. Il sent toujours son parfum. Je le replie et le repose sur la chaise.

Il y a quelque chose qui ne tourne pas rond chez moi.

Je le sais. Mes yeux restent désespérément secs. J'ai beau m'efforcer de déclencher de la tristesse, les seules choses qui me viennent à l'esprit sont des détails pratiques. L'enterrement qui doit être organisé, les psaumes qui doivent être transmis au pasteur. Je suis certaine qu'Eva se chargera de presque tout. Lorsque mon père est mort, ma mère s'est occupée de son enterrement et en a profité pour organiser le sien dans la foulée. Je crois qu'elle en a retiré une certaine satisfaction. Je n'aurai même pas à décider quelles fleurs mettre sur sa tombe.

Je pense à ma propre adolescence, comme si je craignais qu'elle ne disparaisse avec ma mère. Les souvenirs me semblent si lointains. J'essaie de me rappeler cette soirée d'été sur la moto où j'ai fait trois vœux. Mais ça me paraît irréel. Comme si dorénavant plus personne ne pouvait témoigner qu'un certain soir je suis rentrée très tard d'une soirée en plein air. Qu'à cette époque je n'avais aucun problème dans la vie, à part le fait d'être incomprise par ma mère. Qu'une fois je me suis fâchée avec mes meilleures amies sans raison. Qu'une fois j'ai embrassé un garçon devant chez moi parce qu'on n'avait nulle part où aller et que c'était une belle soirée d'été. Qu'une fois je n'ai pas eu d'autre choix que de partir de chez moi.

Avec la mort de ma mère, ma jeunesse s'est définitivement envolée.

Peut-être est-ce la moto qui me fait penser à Lukas. Peut-être est-ce parce que j'ai commencé à considérer mes moments avec lui comme une époque révolue, une période exceptionnelle, des pauses lumineuses dans un quotidien maussade. Quand j'étais avec lui je me sentais libre, ouverte au monde. Presque de nouveau jeune.

Je ne crois même pas que ma décision soit consciente. J'enfile simplement mon manteau et je pars. Je quitte ma mère et la maison de retraite et je m'engouffre sous la pluie.

Libre.

Ma mère est morte et je me sens libre. Je me répète en boucle : Maman est morte. Maman est morte. Maman est morte. Si je me le répète suffisamment, peut-être que cette nouvelle finira par me paraître vraisemblable.

La pluie ne me gêne pas. L'humidité détruit mon brushing et fait frisotter mes cheveux. La nature reprend ses droits. Mais je m'en fous. C'est aussi bien comme ça. Ce n'est pas convenable de se promener avec un brushing quand sa mère vient de mourir. Maman est morte. Maman est morte.

J'éclate de rire. C'est la première fois depuis plusieurs jours que j'entends mon propre rire. Ça non plus, ce n'est pas convenable.

Eva saura quoi éprouver, je me dis. Heureusement qu'elle est là. La seule chose que je ressente est une libération. Je me persuade que ça n'a rien à voir avec moi mais que c'est parce que ma mère est enfin libre, qu'elle ne va plus se dégrader, qu'elle ne va plus s'effacer progressivement de la surface de la terre.

Jamais je ne saurai qui était son amant.

Il est six heures du soir et il fait déjà nuit. La pluie tombe dru. Une première indication que l'hiver est en route. Je relève la capuche de mon blouson et je continue ma route.

Cette fois-ci, je ne m'arrête pas devant le chemin qui mène à sa maison. Je marche droit devant moi jusqu'à sa porte et je frappe. Lukas est la seule personne à qui j'aie envie de parler. Pas Pia. Pas Nesrin. Pas même Emma. J'ai appris la mort de ma mère il y a seulement une heure, pourtant je ne pense qu'à retrouver Lukas.

Il ouvre la porte presque aussitôt. Il sort de sa douche. Ses cheveux sont encore mouillés et il sent le savon et l'after-shave. Accueillant, je me dis. À ses côtés, j'ai l'impression de pouvoir enfin me détendre.

Il est surpris de me voir. Je hausse les épaules, gênée. Comme pour dire : salut, me voilà. J'aurais dû venir plus tôt. J'aurais dû venir, tout simplement. Me foutre de tout le reste. Maintenant je n'arrive même pas à me souvenir pourquoi je ne l'ai pas fait. Mais ce n'est pas important. Après Pia et ma mère, il n'y a plus grand-chose qui le soit.

Lukas n'est pas seulement surpris. Il est aussi embarrassé. Il porte une chemise bien repassée et un jean. Des vêtements décontractés, mais il est quand même… bien habillé.

— Tu allais partir ? je demande.

— En quelque sorte oui.

— Maintenant ?

Il reste immobile sur le seuil et jette un regard par-dessus mon épaule.

— Oui.

Je hoche la tête. Je suis soudain trop fatiguée pour m'en aller. Je n'ai aucune idée de ce que je dois faire. Lukas me fait entrer dans le vestibule mais il n'a même pas le temps de refermer la porte que j'entends une voiture rouler sur le chemin gravillonné et se garer. Une portière s'ouvre et nous nous tournons tous les deux vers le bruit.

Après coup, je revois l'expression de nos visages. La situation est absurde. Je revois la scène au ralenti. Nous deux tournant la tête, moi qui fais un pas sur le côté et lui qui passe devant moi pour sortir sur le seuil. Je ne bouge pas parce que je sais déjà qui je vais découvrir près de la voiture.

Le brushing de Sofia est absolument parfait. Ses cheveux sont lisses, épais et soyeux. Ils ont tellement de volume que ma coiffeuse en serait verte de jalousie. Son maquillage aussi est parfait. Je n'arrive même pas à estimer le temps qu'elle a dû passer et tous les produits qu'elle a dû utiliser pour donner cette impression de naturel.

Lorsqu'elle me voit, elle lève ses sourcils parfaitement épilés, mais ne semble pas fâchée. Elle est si sûre de sa position que mon apparition soudaine ne constitue pas une menace. Ce qui n'a rien d'étonnant compte tenu de mes cheveux hirsutes et de mon visage fatigué, totalement dénué de maquillage.

— Lukas? dit-elle. Tu es prêt?

À l'entendre, on dirait que je n'existe même pas. Il est évident qu'ils ont rendez-vous.

Je me demande depuis quand ils se fréquentent de nouveau. Peut-être est-il retourné avec elle le soir de la Journée de la Ville? Ou peut-être juste après notre discussion à la moto-école?

Lukas déplace son regard entre elle et moi comme s'il essayait de trouver un moyen de gérer la farce qui est en train de se jouer devant lui. Finalement, c'est plus par compassion pour lui que par amour-propre que je retrouve ma faculté de parler et de bouger.

— Désolée d'avoir surgi comme ça à l'improviste, je lui dis. J'étais… dans le coin. Je voulais te parler de quelque chose mais ce n'est pas important.

Les sourcils de Sofia se lèvent de nouveau.

— À bientôt! je conclus avant de me frayer un chemin entre eux deux et de m'enfuir.

J'entends Lukas lui chuchoter quelque chose à l'oreille sans comprendre les mots. Peut-être est-ce quelque chose comme : «Ne t'inquiète pas, ça ne prendra pas longtemps. Je vais juste calmer mon ex.»

Il attrape mon bras, je m'arrête et me retourne vers lui. Il me fusille du regard.

La silhouette de Sofia est toujours visible derrière la porte, mais elle a reculé de quelques pas comme pour signifier qu'elle n'est pas intéressée par notre discussion.

— Tu ne donnes pas de nouvelles, tu te pointes à mon boulot, tu ne me rappelles même pas après et puis, un beau jour, tu déboules chez moi sans prévenir? Qu'est-ce que tu fais ici, Anita?

— Rien, je rétorque.

Vu la situation, c'est la seule réponse possible.

— Je n'ai pas l'intention de m'excuser auprès de toi pour Sofia.

— Je suppose que la période difficile que tu as traversée est maintenant terminée et que tu peux retourner auprès d'elle? je lui balance.

Mon ton est plus méchant que je ne l'avais prévu, mais je n'ai pas la force de m'en préoccuper.

— Ça en a tout l'air, me siffle-t-il.

— Qu'est-ce qui t'a finalement décidé? je poursuis en réalisant aussitôt que je suis en train de m'enfoncer.

— Tu as été assez convaincante, rétorque-t-il. Personne ne change, c'est bien ce que tu as dit, non?

Quand j'ai appris la mort de ma mère je n'ai pas pleuré, mais là, mes yeux se remplissent de larmes.

Il ajoute d'une voix un peu plus douce :

— Ça me paraissait donc clair qu'il ne se passerait rien entre nous.

— Ah bon ?

— Tu ne voulais pas que les gens sachent qu'on était ensemble, tu refusais de me dire ce que tu ressentais pour moi, tu as disparu pendant des jours quand ta fille s'est pointée et, lorsqu'elle est repartie, tu es arrivée comme une fleur en me demandant pourquoi je n'avais pas répondu à tes sms impersonnels. Après ça, tu ne m'as plus donné de nouvelles. Et soudain tu resurgis et tu es choquée du fait que je revoie Sofia.

J'aurais vacillé s'il ne m'avait pas tenu le bras. J'essaie tant bien que mal de reprendre mes esprits et aussi de me défendre contre ses mots blessants. Mais il continue :

— Et chaque fois que je te demande de parler de tes sentiments, tu réponds par une blague. C'est hyper-difficile de savoir ce que tu penses puisque tu tournes toujours tout en dérision.

Ce qu'il dit est vrai. Il a raison. Je me sens tellement humiliée.

— C'est comme ça que tu… me vois, enfin, que tu vois… la situation ?

Ce n'est que maintenant qu'il réalise qu'il n'a pas mis son blouson. Il jure en silence et me lâche le bras.

— Je n'ai pas le temps pour ça, grommelle-t-il.

— Tu as rendez-vous, je lui lance. Vaut mieux que tu y ailles. Mais il ne bouge pas.

— De quoi est-ce que tu voulais me parler ?

Je me retourne. J'ai les yeux remplis de larmes mais j'essaie de me persuader que c'est à cause du vent.

— De rien, je réponds d'une voix étouffée.

Et cette fois, il me laisse partir.

43

Au cours des jours qui suivent, je m'occupe du peu de chose que j'ai à organiser pour l'enterrement de ma mère. Sans arrêter de penser à Lukas. J'ai l'impression d'être également en deuil de lui. Je repasse en boucle cette période révolue de ma vie : quand j'avais des relations sexuelles, que je prenais des cours de moto et que j'essayais de découvrir l'identité de l'amant de ma mère. J'aurais tellement aimé savoir qui il était. Et ce n'est qu'une partie des secrets que ma mère a emportés dans sa tombe.

Au travail, je m'efforce de faire bonne figure. Mais mes sourires aux clients n'arrivent jamais jusqu'à mes yeux. Quand personne ne me voit et que je m'autorise à me laisser aller, le coin de mes lèvres tombe vers le bas, comme une enfant renfrognée. Le reste de mon visage est inexpressif. Mes joues sont tout engourdies, comme quand on est resté trop longtemps dans le froid. Mes paupières sont si lourdes que j'ai du mal à les garder ouvertes.

Mais tout le monde est très compréhensif.

J'ai appelé Emma pour lui raconter, j'ai envoyé un sms à Pia (sa réponse « veux-tu que je vienne m'occuper de ta lessive ? » m'a fait sourire pour la première fois depuis longtemps).

C'est ma mère d'avant qui a organisé l'enterrement. Pas celle qui me parlait de son amant et de ses souvenirs d'enfance.

Les deux versions d'elle me manquent. Même celle qui a choisi les psaumes les plus indigestes de la liturgie des obsèques.

C'est Eva qui, comme prévu, se charge de tout. Son chagrin est si grand qu'elle oublie pour une fois de me faire des reproches. «J'aurais dû être auprès d'elle», répétait-elle en boucle quand je suis passée la voir à la boutique.

La seule chose que j'aie à faire est d'inviter la famille et les amis aux funérailles et de veiller à ce que l'avis de décès, composé par ma mère et mis à jour par Eva, soit bien diffusé dans *Les Nouvelles de Skogahammar*.

Un nombre impressionnant de clients viennent me voir pour me présenter leurs condoléances ou tout simplement me montrer leur soutien. Ann-Britt, bien sûr, mais aussi les Dames de la Culture et Anna Maria.

— Maman aurait beaucoup apprécié, je réponds comme il se doit chaque fois.

— Ta mère n'appréciait rien! me signale Pia quand nous nous retrouvons seules à la caisse.

— Est-ce qu'on en est vraiment certaines? je réplique. Il ne faut pas oublier qu'elle avait un amant.

— C'est vrai, admet Pia à contrecœur.

— Ce qui n'est pas votre cas! nous balance Nesrin en passant à côté de nous.

— Sa relation à elle n'a pas tenu non plus, je lui signifie.

J'avais dix-sept ans quand mon père est mort. Mon souvenir le plus fort de son enterrement est que j'avais la sensation de ne rien ressentir. J'essayais d'être triste mais on était en juin et il faisait un soleil radieux. Ça me semblait presque insultant que mon père, qui avait toujours été si terne et sérieux, soit enterré un jour comme celui-là, parmi les marguerites et les rayons de soleil.

Les gens honoraient sa mémoire en transpirant à grosses gouttes dans leurs costumes épais et leurs robes strictes.

J'essayais désespérément de ressentir quelque chose tandis que ma mère commentait tout. Elle disait que les psaumes étaient émouvants mais que le pasteur avait appelé papa Johnny et non John bien qu'elle le lui ait formellement interdit. Je lui ai alors chuchoté que c'était sans doute parce que tous ses amis l'appelaient ainsi mais elle m'a jeté un regard noir en pinçant les lèvres. Voilà toute l'émotion qui nous a traversées.

Ma mère a été plus prévoyante. Elle est morte à la fin du mois d'octobre. Le jour de ses funérailles, le temps est parfait : gris et brumeux. L'enterrement a lieu au sein de l'Église suédoise, dans un grand bâtiment moderne, clair et aéré. Et non dans la vieille église en pierre de Skogahammar qui est celle des méthodistes, auxquels nous n'appartenons malheureusement pas, avait l'habitude de constater ma mère en passant devant.

Nous nous rassemblons sur le parvis, en attendant de pouvoir pénétrer dans l'église. L'asphalte est mouillé, il y a du brouillard et les gens sont en vêtements sombres. Ça ne pourrait pas être mieux.

Au loin, je vois Eva en train de régler les derniers détails de la cérémonie avec le pasteur mais aussi la collation qui suivra. Je suis presque certaine que l'organisation de cette partie-là n'est pas la responsabilité du pasteur. Mais, de ce que je peux voir, il ne la contredit pas et acquiesce d'un mouvement de tête en lui tapotant gentiment le bras.

Emma, Nesrin, Pia et moi nous tenons un peu à l'écart.

Emma n'est là que pour la journée. Le lendemain, elle a une sorte d'exposé à préparer.

— Sinon, je serais restée plus longtemps, s'est-elle justifiée quand on a réservé son billet de train.

— Tu n'as pas besoin de venir à l'enterrement si tu n'en as pas envie, je lui ai dit.

— Je veux venir. Ça va me faire du bien de rentrer, même si c'est juste pour une journée.

Maintenant je suis contente qu'elle soit là. Elle répand une grande douceur autour d'elle et salue les gens qui viennent la voir avec gentillesse et prévenance. Sa présence rend notre petit groupe plus crédible : nous sommes la famille proche plutôt que quelques personnes qui préféreraient être ailleurs.

Elle met son bras autour de ma taille et pose sa tête sur mon épaule comme quand elle était petite.

— À mon enterrement, je ne veux pas de collation, me prévient Pia. Mais une grosse fête. Peut-être que la cérémonie funèbre pourrait avoir lieu au Réchaud à alcool ? Tu penses que le pasteur se déplacerait si je lui disais que c'était ma dernière volonté ?

— *Si* tu meurs, je rectifie.

Je n'aime pas entendre Pia blaguer sur la mort.

— T'as raison. J'ai l'intention de vivre éternellement. Et pour l'instant j'y arrive plutôt bien, rit-elle.

— À mon avis, c'est interdit de faire entrer un cercueil dans un bar. Il doit quand même y avoir des règles pour ce genre de choses, explique Emma. Dans un endroit où on sert à manger et tout.

— Alors il faudra que je me fasse incinérer. Comme ça vous pourrez emporter mon urne partout avec vous. Je n'ai pas l'intention de laisser les gens faire la fête sans moi.

Le regard de Pia s'attarde sur quelqu'un derrière mon épaule. Puis elle me chuchote à l'oreille :

— Anita, ton loverboy est là.

— Je… je vais le saluer, je dis d'une voix tremblante.

Lukas se tient un peu à l'écart de la foule. Il paraît étonnamment calme contrairement aux Dames de la Culture qui parlent fort en agitant les bras.

Au moins, il n'est pas accompagné de Sofia, je constate en m'avançant lentement vers lui. Je fais un tel effort pour paraître naturelle que je ne vois même pas les gens que je croise.

Il porte un costume sombre qui le rend particulièrement sexy. C'est ironique de se retrouver comme ça, lui en costume sombre, moi en robe noire et manteau gris, habillés avec classe comme on aurait dû l'être à notre premier rendez-vous, selon Pia. Mais nous en sommes à la fin de notre histoire. La scène se déroule à un enterrement et nous nous trouvons sur un parking, entourés d'asphalte.

Ce parking jouxte l'église et il est vide, excepté une vieille Ford blanche toute sale qui semble être là depuis un bon bout de temps. La plupart des invités ont choisi d'aller se garer un peu plus loin.

— C'est l'endroit idéal pour s'entraîner au parcours lent, je dis.

Lukas me fait un rapide sourire que j'ai à peine le temps de voir. L'océan de gris et de noir qui nous entoure rend ses yeux encore plus bleus. Son visage est plus pâle qu'il y a quelques semaines. Et encore plus pâle que la première fois que je l'ai vu, à la moto-école, ce jour ensoleillé d'août.

Quelque part dans tout ce chaos, j'ai réussi à tomber amoureuse de lui, je songe en sentant mon cœur se briser lentement. Comme quand on va un peu trop loin sur la glace et qu'on entend le bruit inquiétant des fissures qui se creusent, s'étendent et se propagent sous nos pieds. Pas avec la brutalité d'une pierre jetée dans un carreau. Non, mais de façon aussi inexorable.

— J'ai vu l'avis de décès dans le journal, m'explique-t-il.

— Elle aurait apprécié que tu sois là, je réponds sans réfléchir.

Il hoche la tête. Je présume que nous pensons tous les deux au jour où nous sommes allés chercher ma mère dans l'appartement de cette famille que nous ne connaissions pas.

— C'est de ça que tu voulais me parler l'autre jour ? me demande-t-il.

— Oui.

— Je suis désolé de ne pas avoir été d'un plus grand soutien, dit-il en fourrant ses mains dans les poches de son pantalon.

— Ce n'était pas ton rôle.

Ça ne l'est toujours pas. Il a poursuivi son chemin. Je le ferai moi aussi.

Lorsque les portes de l'église s'ouvrent, je retourne auprès d'Emma et des autres. Lukas ne fait aucune tentative de m'accompagner. À la place, il avance lentement pour permettre à notre groupe d'entrer avant lui dans l'église. Je m'accorde un dernier regard vers lui. Il s'est arrêté devant la porte qu'il tient pour laisser passer quelqu'un. Puis je me tourne vers le cercueil et je vais m'asseoir au premier rang. Je ne le regarde plus.

Ma mère a choisi des psaumes traditionnels et mélancoliques que personne au-dessous de cinquante ans ne sait chanter. Par chance, l'âge moyen de l'assemblée est plus élevé. Nous venons donc à bout des psaumes et aussi du discours prononcé par le pasteur mais préparé par ma mère bien qu'ils ne se soient jamais rencontrés. Le pasteur mentionne son époux *John* en accentuant le prénom, comme s'il était écrit en italiques.

Eva fait un discours. Moi non. Emma pose sa tête sur mon épaule et je hume le parfum de son shampoing qui est le même depuis toujours.

Je ne vais que très rarement à l'église et ne suis pas une habituée des «collations» après obsèques. Nous nous retrouvons tous dans une salle pour boire un café accompagné d'une tartine. Le petit buffet contient surtout des gâteaux secs et des brioches à la cannelle. Mais Eva a insisté pour qu'il y ait également des tartines salées.

En revanche, les invités semblent familiers de la situation. Ils se servent du café, prennent une tartine et des gâteaux tout en engageant des conversations qui se répandent en même temps que l'odeur du café. Je saisis des fragments de discussion, parfois sur ma mère, parfois sur un sujet similaire comme l'enterrement d'un proche ou le chagrin après la perte d'un être cher. Parmi les femmes présentes, beaucoup sont veuves depuis longtemps déjà et il ne faut pas grand-chose pour les faire parler de leur mari défunt. À moi, elles louent la cérémonie en affirmant que ma mère l'aurait beaucoup appréciée. Moi aussi je le crois. Enfin, autant que son caractère le lui aurait permis.

Je suis touchée qu'autant de gens se soient déplacés. Même Eva semble surprise. Les Dames de la Culture prennent la situation suffisamment au sérieux pour ne pas se quereller, bien qu'elles soient obligées de se côtoyer de près.

Lukas n'est plus là. Il a dû s'en aller juste après la cérémonie.

Une femme dont le visage m'est vaguement familier surgit devant moi. Elle traîne un homme derrière elle qui me fait un grand sourire. Une bonne pâte, je songe. J'ai le sentiment que ça en dit long sur lui car la femme a un visage sévère et l'air mécontent, un peu comme…

— Mon Dieu! je m'écrie. Tante Elisabet…

Je regarde ma main en me demandant ce que je dois faire. Dois-je la lui tendre? Ou m'approcher d'elle pour l'embrasser? Finalement je ne bouge pas. Je cherche désespérément Eva des yeux pour qu'elle vienne vite à mon secours. Si elle veut se considérer comme la fille adoptive de ma mère, il va falloir qu'elle se coltine aussi sa famille.

— Finalement ça s'est bien passé, dit tante Elisabet du bout des lèvres.

— Un très bel enterrement, ajoute son mari.

Je suis presque certaine de ne l'avoir jamais vu. Ça doit être son nouveau. Mais je n'ai jamais rencontré son précédent non plus. La dernière fois que j'ai vu Elisabet, je devais avoir sept ans.

— Je suppose que vous avez tout organisé vous-mêmes, me siffle-t-elle.

— Oui, je réponds, troublée par son ton.

— Puisque vous n'avez pas pris la peine de me demander conseil, je veux dire. En tant que sœur, on aurait pu penser que je serais consultée.

— Maman avait presque tout préparé. Il n'y avait donc pas grand-chose à… Tu as rencontré ma fille ? je dis en cherchant furieusement Emma des yeux.

Mais ni Emma ni Pia ne sont visibles. Elles ont dû flairer le danger et s'éloigner au plus vite.

Traîtresses, je pense.

— Mhm, souffle Elisabet.

En l'entendant, j'ai un pincement au cœur. Ces petits bruits mécontents, les mêmes que ceux de ma mère, me manquent soudain terriblement.

Eva arrive enfin.

— Eva ! Je ne sais pas si tu as déjà rencontré…

— Elisabet ? répond-elle.

Eva se place juste à côté de moi. Je comprends vite que ce n'est pas pour me soutenir moralement mais pour être face à Elisabet et la fixer droit dans les yeux.

— Heureuse de vous rencontrer, lui lance-t-elle sèchement après un silence beaucoup trop long. C'est bien que vous ayez pu venir. Finalement.

Elisabet serre les dents. Je pourrais jurer que son mari rit intérieurement. Son corps imposant tremble légèrement. Je croise son regard et je hoche la tête : deux pacifistes qui se retrouvent au beau milieu d'une bataille entre passifs-agressifs. L'issue est totalement ouverte, même si je parierais plutôt sur la victoire d'Eva. Mais Elisabet est plus âgée. Par conséquent plus expérimentée.

— Ah oui! C'est vous, la nouvelle amie! dit-elle en mettant l'accent sur *nouvelle*.

— Eva Hanson, j'explique à Elisabet avant de me tourner vers Eva. Je te présente Elisabet…, je m'interromps en regardant son mari.

Je n'ai aucune idée de leur nom de famille.

— Örn, déclare-t-il en me tendant la main. Je m'appelle Gunnar Örn.

Je prends sa main et me présente.

Les deux femmes n'y prêtent même pas attention. Le duel a commencé. Elisabet boit une gorgée de café sans lâcher Eva des yeux pour pouvoir capter l'effet de sa réplique suivante.

— On m'a dit qu'Inger était un peu… confuse vers la fin?

Eva s'ébroue au-dessus de sa tasse.

— Je suis étonnée que vous soyez au courant puisque vous ne vous êtes jamais donné la peine de venir la voir. Ni même de l'appeler.

Les deux femmes ont maintenant haussé le ton. Les gens qui nous entourent commencent à se retourner. De façon discrète, bien sûr. Mais suffisante pour ne pas perdre une miette de ce qui est en train de se jouer dans la pièce.

— Même Anita était plus présente, s'écrie Eva.

— Aïe. Mais enfin Eva…, je lui dis, émue.

Devant notre ennemie commune, elle s'adoucit et me précise :

— Ne crois pas que je n'aie pas remarqué qu'à la fin tu allais bien plus souvent la voir… Même si je sais que c'était uniquement pour avoir des informations sur son amant, ajoute-t-elle malheureusement.

Un grand silence se répand dans toute la salle. Les gens suivent maintenant le duel avec une attention accrue. Eva ne le remarque même pas. Elle est bien trop concentrée sur sa controverse avec Elisabet.

— Un amant ? répète Elisabet.

Ce n'est qu'à ce moment-là qu'Eva comprend son erreur. Elle me lance un regard dérouté, comme si elle se demandait si elle n'allait pas rejeter la faute sur moi.

— Je suppose que vous parlez de mon mari ?

Gunnar Örn choisit ce moment pour croquer dans un biscuit. Le bruit sec se propage comme une traînée de poudre dans la pièce devenue silencieuse. Tous les regards se tournent vers lui mais il répond seulement par un grand sourire en s'essuyant la bouche avec le revers de la main.

— Son mari précédent, précise-t-il. Pas moi. Je suis innocent !

— Lars !? je m'exclame sous le choc.

Quoi ! Lars ne peut pas être le mari de tante Elisabet ! Je l'aurais su ! J'aurais entendu son nom à la maison ! Mais je ne sais même pas comment son mari s'appelait. C'était toujours : « J'ai parlé avec tante Elisabet. » Parfois : « Tante Elisabet vient me rendre visite. » Et à contrecœur : « Tante Elisabet et son mari. » Jamais oncle. Jamais de nom.

Je comprends enfin pourquoi.

— Ah bon ? Elle vous a parlé de lui ? dit Elisabet d'une voix triomphante. Inger n'avait pas beaucoup de bon sens quand il s'agissait d'hommes. Lui se fichait bien d'elle. Elle a été une parmi toutes les femmes avec qui il m'a trompée.

Eva et moi échangeons un regard. Nous ne trouvons rien à dire pour sauver la situation.

Le pasteur sort soudain de la petite cuisine attenante à la salle paroissiale et adresse un sourire aimable à l'assemblée silencieuse.

— Ça sent bon le café ici, dit-il. Vous en avez assez ou dois-je en refaire?

— Mais, en fait, qu'est-ce que j'en sais? s'écrie Elisabet. Et si c'était elle qui l'avait séduit! Inger était peut-être une traînée!

44

— C'est mon mari! répète Pia en boucle chaque fois avec un grand rire.

— Une traînée! ajoute Emma.

Nous avons un *after-enterrement* au Réchaud à alcool. Dès que nous sommes installées, Felicia vient nous voir.

— On m'a dit pour l'enterrement. La première tournée est pour moi.

— Ma grand-mère aurait apprécié, dit Emma d'un air faussement affligé avant de se tourner vers moi pour vérifier qu'elle n'est pas allée trop loin.

Je leur souris à toutes les deux.

— Merci, Felicia!

— Une traînée! reprend Pia joyeusement.

— Au moins, maintenant je connais l'identité de l'amant, je déclare avec satisfaction quand nous avons eu nos bières.

Jamais je n'aurais cru que la religion soit le truc de Pia, mais elle se montre très impressionnée par le pasteur.

— Il faut respecter un métier qui forme ses disciples à une telle présence d'esprit, dit-elle. Réussir à proposer tranquillement une tasse de café quand la défunte vient d'être traitée de traînée par sa propre sœur, c'est fort! Et si je faisais graver ça sur ma pierre tombale? *Ci-gît une traînée.*

— Ce n'est pas tout à fait vrai, je lui signale.

— Dans l'âme. Je suis une traînée dans l'âme!

J'avale une nouvelle gorgée de bière. La soirée est douce et belle. Dès que l'ambiance devient trop joviale, Emma se sent obligée de me rappeler à l'ordre en me caressant le dos et en me complimentant sur la cérémonie.

Mais j'aime écouter la bonne humeur qui se dégage de notre tablée. Parfois les rires sont trop forts, comme si les filles s'efforçaient de montrer que nous sommes en vie et que la mort ne nous effraie pas. Mais peut-être est-ce aussi par soulagement d'être enfin débarrassées de ces funérailles pesantes auxquelles nous venons d'assister.

Tout va bien. Rien ne pourra nous enlever notre gaieté. Tant pis si nos rires sont un peu forcés.

Dans la chaleur du Réchaud à alcool, je me détends enfin. Je vois qu'Emma le fait progressivement, elle aussi. Elle regarde autour d'elle en souriant et semble heureuse d'être là, entourée du murmure des clients, un soir de semaine tout à fait ordinaire.

C'était donc lui, l'amant de ma mère. Un secret qu'elle a gardé pendant toutes ces années par pur devoir conjugal.

— Vous savez, je dis, je suis contente de connaître enfin la vérité. De savoir qui était Lars. Je ne sais pas comment ils ont commencé à se fréquenter, ni pourquoi leur relation a pris fin, ni ce qu'il ressentait pour elle, mais au moins je sais qui c'était.

— Moi, je trouve ça courageux de la part de grand-mère, affirme Emma. Sa sœur est une vraie mégère.

Ma mère avait sans doute de bonnes raisons de faire ce qu'elle a fait, je me dis avant de m'adosser à la banquette pour laisser les discussions reprendre leur cours autour de moi.

Une soirée tout à fait ordinaire au Réchaud à alcool.

415

Le lendemain, quand j'accompagne Emma au car, je sens que je couve un rhume.

C'est la seule explication que je trouve à mon état. J'attends à côté d'elle devant l'arrêt, entourée de quelques jeunes mères fatiguées avec des poussettes.

Lorsque le car arrive enfin, les mères s'activent pour résoudre la logistique concernant l'ordre de passage des poussettes. Je ne me propose même pas de les aider. Impossible de rassembler suffisamment d'énergie. Emma s'en charge, puis elle ressort du car pour venir me serrer dans ses bras. Même si, à ce stade, je suis déjà trempée par la pluie qui tombe à verse.

— Tu es sûre que tu ne veux pas que je reste? me demande-t-elle encore une fois, comme la personne au grand cœur qu'elle est. Je peux m'occuper de mon exposé plus tard. Là-bas tout le monde s'en fout.

— Je m'en sortirai, je la rassure.

Après un petit moment d'hésitation, elle grimpe dans le car avec les derniers voyageurs.

Lorsque le car s'éloigne, je sens l'odeur de laine mouillée se mélanger à celle des gaz d'échappement.

Voilà. Je suis enfin seule. Ça fait du bien. Je peux arrêter de sourire.

Quand je me remets en route, je fais à peine trois pas avant de marcher dans une grosse flaque d'eau. L'eau s'infiltre dans mes chaussures et pénètre lentement dans mes chaussettes.

Génial! Ça n'aurait pas pu être mieux.

Je n'ai pas pensé à prendre une écharpe et des gants. Arrivée chez moi, je suis frigorifiée. Au moins, c'est une sensation, je me dis. Mes cheveux trempés me collent au visage et j'ai les mains et les pieds tout engourdis.

J'enlève mes vêtements et je me glisse dans mon lit bien qu'il soit à peine trois heures de l'après-midi. Je remonte la couverture jusqu'au nez et je reste allongée comme ça à fixer l'obscurité. J'ai des choses à faire mais je me sens incapable de bouger. Finalement je me lève pour me préparer un café.

Ça doit être un gros rhume, je me dis. Ou la grippe. Je me sens fatiguée et j'ai des courbatures. De temps en temps, mes yeux se remplissent de larmes, comme si je m'apprêtais à éternuer. Mon reflet dans la fenêtre de la cuisine me montre un visage blafard. J'ai une tête affreuse.

J'emporte ma tasse dans le lit. Chaque pas me demande un effort surhumain. Je me sens comme une petite vieille. Lente, hésitante, abattue. Qu'est-ce que je vais faire de ma vie maintenant?

Lorsque je me réveille le lendemain matin, je n'ai même pas de fièvre, mais je manque toujours autant de tonus.

Assise sur le bord de mon lit, je regarde le jour se lever. Sept heures et demie. Il fait encore sombre. Ça me convient. Étrangement, je suis toujours aussi fatiguée. La voix dans ma tête qui avait l'habitude de me secouer en me disant de me ressaisir, d'agir, d'être une bonne mère, une bonne fille, et ainsi de suite, me propose vaguement de m'habiller. Éventuellement de prendre une douche. Peut-être aussi de quitter mon lit.

Même elle n'a pas l'air en forme.

J'attrape mon ordinateur et je m'assois, le dos bien droit et la couverture remontée sur les jambes. Exactement comme ma mère dans sa chambre à la maison de retraite. Jusqu'à ce que je sois submergée par la fatigue et que je m'enfonce de nouveau dans mon lit.

Il est onze heures et je suis toujours allongée le regard dans le vide. Je suis recroquevillée, en position fœtale, tournée vers la table de chevet, et je vois l'écran de l'ordinateur s'assombrir progressivement puis se mettre en veille. Parfois je tends le bras pour

417

appuyer sur une touche. Spotify réapparaît jusqu'à ce que l'écran s'assombrisse et se mette de nouveau en veille.

Je me retourne sur le dos et je contemple le plafond. Par la fenêtre j'entrevois un bout de ciel et je regrette d'avoir remonté le store. Mais il est trop tard pour y remédier.

Le lendemain de l'enterrement, je n'ai pas pensé à ma mère. Je n'ai pensé à rien.

Aujourd'hui, je me teste en me faisant différentes propositions. Comme celle de me préparer du café ou de prendre une douche. Pas plus de réaction qu'un animal mort qu'on titillerait avec un bâton. C'est sans aucun espoir.

Je me demande ce qui se passerait si je ne me levais plus jamais. Ce n'est pas une pensée sérieuse. Bien sûr. Demain je retournerai au travail et je vérifierai que Pia n'a pas besoin d'aide. Tôt ou tard, j'aurai suffisamment de choses à faire pour réussir à tenir debout.

Ça va s'arranger. Ma vie va de nouveau être une suite interminable de jours avec des devoirs et des obligations à gérer.

Le ciel est turquoise mais le soleil est en train de décliner. Les arbres devant le balcon sont inondés par la lumière chaude de la fin de journée tandis que ceux dans la rue sont déjà plongés dans l'obscurité. Lorsque je me traîne dehors pour fumer une clope, je sens l'air frais me chatouiller les narines. Ça ne réussit pas à me stimuler assez pour quitter mon appartement.

J'écoute Sarah McLachlan et Elvis Presley et je commence progressivement à me convaincre de me ressaisir.

Mais pour faire quoi ? Je repousse l'idée de prendre une douche ou de m'habiller, comme la voix dans ma tête me le suggère.

J'ignore le sms que Pia m'envoie. Je retourne dans mon lit. Je m'allonge sur le dos en refusant d'écouter les protestations de mon corps qui n'en peut plus de rester immobile.

Quand Emma appelle, je réponds, bien sûr.

Sa voix est sombre et forcée. Comme si elle avait pleuré ou qu'elle était sur le point de le faire. Je me relève, inquiète.

— Ma chérie. Qu'est-ce qui s'est passé?

Elle reste silencieuse. Je n'aurais peut-être pas dû poser la question aussi directement.

— Tu sais, le gars dont je t'ai parlé? Fredrik.

— Le Ringard? je réponds, ce qui la fait vaguement rire.

— C'est un sale con. Je le déteste.

— Mhm, je réponds en me débarrassant de ma couverture et en me levant. Bien sûr que c'est un con.

— En fait, le problème, c'est que tout le monde l'apprécie. Au début il était le seul à dire des choses pas sympas sur moi, mais maintenant tout le monde s'y est mis. Ça ne devrait pas me toucher mais ça le fait.

Attends!

— Emma, je dis sur un ton grave. Tu essaies de me dire que tu es victime de harcèlement?

Je m'en veux aussitôt d'avoir prononcé ce mot. Il reste suspendu entre nous, impossible à récupérer.

Harcelée. Chaque fois qu'Emma a changé de classe ou d'école, je me suis inquiétée pour ça. Quand j'ai enfin compris qu'Emma était très sociable et pouvait diriger ses millions d'amis d'un simple haussement de sourcils, j'ai commencé à craindre, à la place, qu'elle aille trop loin dans le sens inverse. Qu'elle devienne le genre de personne qui est obligée de mentir pour ne pas avoir à admettre que c'est elle qui harcèle. Mais ça n'a jamais été le cas non plus. Elle a toujours été sociable, sympa avec les autres et ne fréquentait pas uniquement les plus populaires de sa classe.

Pourquoi serait-elle brimée à la fac? Si quelqu'un ose la toucher, je le poursuivrai avec un sécateur.

— Ne sois pas idiote, me répond-elle, embarrassée. Ça n'a rien à voir avec du harcèlement. Ils sont juste complètement stupides.

— Qu'est-ce qu'ils font?

— Pff, des commentaires, c'est tout… Hier, j'ai oublié de me déconnecter de ma boîte mail et ils en ont profité pour envoyer une série de mails débiles en mon nom.

— Débiles? je répète en essayant de prendre une voix calme et posée.

J'essaie de me souvenir des conseils que donnaient SOS-Harcèlement-Scolaire pour un enfant qui en était victime. Mais ça remonte à plus de dix ans… Je me rassois sur le lit et j'attrape rapidement mon ordinateur. Je tape d'abord «harcèlement» puis j'ai une idée de génie et j'ajoute «adulte».

J'ai 13 800 résultats en 0,12 seconde.

Une recherche montre qu'une personne sur dix déclare avoir été harcelée au travail.

— Tout va bien, maman, essaie-t-elle de me rassurer. Normalement, je ne les écouterais même pas. Je veux dire, je n'aime pas ces gens-là. C'est juste une bande de péquenauds sans intérêt.

Ce n'est pas le moment de lui rappeler que Skogahammar n'est pas ce qu'on pourrait appeler une mégalopole.

— Des péquenauds sans intérêt, je grommelle tout en continuant à lire ce que mon ordinateur propose.

Ce que je vois n'est pas très encourageant.

— C'est juste qu'ils sont difficiles à éviter. Le soir ça va mieux, j'ai quand même quelques amis dans les autres classes qui sont sympas. Je ne suis pas totalement seule et exclue, si c'est ça que tu croyais.

— Bien sûr que je ne croyais pas ça, je réponds.

— Mais ici on a des vraies journées de cours. Pas comme dans les autres formations où ils n'ont que quelques cours par semaine. Du coup c'est… chiant.

Je sens la panique monter en moi. Je me racle violemment la gorge pour tenter de l'évacuer.

— Depuis combien de temps c'est comme ça ? je dis d'une voix que je veux la plus neutre possible.

— Ça a commencé quand j'ai quitté Fredrik. C'était il y a quelques semaines. Mais je t'assure que tout va bien, maman.

Je rougis et pâlis en même temps. *Des semaines.*

Je devrais être à ses côtés. Jamais je n'aurais dû la laisser partir. J'aurais dû l'accompagner, m'installer là-bas en cachette. Faire n'importe quoi mais pas la laisser seule.

— Tu veux que je vienne te voir ? je demande.

Ma proposition la fait rire, ce qui me soulage un peu.

— Qu'est-ce que tu voudrais faire, maman ? Venir ici avec une arme et les menacer ?

Son commentaire ne devrait pas me donner des idées…

Le sentiment de culpabilité me donne suffisamment d'énergie pour quitter mon lit. Je regarde avec envie mon oreiller et ma couette mais je sais qu'il est grand temps que je me ressaisisse. Je me traîne jusqu'à la douche. Je ne suis pas plus en forme quand j'en sors.

Aussi bien mon corps que ma tête protestent contre les efforts que je déploie. Mais quand je me sens replonger dans mon apathie, je me dis *Tu es une mauvaise mère, Emma a besoin de toi* puis je vais me préparer un café.

C'est aussi l'instinct maternel qui me fait attraper mon portable et vérifier dans mes contacts que j'ai bien le numéro que je cherche. Il faut que je le fasse. Je dois le faire. Je le fais.

— Bonjour, je dis, je ne sais pas si tu te souviens de moi, on s'est rencontrés il y a environ un mois, je m'appelle Anita, je suis une amie de Lukas.

— Bien sûr que je me souviens de toi, répond Rolf. Comment tu vas ?

— J'ai un petit problème.

— Ah bon ?

J'entends qu'il est dans l'expectative mais sa voix reste aimable.

— Je ne sais pas si je te l'ai dit mais j'ai une fille de dix-neuf ans qui vient de s'installer à Karlskrona. Elle va à l'université de Blekinge et a un problème avec un garçon qui la harcèle. À la fac !

— Euh, oui ? Et qu'est-ce que tu veux que je fasse contre ça ?

— Lui faire peur, bien sûr ! J'ai besoin d'une bande de bikers.

Rolf reste silencieux. Je ramasse les verres et les tasses que j'ai éparpillés dans la maison pendant le week-end.

— Tu es sûre que tu ne pourrais pas appeler quelqu'un d'autre à la place ? Des amis peut-être ?

— Qu'est-ce que tu veux qu'ils fassent ? Je ne dis pas que tu dois lui flanquer une raclée.

— Tant mieux. Parce que c'est illégal.

Je ne tiens pas compte de son commentaire et attrape mon ordinateur pour essayer de trouver un plan B. Bon, j'avais cru qu'on s'était mieux entendus que ça, lui et moi.

— Je me disais juste que tu pouvais faire un tour là-bas avec quelques potes. Traîner autour d'Emma et envoyer des regards menaçants à l'autre con. Ça ne te prendrait que quelques heures et je te paierais pour le déplacement, bien sûr.

— Ce n'est pas une question d'argent, répond-il. Et ça me semble toujours aussi illégal. C'est presque une menace !

— Bien sûr que c'est une menace ! Mais pas une menace illégale. Ce n'est pas comme si je pointais un sécateur sous le nez de quelqu'un, par exemple ! Ça, ce serait illégal !

— Euh… tu me menaces, là ?

Honnêtement, je ne le pensais pas aussi mollasson.

— Ne sois pas bête, je lui réponds. Je pensais qu'on était amis.

— Oui… euh… si, mais…

— Je suis une mère célibataire, merde ! Ça fait vingt ans que je me bats comme une acharnée pour que ma fille se fasse une place dans la vie sans trop d'égratignures. Et il suffit que je tourne la tête deux secondes et que je me divertisse avec un jeune… enfin, un peu, et voilà que se pointe un petit con pour tout détruire. Emma est une fille formidable. Le seul effort que ça vous demanderait c'est de donner quelques heures de votre temps si précieux et de l'aider. Vois ça comme une contribution à la société. Un bon RP.

— Faire peur à un pauvre petit étudiant ?

— Il fait des études d'urbanisme. Il deviendra une sorte de bureaucrate à la con.

— Hm, hésite-t-il.

— Tu es sûr que l'argent ne compte pas ? Parce que je peux payer.

Sans réponse de sa part, je hausse les épaules et j'ajoute :

— Je suppose que je vais devoir appeler les Hells Angels à la place. Ils ont un site. Apparemment il y a un club local à proximité de Karlskrona.

— Anita, je ne crois pas que ce soit une bonne idée…

— Tu m'aides oui ou non ? Parce que sinon, je ne pourrai pas faire autrement que de trouver une autre bande de bikers.

45

Emma m'appelle quelques jours plus tard. Elle rit tellement que j'ai du mal à entendre ce qu'elle me dit.

Elle finit par se calmer, respire plusieurs fois et me demande :

— T'as envoyé une bande de bikers faire peur à Fredrik ?

— C'est la seule chose que j'aie trouvée, je me défends.

— Maman, je t'aime, rit-elle de nouveau. Ils ont été géniaux. Deux gars d'environ vingt-cinq ans et un homme immense avec de très gentils yeux. Ils avaient toute la panoplie : du cuir de la tête aux pieds. Ils sont tout de suite venus me saluer de ta part. L'un d'eux m'a demandé qui était le Petit Con et après ils sont allés tourner autour de Fredrik pendant un bon quart d'heure. Ils m'ont aussi parlé de toi.

— Qu'est-ce qu'ils ont dit ? je demande, méfiante.

— Que tu étais… intéressante, répond-elle.

— Hmpf.

— T'es géniale. Tout le reste de la journée, je peux te dire que l'ambiance était tendue. Le directeur est même venu me voir pour me demander ce qu'ils voulaient.

Aïe. Je n'avais pas pensé que ça irait si loin.

— Je lui ai expliqué que c'était juste des amis de ma mère et que tu leur avais demandé de me passer le bonjour vu qu'ils étaient dans le coin. Alors, quand est-ce que tu reprends tes cours de moto ? Tu feras partie des Hells Angels quand tu auras ton permis ?

— J'ai décidé d'arrêter. Il est grand temps que je devienne adulte.

— Pourquoi tu voudrais être adulte ? Crois-moi, t'as pas besoin de l'être, rit-elle de nouveau. Un des gars était d'ailleurs plutôt mignon. Je comprends pourquoi tu aimes les bikers.

Mon Dieu, qu'est-ce que j'ai fait ?

Elle marque une pause, semble hésiter avant de poursuivre :

— C'est génial ce que tu as fait, maman. Mais à l'avenir, je préférerais que tu me laisses gérer mes problèmes toute seule. Je suis adulte. Tu ne vas pas pouvoir envoyer une bande de bikers chaque fois qu'un ex se comporte mal avec moi.

— Bien sûr que non, j'admets. Rolf n'a pas le temps de faire peur à chaque Ringard que tu fréquentes.

La prochaine fois il faudra que je trouve autre chose, je me dis en raccrochant.

Ça fait très longtemps que je n'ai pas regardé la vie avec autant de lucidité. Je me souviens de la sensation enivrante de rouler sur les routes à moto. De l'excitation. Mais aujourd'hui je prends ça pour ce que c'est.

C'est exactement le même mécanisme qu'avec les autres drogues. Les premiers temps on a l'impression de vivre plus intensément, puis on se rend compte que la liberté qu'on croyait réelle est en fait fabriquée, artificielle. La vie réelle, la vraie liberté ce sont mes amis, ma fille, et être là pour les proches.

Le désir de vitesse que je ressens parfois n'est qu'une réaction physique à une dépendance qui n'aurait jamais dû se créer. Dès que j'ai réalisé ça, j'aurais dû comprendre que ce serait malsain.

Je ne me suis concentrée que sur des plaisirs à court terme au lieu d'être là pour Emma et Pia.

Non, le vrai bonheur c'est d'être adulte et de l'accepter. Voilà à quoi je pense quand je découvre dans le journal une annonce de la maison communale qui recrute un responsable de la vie associative. Un vrai poste avec un champ d'activités incluant la vie sportive et les associations ainsi qu'un focus sur les grandes manifestations de la ville.

J'appelle aussitôt Anna Maria pour lui demander si je suis assez qualifiée pour postuler. Une nouvelle confiance en moi me guide. J'ai enfin compris quelles étaient mes priorités dans la vie. Je suis enfin sûre de moi.

— Qualifiée? répète Anna Maria. Bien sûr que tu l'es. Mais tu as vraiment envie de travailler à la maison communale? C'est vrai qu'ici aussi nous aurions besoin de vitesse et d'un souffle nouveau.

— Je ne fais plus ce genre de choses, je rétorque.

Anna Maria glousse.

— Tu serais par exemple chargée de la musique à la fête de Noël. Mais ce n'est pas moi qui t'embaucherai. Ce n'est pas mon service. Bien sûr que tu dois postuler.

Ce que je fais. Je travaille en secret à ma candidature. Si je n'obtiens pas le poste, ce n'est pas grave, et si je l'obtiens, j'aurai tout le temps d'en parler à Pia, à Petit-Roger et aux autres d'Extra-Market. J'essaie de me remémorer ce qu'est une équipe de projet. Je demande une lettre de recommandation aux Dames de la Culture — le même document signé par les trois — ainsi qu'au club de foot et aux scouts. Tous le font en promettant de garder le secret.

Puis j'envoie ma candidature. Même si je n'ai pas le poste, je m'en sortirai. J'ai enfin compris ce qui est important dans la vie.

Je m'appelle Anita Grankvist, j'ai trente-huit ans, je suis une mère célibataire, j'ai une fille qui a parfois encore besoin de mon aide, j'habite à Skogahammar et je vais peut-être travailler à Extra-Market jusqu'à la fin de ma vie. C'est tout.

Et c'est déjà bien assez.

Mais il y a encore une chose que je dois faire. J'attrape mon portable et je parcours mes contacts.

Arrive un moment où il faut regarder la réalité en face et reconnaître qu'on n'a plus dix-sept ans, qu'on est maintenant adulte, mûre et responsable des gens qui nous entourent. Le plus important dans la vie c'est ça. Pas les motos, les amants et les promesses en l'air.

J'appelle Joakim, le fils aîné de Pia.

— Allez rendre visite à votre mère, je lui dis. Apportez-lui une cartouche de cigarettes, du vin rouge et une bouteille de whisky. Et restez avec elle jusqu'à ce qu'elle vous raconte.

— Qu'elle nous raconte quoi ?

— Des clopes, du vin rouge et du whisky, je récapitule avant d'ajouter : et pour une fois, gardez votre linge sale chez vous. Apportez aussi un bouquet de fleurs et peut-être des chocolats. Et aussi une carte sur laquelle vous écrivez que vous l'aimez et qu'il ne faut pas qu'elle soit stupide. Et si vous sentez que vous avez envie de casser quelque chose, ne vous retenez surtout pas. Si vous arrivez à lui faire casser quelque chose aussi, c'est encore mieux. Ses horribles géraniums rouges, par exemple.

Voilà. Ça devrait la faire craquer.

46

Quelques jours plus tard, je passe un entretien avec le responsable de la vie associative actuel et sa chef.

Le responsable de la vie associative est un homme d'une cinquantaine d'années qui me fait penser à un entraîneur de foot pour les poussins. Sa bonne humeur est communicative mais son discours manque de substance.

La chef est une jeune femme qui semble tout juste sortie du lycée mais qui bouge avec l'assurance d'une dirigeante expérimentée et compétente.

Je me surprends à imaginer un gros bouton rouge sur son nez. Quelque chose qui puisse la rendre moins parfaite. Elle n'en a pas, bien sûr.

Elle tient mon CV soigneusement rangé dans une pochette transparente.

— On vous a offert un café ? me demande-t-elle, tenant à montrer qu'elle est également sympathique.

Elle parle vite, comme si elle était débordée et incroyablement efficace.

— Oui, je réponds. Merci.

Le responsable de la vie associative hoche la tête en me souriant. C'est lui qui m'a proposé le café. Je n'ai pas pu refuser. Je me retrouve donc avec un sac à dos dont la bretelle droite n'arrête pas de glisser sur mon épaule et un gobelet en plastique rempli à ras bord dans la main gauche. J'ai mis ma veste de comptable. Un bon choix : la femme porte aussi une veste, visiblement plus chère et mieux coupée que la mienne. Et l'homme un veston trop petit.

La chef me fait rapidement monter deux étages, passer plusieurs portes jusqu'à une petite salle de réunion. Les murs sont blancs et les meubles en chêne clair. Sur un côté, il y a un tableau blanc tout neuf. Je repasse dans ma tête la signification d'un groupe de pilotage, d'un secteur associatif, de la société civile et du tiers secteur. J'ai tout googlé.

Je réussis à éviter de renverser mon café jusqu'au moment où, comme je retiens la porte de la salle avec mon coude, mon sac à dos glisse le long de mon bras. Je ne crois pas qu'elle le remarque. La tache sur mon pantalon est toute petite.

— Vous voulez que j'aille vous chercher une serviette ? propose l'homme.

— Non, non. Ce n'est pas nécessaire.

Le responsable de la vie associative me sourit de nouveau avant de regarder la femme.

— Bon, commence-t-elle. J'ai regardé votre candidature. Au niveau de l'expérience professionnelle, votre CV n'est pas des plus convaincants.

Je soupçonne que mon emploi à Extra-Market n'est pas très valorisant à ses yeux. Elle ne me pose pas de questions sur la structuration des associations ni sur la différence entre société civile et secteur associatif. Ma préparation ne m'aide donc pas.

— Anna Maria m'a quand même demandé de vous rencontrer, mais la décision finale m'appartient.

Elle le dit avec une telle assurance que je la crois. Je me demande aussitôt si les deux femmes ne sont pas en conflit et si c'était une bonne chose d'avoir parlé avec Anna Maria.

429

Mais je veux le poste !

— Et mes lettres de recommandation ? je demande. J'ai réussi à réunir les trois Sorcières de la Culture dans la même pièce. Et ça, à plusieurs reprises !

Le responsable de la vie associative semble impressionné. En revanche, la femme se contente de me jeter un regard interrogatif.

— Les Sorcières de la Culture ? répète-t-elle sur un ton sec. Nous cherchons quelqu'un avec plus d'expérience, poursuit-elle. Avec des qualifications disons un peu plus… formelles.

— Je pensais que vous cherchiez quelqu'un qui soit capable de faire du bon travail. Et moi je le suis.

La femme me fait un vague sourire.

— D'accord. Examinons les exigences du poste. Le registre des associations…, commence-t-elle.

— À besoin d'être remis à jour, je l'interromps.

Je fouille dans mon sac à dos et je lui tends une feuille.

— Voici la liste des associations dont les données ne correspondent plus à la réalité. J'ai actualisé quelques-unes d'entre elles. D'autres ne sont plus actives. Celle du Border Collie, par exemple, a toujours une représentante mais son activité est à présent très limitée. Je ne pense pas que l'association vivra encore très longtemps.

— Oh, s'exclame le responsable de la vie associative. J'avais prévu de m'occuper de ça.

La femme me regarde droit dans les yeux.

— Quelles sont vos connaissances concernant la vie associative de Skogahammar ?

— J'ai été en contact avec la plupart des associations, j'en connais beaucoup personnellement et j'ai collaboré avec la majorité d'entre elles.

— Nous essayons de mettre en place des manifestations plus importantes, des actions qui dynamisent la ville.

— J'ai organisé la Journée de la Ville. Je suis prête à le refaire, mais cette fois-ci du côté de la commune. J'ai aussi mis en place un groupe de travail avec des représentants d'associations. Je maîtrise tout le côté pratique, et je sais faire en sorte que les idées se concrétisent.

Pour mettre toutes les chances de mon côté, j'explique aussi ce qu'est une équipe de projet.

Tous les deux semblent très impressionnés.

— Je vous tiendrai au courant, conclut la femme.

Une semaine plus tard, Nesrin, Pia et moi nous retrouvons au Réchaud à alcool. Nesrin porte toujours son pantalon Extra-Market. Je joue avec le dessous-de-verre de ma bière sans même le remarquer. Je suis bien trop préoccupée par la nouvelle que je vais leur annoncer. Il y a deux jours, un cadre intermédiaire m'a appelée pour me dire que j'avais le poste. Je commence dans deux semaines. Depuis, la seule chose à laquelle je pense c'est comment annoncer ça à Pia. Au travail je suis même devenue nostalgique. Tout est soudain plus agréable quand on sait qu'on ne fera bientôt plus partie du paysage.

— J'ai un nouveau travail, je m'empresse de déclarer à Pia dès qu'elle est installée en face de moi avec sa bière. Je vais m'occuper des associations à la maison communale.

Pia me dévisage, visiblement choquée.

— Quoi ? s'exclame-t-elle.

— C'est grâce à toi, je dis. Tu avais raison. Il est grand temps d'accepter la vie telle qu'elle est et d'être réaliste. D'être adulte, quoi. Arrêter de faire des conneries et miser sur un nouveau boulot. Je vais travailler, être une bonne mère, fumer comme un pompier et fréquenter mon amie cynique et amère.

— Je ne t'ai jamais dit de devenir une bureaucrate communale, s'offusque-t-elle.

431

Mais si, c'est bien ce qu'elle a fait. Elle n'en était pas consciente, c'est tout. Je la scrute discrètement en attendant sa deuxième réaction, une fois le choc passé.

— Les gars sont venus me rendre visite hier, dit-elle avec un sourire pâle.

— Ah bon ?

— Ils avaient apporté du whisky et ont ruiné tous mes géraniums.

Pia m'est, bien sûr, reconnaissante d'avoir appelé ses fils qui, apparemment, ont pris mes instructions au pied de la lettre.

— Je pense que tu seras une bonne bureaucrate, dit-elle. Mais quand vous serez parties, toutes les deux, je me sentirai bien seule à Extra-Market.

— Je vais encore y rester un petit moment, signale Nesrin.

— Oui, oui, mais quand tu te seras décidée pour un autre boulot, il ne restera plus que Petit-Roger et moi.

— Pas exactement.

Nous regardons Nesrin sans comprendre.

— Vous ne m'avez pas demandé pourquoi je porte toujours mon pantalon Extra-Market ?

— Non, pourquoi ?

— J'ai obtenu le poste de responsable adjoint. J'ai aussi eu une augmentation de salaire.

Pia la regarde, impressionnée.

— Comment t'as réussi ?

— Je l'ai menacé de partir travailler chez le concurrent.

— Dans ce cas, c'est toi qui paies la prochaine tournée, déclare Pia.

47

Dans une perspective évolutionniste, c'est une qualité de ne pas se satisfaire de ce qu'on a. De toujours aller de l'avant, d'en vouloir toujours plus. Pourtant, se satisfaire de ce qu'on a nous procure quand même une certaine liberté. S'autoriser à ne pas toujours se battre, se permettre des sentiments plus doux.

Je commence mon travail à la maison communale et je me familiarise progressivement avec ma nouvelle fonction, ce qui est un bon exemple de ce que je veux dire. À présent, je suis suffisamment à l'aise pour apprécier pleinement un boulot où on peut boire un café quand on le désire.

J'en bois un à onze heures du matin et un autre à trois heures de l'après-midi. Il faut bien quelques routines. Tous les matins j'arrive au travail à neuf heures moins cinq ; à midi je vais manger un sandwich chez Doux Rêves en me demandant ce que Pia et Nesrin font à ce moment-là. À une heure moins cinq, je suis de retour au bureau et à six heures, je rentre chez moi. Et puis ça recommence, selon un rythme calme et agréable. Les autres vont et viennent, vaquent à leurs obligations. Et moi je suis toujours fascinée par mon bureau, mes stylos et mes chemises en plastique. Je suis allée chercher un bloc-notes, un stylo à encre avec le logo de la maison communale, cinq pochettes en plastique vert et une agrafeuse sur l'étagère à côté de la photocopieuse. Ça aussi c'est une nouveauté pour moi : une étagère où on peut prendre tout le matériel dont on a besoin. Le bloc-notes est d'une meilleure qualité que ceux qu'on vend à Extra-Market.

Les premiers temps, je travaille en binôme avec l'ancien responsable de la vie associative. Il s'appelle Ulf et ne vient qu'un jour sur deux. Il me parle vaguement de « conférences » et de « réunions ». Il regarde ses mails sur son ordinateur et lâche parfois des commentaires sur différentes associations. Les après-midi où il est là, nous nous installons dans une salle de réunion pour qu'il me transmette de l'information et des documents. Ulf fait le point sur l'année associative à la maison communale : la période de dépôt des candidatures en février, les camps d'activités d'été, la Journée de la Ville. Le registre des associations doit être actualisé quelque part entre tout ça.

Lorsque Ulf a terminé sa journée, je reste à mon bureau afin de mettre mes notes au propre, les agrafer, les ranger dans une chemise en plastique pendant que les lampes à économie d'énergie s'éteignent les unes après les autres dans l'open space. Finalement j'imagine qu'il ne reste plus qu'Anna Maria et moi dans tout le bâtiment.

Je ne me sens pas seule. Je suis d'ailleurs étonnée de m'en sortir aussi bien. Pia, Nesrin et moi nous retrouvons toujours au Réchaud à alcool et je déjeune assez souvent avec Ann-Britt. Elle a de nouvelles idées pour la prochaine Journée de la Ville. Dorénavant, c'est elle la responsable. De manière informelle. Ce qu'elle accepte tant que Hans dirigera les réunions. Elle ne se sent malheureusement pas capable de prendre en charge la musique. Ce sera donc à moi de trouver une solution. Qui sait, j'arriverai peut-être à faire venir Lasse Berghagen l'année prochaine ? J'ai trouvé d'autres fumeurs à la maison communale — un assistant comptable et deux filles de la réception — et je ne suis donc plus seule à fumer devant l'entrée en tapant des pieds pour essayer de me réchauffer.

Lorsque Noël approche, je me suis déjà acheté quatre vestes. Toutes bon marché et pas particulièrement bien coupées. Mais je me sens organisée et très professionnelle dedans, presque comme si j'appartenais réellement au monde des fonctionnaires.

Ma vie est remplie de routines du quotidien. Ce que je détestais quand Emma était encore à la maison et qui me convient aujourd'hui tout à fait. Au moins, ça occupe mes journées. Quand je suis dehors, le vent et la neige emportent avec eux toutes mes pensées noires. Pendant mes trajets pour me rendre au travail ou en revenir, la neige et la glace obligent mon corps à se concentrer sur chacun de mes mouvements.

C'est lors de ces promenades qu'il m'arrive de penser à ma mère. Pas consciemment. Plutôt comme quand le cerveau n'est pas concentré sur quelque chose de précis et qu'il laisse libre cours aux pensées. Maintenant que j'ai perdu mes deux parents, je suis forcée d'accepter que je suis adulte. Chaque année je serai un peu plus vieille et un peu plus seule. Emma finira par construire sa propre vie.

C'est bien. C'est comme ça doit être.

Et lorsque Noël arrive, Emma rentre. Normalement, je ne peux pas encore prétendre à des jours de congé mais Anna Maria me propose de travailler « de la maison » et de revenir le 2 janvier. Ce que je fais, non sans mauvaise conscience. Mais je me rassure en repensant à toutes ces soirées où j'ai fait des heures supplémentaires au travail. Emma et moi passons nos quelques jours de vacances à préparer un jambon de Noël bien trop gros et à visionner des films sentimentaux où il neige en Californie et qui se terminent par un happy end pour tous les amoureux.

Emma passe le Nouvel An chez une amie qui a organisé une fête. Pia et moi le célébrons chez moi. Pia ne croit pas en la nouvelle année mais elle croit en l'importance de se débarrasser de celle qui se termine. Après ce que nous venons de vivre, je suis d'accord avec elle. Nous trinquons avec nos verres de mousseux à quatre heures de l'après-midi. Et à cinq heures nous sommes confortablement installées sur mon canapé, agréablement pompettes.

— Tu sais, je lui dis quand nous fumons une clope sur le balcon et que nos joues rougissent sous l'effet de l'alcool et du froid, j'ai confiance en l'année qui arrive. Elle sera bien meilleure.

— Ça n'est pas difficile, rétorque Pia, vu que j'ai eu un cancer et que ta mère est morte.

Ses derniers examens sont très encourageants. Le cancer est vaincu. Définitivement, espérons-le.

— Une année calme, je poursuis. Agréable. On va travailler et apprécier la vie.

— Putain, si tu prononces encore une fois le mot « travailler », je te frappe avec ça, dit-elle en agitant la bouteille de vin pétillant. Quand on l'aura terminée, bien sûr.

— Mais c'est quand même ce que je vais faire. Une année paisible et prévisible ! Voilà comment elle sera !

— Bonne chance, grommelle Pia. Un peu d'alcool ?

Quand Emma repart, je vis sur les restes du jambon de Noël pendant toute la semaine. Je prépare un sauté de jambon et pommes de terre, des pâtes à la carbonara, une pizza au jambon, une salade avec dés de jambon et de fromage. Au mois de janvier, mes journées se remplissent de nouveau de travail. Je fais ma promenade quotidienne jusqu'à la maison communale en luttant contre le froid et le vent. Je me réjouis de mon travail, des coups de fil d'Emma, d'un beau lever de soleil et de la neige qui pèse sur les branches sombres des arbres.

Un jour, je déjeune avec un collègue de l'urbanisme dans une tentative de comprendre le futur métier d'Emma. Lorsque nous passons devant le kebab, j'aperçois une des voitures rouges de l'auto-moto-école de Skogahammar. Je m'arrête et la suis du regard jusqu'au feu rouge où elle cale.

— Qu'est-ce qu'il y a? me demande mon collègue.

Je secoue la tête tout en repensant à ma crise de la quarantaine et à cette formidable idée que j'ai eue de vouloir passer mon permis moto.

— Rien, je lui réponds.

48

Fin mars, une série de signes étranges se produit. Je ne sais pas comment les interpréter.

Soudain je reçois un numéro de *Moto Magazine* accompagné d'une lettre me remerciant de m'être abonnée. Je suppose que c'est une sorte de campagne de pub et je le jette avant d'être tentée.

Deux jours plus tard, je trouve un avis de passage de la poste et, lorsque je vais récupérer le colis, il se révèle qu'il contient des gants de moto. Puis arrive une écharpe. Rose avec des petites têtes de mort noires. Elle est si fine qu'elle tient dans une enveloppe. Mais il n'y a pas le nom de l'expéditeur.

J'ignore qui s'évertue à m'envoyer ces accessoires de moto. Il est possible qu'une partie de moi se dise inconsciemment que c'est Lukas, puisque je n'en parle ni à Pia ni à Emma. Je cache l'écharpe et les gants dans l'arrière-cuisine.

Dehors, la neige est en train de fondre. Chaque jour, des plaques de plus en plus grandes d'herbe brunâtre se libèrent de la couverture blanche hivernale.

C'est le printemps. Soudain, *ils* surgissent sans prévenir dans le paysage. Les premiers fous à moto. Ils se lancent sur les routes bien que celles-ci soient encore bordées de congères et qu'il fasse suffisamment froid pour que le sol soit verglacé le matin.

Ces motards frigorifiés sont le signe ultime de l'arrivée du printemps. Je ne comprends pas comment j'ai pu faire pour ne jamais l'avoir remarqué.

Ces prémices d'une nouvelle saison qui arrive me troublent. Et bientôt ce sera l'été. Et ensuite l'automne. Et finalement l'hiver. Puis ça recommencera jusqu'à ce que je ne sois plus là pour le voir. Je me tiens de nouveau sur mon balcon afin de contempler l'autoroute au loin. Et aussi les motos. Je me demande quelle est leur destination et où je me rendrais si j'avais mon permis.

Saletés de journaux de moto qui continuent à arriver dans ma boîte aux lettres.

Ingeborg de la moto-école m'appelle un jour pour me dire qu'elle est contente que j'aie changé d'avis et que je sois de retour chez eux.

En entendant sa voix, je ne peux pas m'empêcher de sourire mais je suis quand même étonnée de ce que j'apprends.

— Changé d'avis ? je répète.

— Tu as bien réservé cinq cours, non ? me dit-elle.

Je ne peux pas croire qu'elle essaie de m'embobiner. Elle a toujours été très sympa. Il doit y avoir une erreur.

— Je n'ai pas réservé de cours, je lui réponds. Et si je l'ai fait, je les annule tout de suite. Je n'ai pas l'intention de les payer.

Mon ton est décidé sans pour autant être désagréable. Je connais leurs règles. Si on annule avant midi la veille, on ne paie pas.

— Ils sont déjà payés, m'apprend-elle. Tu es certaine de vouloir les annuler ?

— Ils sont payés ? Mais je n'ai jamais réservé de cours. Je ne comprends plus rien.

— Ils ont été payés comptant. Cinq cours. Je suppose que c'est à toi qu'il va falloir rendre l'argent. Mais je ne sais pas comment procéder si tu me dis que tu ne les as pas payés. Est-ce qu'on te rembourse en liquide ou est-ce qu'on te fait un virement ? Je

439

vais me renseigner auprès de la direction pour savoir quel est le meilleur moyen.

— Oui, fais ça, je lui réponds d'une voix ferme.

Mais qu'est-ce qui se trame?

Emma et Pia sont assises en face de moi au Réchaud à alcool. On est vendredi soir et Emma est revenue passer le week-end à la maison. Pour une raison que j'ignore, elles ont demandé à me voir en me disant qu'elles avaient quelque chose d'important à me dire. Je n'ai pas eu le choix.

— On aimerait te parler, déclare Pia.

J'ai l'impression d'être une alcoolique que ses proches ont décidé de prendre en main. Je jette un œil autour de moi.

— Vous êtes sûres que c'est le bon endroit? je demande.

— En tant que proches, poursuit Pia, nous voulons que tu saches que nous faisons ça parce que nous nous soucions de toi.

Je leur jette un regard méfiant.

Emma hoche la tête avec enthousiasme.

— Ça fait trop longtemps que ça dure, déclare Pia.

— C'est pour ton bien, ajoute Emma.

— Comment ça pour mon bien?

Je fais un signe désespéré à Felicia pour qu'elle m'apporte une bière. Si on doit entrer dans ce genre de discussion, autant que je me mette en condition.

— Tu es devenue trop chiante, déclare Pia.

— Depuis quelque temps, on a l'impression que tu ne vis plus, explique Emma.

— Vivre! Ça fait des mois que toute vie autour d'elle a pris la fuite! surenchérit Pia.

— Attendez, je dis. C'est vous qui m'avez envoyé les gants de moto, qui m'avez abonnée…?

— Et aussi réservé des cours de moto, sourit Pia, fière d'elle.

— On pensait que tu comprendrais le message et que tu réagirais, dit Emma. Mais ça n'a eu aucun effet. Si on n'avait pas prix rendez-vous avec toi aujourd'hui, ça aurait continué comme ça pendant une éternité, n'est-ce pas ?

— Mais tout va bien pour moi ! J'ai un nouveau travail. Je…

— Exactement. Tu es fonctionnaire à la maison communale.

— J'aime bien être chiante…, je dis avant de me corriger : adulte.

— Maman, tu n'as jamais été adulte de toute ta vie, pourquoi tu commencerais maintenant ?

Parce que c'est plus sécurisant, je pense.

— Parce qu'il était temps, je dis.

Pia me tend un gros paquet enveloppé dans du papier kraft avec une bande adhésive autour.

— C'est moi qui l'ai enveloppé, précise-t-elle.

— Ouvre-le ! s'impatiente Emma.

Le papier est difficile à enlever à cause du scotch. Heureusement qu'il n'y a pas de ficelle en plus.

À l'intérieur je découvre un blouson de motard.

Un superbe blouson en cuir noir avec des broderies en fil doré formant de jolis dessins abstraits sur la poitrine et dans le dos.

— Je suis sûre qu'il va t'aller comme un gant, dit fièrement Pia.

— Tu peux aussi t'en servir au quotidien. On dirait un blouson en cuir normal, ajoute Emma.

— Tu pourras te rendre à tes réunions à moto et garder le blouson sur toi. Si tu veux vraiment continuer à être une fonctionnaire chiante, au moins tu auras l'air cool.

J'en ai les larmes aux yeux. Je vois que toutes les deux font comme si elles ne le remarquaient pas.

— Vous voulez que je reprenne des cours de moto, c'est ça ? je demande.

— Oui, confirme Emma.

Pia me regarde avec nonchalance. Avec trop de nonchalance. Je m'attends au pire.

— T'as des nouvelles de ton petit amant ? lâche-t-elle.

— Le chapitre est clos, je dis avec fermeté.

Peut-être avec trop de fermeté vu que Pia me regarde maintenant d'un air étrange.

— J'ai compris que je n'étais pas bonne en relations, j'explique aussitôt. Une vie passionnante ne me fait pas de bien. En fait, je n'en ai pas besoin. J'ai un nouveau travail, je t'ai toi, j'ai Emma et Nesrin.

— Anita, il faut toujours pimenter sa vie, rétorque Pia. Je sais que ce n'est pas tout à fait ce que je vous ai dit l'autre soir mais…

— Tu avais une bonne raison, j'ajoute.

— N'est-ce pas ? C'est fou ce que les gens vous trouvent des excuses dès que vous leur balancez que vous avez un cancer. Et puis… j'avoue que j'étais un peu jalouse de toi. Je crois que j'avais peur que tu t'enfermes dans ta relation et que tu deviennes le genre de personne qui laisse tomber tous ses amis dès qu'elle rencontre un amant potentiel.

— Jamais je ne ferais ça ! je proteste.

— Je sais, répond Pia. Il y a plus de risques que je te perde dans les affres de l'ennui.

Elle me regarde avec un air qui — si je ne la connaissais pas — pourrait ressembler à de la pitié. Elle reprend :

— Je sais que ta vie te semble plus sécurisante comme ça, mais la sécurité n'est pas quelque chose qu'on choisit. Pourquoi est-ce que ça doit être soit la sécurité, soit la passion ? Tu peux toujours t'efforcer de rendre ta vie la plus chiante possible, et d'ailleurs Dieu sait que tu as bien réussi, ça ne te protégera pas pour autant. Les gens meurent. Les gens ont des cancers. Dieu a le sens de l'humour. Les catastrophes finissent toujours par arriver. La question c'est de savoir si tu as envie de t'amuser avant ou pas et qui tu as envie d'avoir à côté de toi au moment où la catastrophe se produit.

— Je vous ai ! je m'exclame.

— Bien sûr. Mais tu ne nous as pas appelées quand ta mère est morte, n'est-ce pas ?

Ce n'est pas bien de me dire ça. Un frisson me parcourt quand je repense à la manière dont je me suis ridiculisée chez Lukas. Je repense à la fatigue qui s'est ensuivie, aux deux jours que j'ai passés dans mon lit, et à quel point la vie était insupportablement morose sans lui.

Jamais je ne le rappellerai. Même si j'étais certaine qu'il décroche. Même si je pensais que nous arriverions à retrouver notre complicité d'avant. Ce serait encore pire de le perdre au bout de six mois. Au bout de deux ans.

Si je choisis la sécurité, ce n'est pas pour essayer de me protéger de la catastrophe. Même pas de l'ivresse qui m'a fait négliger Emma et Pia. Cette joie saturée d'adrénaline qui faisait que je n'arrivais pas à m'arrêter de sourire et que je passais mon temps à vérifier sur mon portable s'il avait appelé. C'était tout simplement merveilleusement agréable. Non. C'est le temps après qui me fait peur. Celui des contrastes. Que tout ce qui me procurait une telle joie et une telle liberté devienne soudain sans valeur. Que tout ce bouillonnement intérieur se transforme soudain en un néant. Je ne supporterais pas de revivre ça.

Je caresse le cuir souple du blouson.

— Il est superbe, je dis.

— Appelle-le, me lance Pia. Et donne-lui rendez-vous. Si ça ne marche pas, au moins tu auras essayé.

Je reconnais que je ressens toujours une petite pointe de désir quand je pense à lui. Il m'arrive d'imaginer comment ce serait de l'avoir de nouveau auprès de moi. Mais ce n'est que dans mon imagination. Rien d'autre.

Je vois bien qu'elles ne se rendent pas compte de ce qu'elles me demandent. Elles continuent à croire qu'il n'a été question que de sexe entre nous, que ce que j'ai vécu avec lui n'a été qu'un épisode rigolo. Et moi, je vois encore son regard quand il m'a dit à quel point j'étais nulle en relations.

— Je préférerais qu'on s'en tienne aux cours de moto! je déclare.

— Bien sûr qu'on peut commencer par ça, répond Emma. De toute façon, tu croiseras Lukas là-bas. Tu pourras toujours tâter le terrain et voir comment ça se passe entre vous. Prends ton temps.

Je ne crois pas que je supporterais de le croiser à la moto-école. Faire comme si de rien n'était, lui dire bonjour à la réception.

— Je pourrais commencer seulement l'année prochaine, je propose.

Un an serait peut-être suffisant pour que j'arrive à le voir sans perdre mes moyens.

— Appelle-le, me répète impitoyablement Pia. Qu'est-ce que tu as à perdre?

Je me passe les mains sur le visage avant de répondre.

— Je crois… je crois que je suis tombée amoureuse de lui. Au milieu de tout ça. Et ça ne s'est pas très bien terminé. Pas bien du tout, en fait. Le mieux serait donc de s'en tenir aux cours de moto. Avec un autre moniteur.

Emma me dévisage mais Pia ne semble pas surprise le moins du monde.

— Bien sûr que tu es tombée amoureuse de lui. Je le sais depuis le début. Je ne trouvais pas que c'était une très bonne idée mais ce qui est fait est fait. Et pourquoi devrait-on toujours faire des choses intelligentes?

— Mais…, intervient Emma. Pourquoi t'as rien dit? Tu l'étais déjà à la Journée de la Ville?

— Ah! s'écrie Pia. Le problème c'est qu'elle n'écoute pas ses

444

sentiments. Elle s'en est probablement rendu compte bien trop tard.

— Peut-être que je... commençais à avoir quelques sentiments, j'admets.

— Je veux le rencontrer, déclare Emma.

J'avale une grosse gorgée de bière pour me donner du courage avant d'oser leur préciser :

— Je suis peut-être tombée amoureuse de lui mais lui n'est pas vraiment tombé amoureux de moi.

Voilà. Tout est dit.

Emma s'approche de moi pour me caresser la main.

— Je suis désolée, maman, me dit-elle d'une voix douce.

— Il te l'a dit ? demande Pia toujours aussi impitoyable.

On dirait un bouledogue qui mord et qui refuse de lâcher sa prise.

— Le message est passé, je réponds.

— Mais, est-ce qu'il t'a dit : Anita, je ne t'aime pas, tu me laisses indifférent et je préférerais qu'on ne se voie plus.

— Mon Dieu, je m'exclame. Ils ne peuvent pas dire ce genre de choses, quand même ?

Plus jamais je ne fréquenterai de mecs.

— J'interprète donc ça comme un non de ta part. Je trouve que tu devrais l'appeler. Tu l'as charmé une fois. Ça veut dire que tu peux y arriver une deuxième fois.

— En tout cas, à la Journée de la Ville, il avait l'air d'être sous ton charme, renchérit Emma.

— Qu'est-ce que tu as à perdre ?

— Ma dignité. Le peu de paix intérieure que j'ai réussi à me construire.

— Ta dignité. Des conneries tout ça ! me balance Pia. Maintenant écoute-moi : s'il y a quelque chose que je sais c'est que la vie est trop courte pour s'emmerder. Bien sûr que ce serait triste

445

si ça ne marchait pas entre vous, et bien sûr qu'il n'est peut-être plus du tout intéressé par toi ou qu'il est déjà en couple avec quelqu'un d'autre. Mais au moins tu seras fixée. Pour moi la sécurité et la paix intérieure sont des valeurs surestimées!

49

À l'époque où ma mère avait encore toute sa tête, elle allait régulièrement sur la tombe de mon père. Mais plus sa santé mentale s'est dégradée, moins la tombe a été entretenue. Lorsque je m'y suis rendue juste avant les funérailles de ma mère, la tombe était, elle aussi, libérée de toute forme de vie. Pour moi il y avait une sorte de symétrie dans tout ça. J'avais l'impression que mes deux parents avaient, malgré tout, fait le chemin côte à côte et qu'ils allaient enfin se retrouver dans la mort.

Aujourd'hui, la tombe n'est plus désolée ni délaissée. Sur la pierre tombale de mon père se trouve maintenant également le nom de ma mère. Ses lettres et ses dates sont nettes et brillantes en comparaison de celles de mon père. Une abondance de fleurs les cache en partie. Bien que le printemps soit proche, de fins flocons de neige récalcitrants continuent de tomber. Je me demande si Eva va pousser le vice jusqu'à changer les fleurs au gré des caprices du temps.

Ça me semble ridicule d'être là. De son vivant, je n'ai jamais demandé de conseils de vie à ma mère. Je ne comprends pas ce que j'espère en le faisant aujourd'hui alors qu'elle ne peut même plus répondre.

Je jette un œil autour de moi pour m'assurer qu'il n'y a personne à proximité.

— Je pense que, si tu étais encore là, tu serais contente de moi,
je lui chuchote. J'ai un nouveau travail. À la maison communale.
Je suppose que ça t'aurait plu de me voir là-bas, plutôt qu'à ce
vieil Extra-Market.

J'enfonce mes mains dans les poches de mon blouson pour me
réchauffer avant de reprendre :

— Emma s'en sort très bien à la fac. Elle a de nouveaux amis
dans un cours parallèle. Et Pia va beaucoup mieux. Ses blagues
sur la mort me mettent toujours aussi mal à l'aise mais je ne
peux pas lutter contre son cynisme. Elle… elle trouve aussi que je
devrais appeler… euh, un homme que je connais. Ça, tu n'aurais
pas vraiment apprécié, mais tu l'as quand même invité une fois à
boire un café.

Si le paradis existe, je me demande quelle version de ma mère
se trouve là-haut. La femme attachée au devoir, la femme à
l'amant ou la femme à la démence sénile.

— Je ne me suis pas encore décidée, je continue. Je suis à peu
près certaine que ça ne changera rien. Mais je ne peux pas m'empêcher de me dire que je devrais quand même le faire. Je lui dois
bien ça. Il faut que je lui raconte ce que je ressens pour lui. Je veux
qu'il le sache. C'est important pour moi. As-tu dit à Lars ce que
tu ressentais pour lui ? Est-ce que ça aurait changé quelque chose ?

— Non.

Je sursaute.

Eva vient tranquillement s'installer à côté de moi en me faisant
un signe de tête presque amical. Elle tient dans ses mains un
seau en plastique avec trois plantes, une petite pelle, un sachet de
terreau et un arrosoir.

— Elle m'a parlé de lui une fois, me dit-elle d'une voix douce.
À la fin, quand elle était déjà très malade. Tu n'étais pas là et

je ne t'en ai rien dit. C'était exactement comme sa sœur l'avait dépeint. Une histoire brève. Il ne ressentait rien pour elle. Il n'a jamais été question qu'elle quitte son mari pour lui.

— Elle aurait voulu?

— Qui sait? Elle ne m'en a jamais parlé. Mais ça ne l'aurait pas rendue plus heureuse. Elle a fait son devoir, ce qui lui convenait tout à fait.

— Sans doute, j'acquiesce.

— Tu ne lui as jamais ressemblé, me dit-elle.

Je ne suis pas d'humeur à livrer nos anciennes batailles. Mais le ton d'Eva ne semble pas vindicatif.

— Ces dernières années, il y a des moments où je me suis rendu compte que nous avions plus de points communs que je ne pensais, je réponds.

— Tu as raison quand tu dis qu'elle n'aurait pas apprécié ton histoire avec cet homme.

— Depuis combien de temps tu m'écoutes? je lui demande, horrifiée.

Au lieu de répondre, elle s'accroupit et arrache de la tombe une mauvaise herbe à peine visible.

— Ce n'est pas à moi de venir avec des conseils que tu n'écouteras pas, répond-elle.

— C'est fou ce que tu me fais penser à ma mère, je réponds.

— Ta mère était quelqu'un de formidable, dit-elle d'un ton cette fois plus acerbe.

— À ton avis elle m'aurait répondu quoi? je lui demande avec curiosité.

— Ah! Elle t'aurait dit d'arrêter de te rendre ridicule.

Bien sûr. Je n'en attendais pas moins d'elle.

Eva regarde fixement la pierre tombale, soit pour éviter mon regard soit pour essayer de communiquer avec ma mère. Le cimetière est relativement isolé, entouré de bouleaux chétifs aux branchages gris presque transparents de la fin de l'hiver. Au loin, on perçoit le faible bruissement de la circulation.

— En fait, tu es tout son contraire, dit finalement Eva. Mon conseil est donc de faire le contraire de ce qu'elle t'aurait dit.

Voici le top cinq de mes meilleurs moments avec Lukas, tels que je m'en souviens sur le chemin du retour du cimetière.

À la place numéro cinq : quand on était assis sur la moto dans une zone pavillonnaire en train de discuter. J'ignore pourquoi ce premier souvenir me revient.

À la place numéro quatre : le soir où il m'a emmenée regarder l'autoroute, juste pour me remonter le moral, et qu'il avait apporté du café et du chocolat chaud, ne sachant pas ce que j'aimais.

À la place numéro trois : la fois où il est venu sonner à ma porte avec des pizzas et m'a tenu compagnie pendant que je travaillais.

À la place numéro deux : quand on était allongés dans son lit, qu'on discutait et que je me suis confiée à lui à propos d'Emma.

Et pour finir — roulements fatigués de tambour — à la place numéro un : à l'enterrement de ma mère, lorsqu'il est arrivé alors que c'était déjà fini entre nous et qu'il m'avait dit que je ne l'intéressais pas. C'est à ce moment-là que j'ai pris conscience que j'étais amoureuse de lui et que notre histoire était terminée.

C'est ce dernier point qui me fait attraper mon portable, l'appeler et lui laisser un message lui proposant de passer chez moi après le travail. Aujourd'hui. Demain. Ou un autre jour. Quand il voudra.

Bien joué, Anita, je me dis en raccrochant rapidement pour ne pas avoir le temps de me ridiculiser davantage. Mes mains sont toutes moites.

Il fallait que je le fasse. Pas parce que j'espère qu'on se remettra un jour ensemble. Au contraire. Simplement parce que je sais qu'il est déjà trop tard. Parmi les points sur ma liste — qui m'ont aidée à prendre conscience de la bienveillance qu'il m'a témoignée et du peu de chose que je lui ai donné en retour — c'est sa présence à l'enterrement qui m'interdit de hausser les épaules et de tourner la page.

Quoi qu'il se passe, il mérite de savoir ce qu'il signifie pour moi.

50

Ses cheveux sont plus longs.

C'est ma première pensée. La deuxième est qu'il a l'air presque aussi gêné que moi.

Lorsque nous sommes l'un en face de l'autre dans mon entrée, nous ne savons tout d'abord pas quoi faire. J'essaie de ne pas penser aux autres entrées dans lesquelles nous nous sommes déjà retrouvés.

Je l'invite à m'accompagner dans la cuisine. Mes mouvements sont assurés mais je garde une distance prudente. Arrivés sur le seuil, nous nous arrêtons et nous faisons des signes de politesse en invitant l'autre à passer en premier. Finalement c'est moi qui le précède dans la cuisine. Il se trouve sur mon passage quand je vais chercher deux tasses de café. Et quand je remplis la cafetière d'eau, je le bouscule sans faire exprès.

Il porte la même chemise à carreaux rouges que la première fois qu'on s'est vus au Réchaud à alcool. Celle qui met en valeur ses épaules.

La porte du balcon est entrouverte si bien que l'odeur de neige fondue se mêle à celle du café et au parfum de son after-shave. Je suis obligée de serrer les poings dans mes poches pour refréner mon envie de le toucher.

Lorsqu'il s'assoit finalement sur une chaise, je pousse un ouf de soulagement et m'appuie contre l'évier. Le seul bruit est celui du café qui coule.

— Je voulais juste te dire que...

Je m'interromps, ne sachant pas comment poursuivre. Il reste silencieux. Quand je me tourne vers lui, son visage ne laisse rien transparaître. Comme s'il avait décidé de ne pas montrer ses sentiments.

Je n'ai qu'une chose en tête : réussir à aller au bout de ce que je veux lui dire. J'aimerais qu'il comprenne que je me sens responsable de notre échec. J'aimerais que nous trouvions une sorte de *modus vivendi* qui nous permettrait de nous rencontrer à la moto-école et de nous saluer poliment sans que mon cœur se comporte comme un imbécile.

Si toutefois je décide de reprendre des cours. La moto me semble être une activité dangereuse. Une boîte de Pandore qu'il vaut mieux garder fermée. Mais même sans tenir compte de ça, je veux pouvoir me dire que cette histoire s'est terminée dans la dignité. Quoi qu'en pense Pia. C'est important pour moi.

Il me faut quelques minutes pour servir le café. Noir, avec un sucre. C'est le temps de réflexion dont je dispose.

— Je voulais juste te dire que c'est ma faute si ça n'a pas marché entre nous, et que je suis désolée de m'être comportée comme une idiote.

— Pourquoi ? me demande-t-il.

Voilà, le plus difficile est dit, je pense. Je n'ai plus qu'à continuer.

— Je suppose que c'est parce que je me sentais bien avec toi et que tu étais devenu... important pour moi. Je crois que c'est ça qui m'a effrayée. Je savais que ce serait pénible quand ça se terminerait. Et ça l'a été. Je ne suis pas bonne en relations, mais j'aurais dû me comporter différemment avec toi, te parler...

Il se lève et reste debout devant la table de la cuisine. Son regard est dur et inflexible.

— Non, rétorque-t-il. Ce que je voulais dire c'est pourquoi tu me racontes ça maintenant ?

Mon Dieu, c'est peut-être trop lui demander de m'écouter.

— Je… Tu as été tellement gentil avec moi, tu mérites mieux que ça, je lui explique.

Maintenant, son visage exprime quelque chose. De l'aversion…

— Gentil ?

— Oui. Gentil. Tu étais toujours si attentionné avec moi alors que moi je l'étais si peu avec toi.

— Mon Dieu, Anita, ce n'est pas une compétition, déclare-t-il en passant sa main sur son visage. Pourquoi tu me dis ça maintenant ? Rien ne serait différent si on était de nouveau ensemble.

— Je voulais seulement être sincère avec toi, je proteste. Je sais que c'est terminé entre nous. Je crois que je n'arrive pas à supporter l'idée qu'à un moment… on a compté l'un pour l'autre et qu'aujourd'hui on n'est que des étrangers. Je veux que tu saches que tu as été important pour moi, à un moment donné.

— Honnêtement, Anita, je me serais très bien passé d'apprendre que j'ai été « important » pour toi « à un moment donné ».

J'ai la nausée.

— Je… suppose que je n'ai donc plus rien à ajouter…

Tu peux partir, je pense mais je ne le dis pas.

Il se tourne vers le balcon où un pâle soleil chauffe le béton et les bouleaux avec leurs minuscules feuilles d'un vert tendre.

Peut-être est-il aussi énervé que moi par cette journée qui nous nargue avec sa beauté.

— OK, je te demande pardon, dit-il finalement, visiblement à contrecœur. Je présume que c'est bien que tu me l'aies dit.

J'aurais préféré qu'il n'ouvre pas la bouche, tellement il est évident qu'il ne pense pas ce qu'il dit.

— Et puisque tu es sincère, je suppose que moi aussi je dois l'être.

Non! je m'exclame intérieurement. Ça suffit comme ça!

Mais il poursuit :

— Ce n'est pas uniquement ta faute si ça n'a pas fonctionné entre nous. J'ai toujours su que tu avais moins de sentiments pour moi que moi pour toi. Je suppose que… si je n'avais pas autant brusqué les choses et si je n'avais pas été si blessé par le fait que tu ne veuilles pas me présenter à Emma et Pia, des sentiments auraient pu naître en toi. Si je t'avais laissé plus de temps. En attendant, je me serais sans doute contenté de tes doutes. Je suppose donc que c'est autant ma faute que la tienne.

— Ce n'est pas ce que je voulais dire.

— Et quand tu dis que j'étais «gentil»… Si je suis venu à l'enterrement de ta mère c'est uniquement parce que je savais que tu y serais. Et peut-être que je pensais aussi qu'il était encore possible de changer les choses. Mais je me suis malheureusement rendu compte que je n'avais pas ce pouvoir-là…

Je n'arrive pas à assimiler ce qu'il est en train de me dire. M'explique-t-il qu'il nous reste encore une chance? Ou plutôt qu'il nous en restait une, mais que je l'ai détruite…, que j'ai…

— Tu es vraiment retourné avec Sofia?

L'espace d'un instant, je crois qu'il ne va pas répondre. Finalement il dit «Non» sans commentaire.

J'acquiesce, soulagée. Je crois que j'arriverais à tout supporter à condition qu'il ne retourne pas avec elle.

— Tu n'avais pas plus de sentiments pour moi que moi pour toi, je lui assure à voix basse. Mais comment j'aurais pu penser que… À quoi tu t'attendais, Lukas?

— Je n'étais pas dérangé par le fait que tu donnes la priorité à Emma et Pia, dit-il. C'est vrai. Même si tu le penses, vu que je suis parti en faisant la gueule comme un môme.

— Non, non, je proteste.

— Mais tu étais si certaine que nous n'avions aucun avenir commun. Tu n'arrêtais pas de le dire. Et quand tu n'as même pas voulu me présenter à tes amies…

— On n'avait pas d'avenir commun, je rétorque. Statistiquement parlant. Tout indiquait qu'on ne pourrait pas vivre ensemble jusqu'à la fin de nos jours.

— Dans une relation, il ne s'agit pas de vivre ensemble jusqu'à la fin de ses jours. Il s'agit de *croire* qu'on le fera.

— Je peux y croire, je dis rapidement.

— Quelque part en toi — et dans ton cas, probablement inconsciemment et à contrecœur — il faut cependant que tu arrives à t'imaginer un avenir possible avec l'être aimé pour qu'une relation puisse fonctionner. Quel que soit cet avenir. Six mois…

Il fait deux pas vers moi. Je me penche instinctivement en arrière si bien que mon dos touche la cafetière.

— Six mois… ? je répète.

Il est maintenant bien trop près de moi pour que je parvienne à réfléchir. Je sens une vague de chaleur parcourir mon corps. Comme s'il s'éveillait après des mois d'hibernation.

— Fais comme si on était encore ensemble, me dit-il. Comme avant la Journée de la Ville. Imagine. On fera quoi dans six mois… ?

— On organisera la prochaine Journée de la Ville.

Il me regarde d'un air dépité. Mais c'est bien ce que j'ai l'intention de faire. Comment peut-on décider de *croire* en quelque chose ? Ou plutôt, comment peut-on changer un scénario pour un autre en moins de temps qu'il n'en faut pour boire un café ? Il y a seulement une semaine, je ne parlais que de travail et voilà que…

Je ferme les yeux, comme pour essayer de me protéger contre les images qui envahissent subitement mon regard intérieur. Les souvenirs, les désirs. Tout se mélange, je n'arrive plus à faire la différence entre les rêves et la réalité.

— J'envahirai la table de ta cuisine avec toutes mes listes de choses à faire…

Fermer les yeux était une mauvaise idée. Je vois la scène devant moi aussi distinctement que si j'y étais. Une table immense, pas pratique mais absolument parfaite pour répandre tous mes papiers. C'est presque trop beau. J'ouvre les yeux. Lukas me semble encore plus près de moi.

— Continue, me dit-il tout bas.

— J'irai t'acheter une pizza quand tu rentreras tard et que tu auras eu une grosse journée de travail. Le samedi, on partira se balader, peut-être avec Rolf. (Il esquisse un sourire.) Parfois à moto, mais ce sera toi qui piloteras. Je n'aurai pas encore eu le temps d'apprendre la priorité à droite. J'achèterai une combinaison de moto même si j'ai déjà un beau blouson.

Son sourire est maintenant franc. Il a aussi posé une main sur ma hanche. Mais ça ne m'empêche pas de continuer.

— Et on ira régulièrement boire une bière au Réchaud à alcool. Avec Pia, Nesrin, Charlie et Emma. Et Anna-Britt, aussi. Je la vois devant moi avec son verre de vin. À la prochaine Journée de la Ville, il faudra que tu danses avec elle.

— Qu'est-ce que je ne ferais pas pour toi, Anita.

— Charlie et Nesrin ne se pointeront au Réchaud à alcool que quand ils n'auront rien de mieux à faire. Emma t'appellera papa juste pour t'emmerder. Mais avec bienveillance, rassure-toi.

— Je me suis parfois fait emmerder dans ma vie, dit-il avec gravité. J'ai survécu.

Je tiens la tasse de café devant moi comme un bouclier puis je baisse les yeux pour ne pas croiser les siens.

— Je n'aurai pas d'autres enfants, je déclare.

457

— Je vais déjà être beau-père. C'est peut-être moi qui exigerai qu'Emma m'appelle papa.

— Écoute-moi… Lukas, je ne veux pas d'autres enfants. Je ne sais même pas si je peux encore en avoir. Je ne supporterais pas que mes rêves aillent à l'encontre des tiens. Je veux que tu aies tout ce dont tu as toujours rêvé.

— Les enfants ne font pas partie de mes rêves.

— Je parle sérieusement. Si dans quelque temps tu ressens les choses différemment, on peut décider d'avoir un avenir commun avec une sorte de deadline. On peut aussi voir les choses de cette manière, non ? On peut décider d'être ensemble un moment et…

J'ai du mal à réaliser que je suis en train de dire qu'on *est* ensemble *maintenant*.

Lentement et avec prudence, il me prend la tasse des mains et la pose sur le plan de travail derrière moi.

— Anita, même si je voulais un enfant, il y a bien d'autres moyens d'en avoir dans la vie. Quand j'étais petit, mon entraîneur de foot était la personne qui m'était la plus proche. Pour moi, il était bien plus important que mes parents. Si je ressens soudain le besoin d'être entouré de gosses, je n'aurai qu'à devenir entraîneur des poussins.

Quand il me voit hésiter, il me tire vers lui.

— Continue, dit-il. Dans six mois… ?

— On ira encore boire un chocolat chaud en admirant la zone industrielle. Et dans deux ans et demi je demanderai ta main à cet endroit précis.

— OK. On peut laisser l'avenir un peu ouvert, non ? dit-il rapidement, mais il sourit en disant ça.

Je suis presque sûre qu'il dira oui.

Et en fait, je m'en fous. L'avenir n'est jamais comme on l'avait imaginé.

— La vie est trop courte pour s'ennuyer, je dis avant de prendre son visage dans mes mains et de l'embrasser.

Je suis une mère, vivante, folle, loin d'être ennuyeuse. Je suis la fille d'une traînée rigide et toujours mécontente. Je suis l'amie d'une femme encore plus cinglée que moi. Je suis une femme qui embrasse sur la bouche un beau jeune homme dans une cuisine inondée d'un soleil printanier pendant que son café refroidit et que la dernière neige fond pour laisser la place à la saison de la moto.

C'est ma vie!

À Isak, qui m'emmène sur les routes,
Et Cecilia, qui veille à ce que je continue de rêver :

Here's to us.

Composition UTIBI
Impression Grafica Veneta S.p.A.
à Trebaseleghe (Pd).
Dépôt légal : avril 2016

ISBN : 978-2-207-13047-6/Imprimé en Italie

289388